D0506280

BIBLIOTHEEK BREDA

Wijkbibliotheek West
Dr. Struyckenstraat 161
tel. 076 - 5144178

de Bibliotheek

Breda

Boek
beschadigd
pag. 317/318

DE VRIENDSCHAP

Van Dean Koontz zijn verschenen:

Het Franciscus komplot*
Motel van de angst*
Weerlicht*
Middernacht*
Het kwade licht*
De stem van de nacht*
Het koude vuur*
Fantomen*
Dienaren van de schemering*
Onderaards*
Het masker*
Monsterklok*
Ogen der duisternis*
Mr. Murder*
Wintermaan*
Duistere stromen*
In de val
Het Visioen*
IJskerker*
Eeuwig vuur*
Tiktak*
De sadist*
De overlevende*

Duivelszaad*
Vrees niets*
Grijp de nacht*
Verbrijzeld*
Het Huis van de Donder*
Gezicht van de angst*
Geheugenfout*
De deur naar december*
Gefluister*
Schemerogen*
Schaduwvuur*
Schemerzone*
Verblind*
Huiveringen*
Verlossing*
Bij het licht van de maan*
Spiegel van de ziel*
De gave
Gegrepen
Tijd van leven
De nachtmerrie
De vriendschap

Over Dean Koontz is verschenen:

De biografie* *(door Harrie Kemps)*

* In POEMA-POCKET verschenen

DEAN KOONTZ

DE VRIENDSCHAP

UITGEVERIJ LUITINGH

BIBLIOTHEEK BREDA
Wijkbibliotheek West
Dr. Struyckenstraat 161
tel. 076 - 5144178

© 2005 Dean Koontz
Published by arrangement with Lennart Sane Agency AB
All Rights Reserved
© 2006 Nederlandse vertaling
Uitgeverij Luitingh ~ Sijthoff B.V., Amsterdam
Alle rechten voorbehouden
Oorspronkelijke titel: *Forever Odd*
Vertaling: Cherie van Gelder
Omslagontwerp: Karel van Laar
Omslagilustratie: Tom Hallman

ISBN 90 245 5647 3 / 9789024556472
NUR 332

www.boekenwereld.com

Dit boek is voor Trixie, ook al zal ze het nooit lezen. Als ik het echt moeilijk had achter mijn toetsenbord, als de wanhoop me bekroop, slaagde zij er altijd in om me aan het lachen te maken. De woorden *brave hond* zijn wat haar betreft volslagen ontoereikend. Ze heeft een goed hart en een lieve inborst. Ze is een engeltje op vier poten.

Onverdiend lijden kan een mens redden.
MARTIN LUTHER KING

Kijk naar die handen. O god, die handen hebben zo hard
gewerkt om mij groot te brengen.
ELVIS PRESLEY bij de doodskist van zijn moeder

1

Toen ik wakker werd, hoorde ik een warme bries over de losse hor voor het open raam strijken en ik dacht *Stormy,* maar dat klopte niet.

De woestijnlucht rook vaag naar rozen, hoewel die niet in bloei stonden, en naar zand, dat in de Mojave twaalf maanden per jaar floreert. Neerslag valt in het stadje Pico Mundo alleen tijdens de korte winters die we daar hebben. Deze milde februarinacht werd echter niet opgefrist door de geur van regen.

Ik hoopte stiekem dat ik in de verte het gerommel van donder zou horen. Maar als ik wakker was geworden van een donderslag, moest dat in een droom zijn gebeurd. Ik lag met ingehouden adem naar de stilte te luisteren, met het gevoel dat de stilte hetzelfde met mij deed. Op het nachtkastje staken lichtgevende cijfers af tegen het duister. 02.41 uur.

Ik overwoog heel even om in bed te blijven liggen. Maar tegenwoordig slaap ik niet meer zo goed als toen ik nog jong was. Ik ben eenentwintig en veel ouder dan op mijn twintigste.

Ik wist zeker dat ik niet langer alleen was en in de overtuiging dat er twee Elvissen over me stonden te waken, eentje met een brutale grijns en eentje met een bezorgd en triest gezicht, ging ik rechtop zitten en knipte het licht aan.

Er stond maar één Elvis in de hoek: een levensgrote kartonnen pop die als reclamemateriaal had gediend voor de film *Blue Hawaii.* Met zijn hawaïhemd en de bloemenslinger om zijn nek zag hij er gelukkig en vol zelfvertrouwen uit.

Destijds, in 1961, was er voor hem veel om gelukkig over te zijn. *Blue Hawaii* was een succesfilm en de plaat die ervan was uitgebracht kwam op nummer één terecht. Hij kreeg dat jaar zes gouden platen, onder andere voor 'Can't Help Falling in Love', en hij was verliefd geworden op Priscilla Beaulieu.

Minder gelukkig was het feit dat hij op aandringen van zijn manager, Tom Parker, de hoofdrol in *West Side Story* had afgewezen ten faveure van een middelmatige film als *Follow That Dream*. Gladys Presley, zijn beminde moeder, was inmiddels drie jaar dood, en hij miste haar nog steeds. Hoewel hij pas zesentwintig was, begon hij al last te krijgen van overgewicht.

De kartonnen Elvis is getooid met een eeuwige grijns, hij blijft altijd jong, is niet in staat om fouten te maken of dingen te betreuren, verdriet doet hem niets en wanhoop is hem onbekend.

Ik benijd hem. Er bestaat geen kartonnen duplicaat van mij zoals ik vroeger was en zoals ik nooit meer zal worden.

Het lamplicht onthulde de aanwezigheid van een tweede persoon, even geduldig als wanhopig. Hij had kennelijk naar me zitten kijken terwijl ik sliep en gewacht tot ik wakker zou worden.

'Hallo, dokter Jessup,' zei ik.

Dr. Wilbur Jessup kon me geen antwoord geven. Zijn gezicht vertrok van angst. Zijn ogen waren troosteloze poelen. Elke vorm van hoop was in die eenzame diepten verdronken.

'Het spijt me dat ik u hier zie,' zei ik.

Hij balde zijn vuisten, niet met de bedoeling iets of iemand te slaan, maar uit pure frustratie. Hij drukte ze tegen zijn borst.

Dr. Jessup was nooit eerder in mijn appartement geweest en ik wist diep in mijn hart dat hij niet langer thuishoorde in Pico Mundo. Maar dat weigerde ik te erkennen en terwijl ik mijn bed uitstapte, zei ik opnieuw iets tegen hem.

'Heb ik per ongeluk de deur open laten staan?'

Hij schudde zijn hoofd. Zijn ogen stonden vol tranen, maar hij hield zich stil en jammerde niet eens.

Terwijl ik een spijkerbroek uit de kast pakte en die aantrok, zei ik: 'Ik ben de laatste tijd nogal vergeetachtig.'

Hij vouwde zijn handen open en staarde naar zijn handpalmen. De handen beefden. Hij sloeg ze voor zijn gezicht.

'Er is zoveel dat ik graag zou willen vergeten,' vervolgde ik terwijl ik mijn sokken en schoenen aantrok. 'Maar het zijn alleen kleine dingen die me door het hoofd schieten. Waar ik de sleutels heb neergelegd, bijvoorbeeld, en of ik de deur wel op slot heb gedaan en dat ik geen melk meer in huis heb…'

Dr. Jessup, een radioloog in het County General Hospital, was een vriendelijke man en heel rustig, ook al was hij nog nooit zó rustig geweest.

Omdat ik in bed geen T-shirt aan had gehad, viste ik een witte uit de la.

Ik heb een paar zwarte T-shirts, maar de meeste zijn wit. Daarnaast heb ik nog wat spijkerbroeken en twee witte katoenen broeken. Er is maar één kleine kast in dit appartement. De helft ervan is leeg. Dat geldt ook voor de onderste lades in mijn ladekast.

Ik heb geen pak. En geen stropdas. Of schoenen die gepoetst moeten worden. Als het wat killer wordt, trek ik een van mijn twee truien aan. Allebei met een ronde hals. In een vlaag van verstandsverbijstering heb ik een keer een katoenen vest gekocht. Toen het een dag later tot me doordrong dat ik daarmee mijn garderobe onnodig ingewikkeld had gemaakt heb ik het teruggebracht.

Mijn honderdtachtig kilo wegende vriend en raadgever, P. Oswald Boone, heeft me gewaarschuwd dat mijn manier van kleden een ernstige bedreiging vormt voor de kledingindustrie. Maar het is me meer dan eens opgevallen dat de spullen die in Ozzies klerenkast hangen van zulke enorme omvang zijn dat hij alle stoffenfabrieken die door mij misschien in problemen zouden komen in zijn eentje draaiend kan houden.

Dr. Jessup was blootsvoets en had een katoenen pyjama aan, die behoorlijk gekreukeld was als gevolg van het feit dat hij slapeloos had liggen woelen.

'Ik wou dat u iets tegen me zei, meneer,' zei ik. 'Dat zou ik echt heel fijn vinden.'

In plaats van me dat genoegen te doen liet de radioloog zijn handen zakken, draaide zich om en liep de slaapkamer uit.

Ik wierp een blik op de muur boven het bed. Daar hangt, ingelijst en achter glas, een kaartje uit zo'n waarzegmachine op de kermis. De belofte luidt: HET NOODLOT HEEFT BEPAALD DAT JULLIE ALTIJD SAMEN ZULLEN ZIJN.

Iedere morgen, voordat de dag begint, lees ik die tien woorden. En iedere avond lees ik ze opnieuw, soms zelfs meer dan eens. Voordat ik in slaap val. Als ik tenminste kan slapen. Ik vind houvast in de zekerheid dat het leven zin heeft. Net als de dood.

Ik pakte mijn mobiele telefoon van het nachtkastje. Het eerste nummer op de snelkieslijst is dat van het kantoor van Wyatt Porter, het hoofd van politie in Pico Mundo. Het tweede is zijn privénummer. Op nummer drie staat zijn mobiele nummer. Waar ik ook uithing, het zat er dik in dat ik voor het aanbreken van de dag Chief Porter wel zou moeten bellen.

Ik deed in de woonkamer het licht aan en kwam tot de ontdekking dat dr. Jessup daar in het donker had staan wachten, tussen de spullen uit de kringloopwinkel waarmee de flat ingericht is. Maar toen ik naar de voordeur liep en die opentrok, kwam hij niet achter me aan. Hoewel hij mijn hulp had ingeroepen kon hij de moed niet opbrengen voor wat ons te wachten stond.

In het rossige licht van een oude schemerlamp met een franje van kraaltjes scheen hij zich uitstekend thuis te voelen te midden van het bijeengeraapte meubilair, bestaande uit stoelen in Stickley-stijl naast plompe victoriaanse beklede voetenbankjes, katoentjes van Maxfield Parrish en glazen kermisvazen.

'Ik wil niet onaardig zijn,' zei ik. 'Maar u hoort hier niet thuis, meneer.'

Dr. Jessup keek me zwijgend aan met een blik die iets smekends had.

'Deze plek is tot de nok toe gevuld met dingen uit het verleden. Er is net genoeg ruimte voor Elvis en mij plus mijn herinneringen, maar niet voor nieuwe bewoners.'

Ik liep de gemeenschappelijke hal in en trok de deur achter me dicht.

Mijn appartement is een van twee flats op de begane grond van een verbouwd victoriaans huis. Vroeger fungeerde het als een ruim bemeten eengezinswoning en het pand heeft nog niets van de oorspronkelijke charme verloren.

Ik heb jarenlang in een huurkamer boven een garage gewoond, waar mijn bed op een paar passen van de koelkast stond. Toen was het leven nog simpel en de toekomst duidelijk. Maar die kamer heb ik ingeruild voor mijn huidige onderkomen. Niet omdat ik meer ruimte nodig had, maar omdat ik deze plek voorgoed in mijn hart heb gesloten.

In de voordeur van het huis zit een ovaalvormig glas-in-loodraam. Het duister erachter leek scherp afgebakend en geschikt in een patroon dat voor iedereen begrijpelijk was. Maar toen ik de veranda op liep, bleek het een nacht te zijn als alle andere: intens, geheimzinnig en zinderend van de potentie tot chaos.

Terwijl ik van de veranda via het trapje en een flagstonepad naar het trottoir liep, bleef ik achterom kijken maar ik zag dr. Jessup nergens.

Midden in de woestijn, ergens in het oosten hoog boven Pico Mundo, kan het 's winters behoorlijk koel zijn. Maar bij ons, aan de rand van de woestijn, blijven de nachten zelfs in februari nog mild. De ficusstruiken langs de straat zuchtten en fluisterden in de zoele wind en motten fladderden rond de straatlantaarns.

De omringende huizen waren even stil en bewegingloos als hun donkere ramen. Geen hond die blafte. Geen uil te horen. Er was ook geen voetganger of verkeer te zien. De stad zag eruit alsof de hemelse belofte was ingelost en ik was achtergebleven om in mijn eentje de heerschappij van de hel over de aarde te ondergaan.

Ik was inmiddels al bij de hoek aangekomen toen dr. Jessup weer naast me opdook. Uit het feit dat hij in pyjama was en het late uur maakte ik op dat hij vanuit zijn huis op Jacaranda Way, vijf straten verder en in een betere buurt dan de mijne, naar mijn appartement was gekomen. Nu nam hij me mee die kant op.

Hij kon vliegen, maar sukkelde moeizaam voort. Ik holde voor hem uit. Hoewel mijn vrees voor wat ik aan zou treffen minstens zo groot was als zijn angst om mij dat te vertellen, wilde ik er zo gauw mogelijk naartoe. Voor zover ik wist, bestond er nog steeds een kans dat iemands leven in gevaar was.

Pas toen we halverwege waren, drong het ineens tot me door dat we ook de Chevy hadden kunnen nemen. Nadat ik mijn rijbewijs had gehaald moest ik meestal een beroep op mijn vrienden doen als ik een auto nodig had, omdat ik die zelf niet bezat. Maar de afgelopen herfst had ik een Chevrolet Camaro

Berlinetta Coupe uit 1980 geërfd. Toch gedraag ik me nog regelmatig alsof ik geen auto bezit. Het feit dat ik eigenaar ben van een voertuig dat een paar honderd kilo weegt, zet me onder druk als ik er te veel over nadenk. En omdat ik probeer er niet over na te denken, vergeet ik wel eens dat ik een auto heb.

Dus zette ik er onder het met kraters bedekte aangezicht van de maan de sokken in.

Het huis van de familie Jessup op Jacaranda Way is een wit, uit baksteen opgetrokken zeventiende-eeuws pand met elegante versierselen. Ernaast staat een verrukkelijk Amerikaans victoriaans huis met zoveel drukke friezen en kroonlijsten dat het op een bruidstaart lijkt en aan de andere kant een huis dat op alle verkeerde manieren barok is.

Al die verschillende vormen van architectuur lijken helemaal niet te passen bij de woestijn, waar ze in de schaduw staan van palmbomen en begroeid worden door kleurige bougainville. Onze stad is in 1900 gesticht door een stel nieuwkomers van de oostkust, die op de vlucht waren geslagen voor de gure winters, maar wel de architectuur en de leefwijze van een koud klimaat hadden meegebracht.

Terri Stambaugh, mijn vriendin en werkgeefster, eigenares van de Pico Mundo Grille, heeft me verteld dat deze misplaatste architectuur beter is dan de saaie bepleisterde muren en met grind bedekte daken in de meeste Californische woestijnsteden. Ze zal wel gelijk hebben. Ik ben maar zelden buiten Pico Mundo geweest en ik heb zelfs nog nooit de grenzen van Maravilla County overschreden. Mijn leven is te druk om een tochtje te maken of op reis te gaan. Ik kijk niet eens naar het Travel Channel. Je kunt overal een plezierig leven leiden. Als je ver van huis gaat, krijg je alleen meer exotische ellende voorgeschoteld. Daar komt nog bij dat de wereld buiten Pico Mundo onveilig wordt gemaakt door vreemden en ik heb al genoeg te stellen met de doden die bij tijd van leven bekenden van me waren.

Zowel boven als beneden scheen zacht lamplicht achter bepaalde ramen in het huis van Jessup. De meeste ruiten waren donker. Tegen de tijd dat ik bij de onderste tree van de verandatrap aan de voorkant was, stond dr. Wilbur Jessup daar al op me te wachten.

De wind speelde door zijn haar en liet zijn pyjama wapperen, hoewel ik niet weet waarom hij de wind kon voelen. Het maanlicht liet hem ook niet onberoerd, evenmin als de schaduw.

De treurende radioloog moest gerustgesteld worden voordat hij de moed kon opbrengen om voor me uit zijn huis binnen te gaan, waar hij ongetwijfeld zelf dood lag en misschien nog iemand anders ook.

Ik sloeg mijn armen om hem heen. Omdat hij een geest was, kon niemand behalve ik hem zien, maar toch voelde hij warm en stevig aan.

Dat de weersomstandigheden van deze wereld net als licht en schaduw invloed hebben op de doden en dat ze voor mij even warm aanvoelen als levende mensen komt waarschijnlijk omdat ik dat wil en niet omdat het ook zo is. Misschien probeer ik op die manier wel de macht van de dood te ontkennen.

Het is best mogelijk dat mijn bovennatuurlijke gave niet in mijn brein zit, maar in mijn hart. Het hart is een kunstenaar die alles overschildert wat het als bijzonder storend ervaart en op het linnen een minder donkere en minder scherp omlijnde versie van de waarheid achterlaat.

Dr. Jessup was onstoffelijk, maar hij leunde zwaar op me, met zijn volle gewicht. Hij trilde van de snikken die hij niet hoorbaar kon maken.

Doden praten niet. Misschien omdat ze dingen van de dood weten die de levenden niet van hen te horen mogen krijgen. Maar op dit moment had ik geen profijt van het feit dat ik wel kon praten, want woorden konden hem geen troost bieden. Het enige dat zijn verdriet kon verlichten was rechtvaardigheid. En misschien was dat nog niet eens genoeg.

Toen hij nog leefde, had hij me gekend als Odd Thomas, Vreemde Thomas, een plaatselijke persoonlijkheid. Sommige mensen beschouwen me – onterecht – als een held, maar vrijwel iedereen vindt me een excentriekeling.

Odd is geen bijnaam, ik heet officieel zo.

Het verhaal achter die naam is best interessant, maar dat heb ik al eerder verteld. Waar het uiteindelijk op neerkomt, is dat mijn ouders gestoord waren. En niet zo'n klein beetje ook.

Ik denk dat dr. Jessup mij bij leven interessant, amusant en raadselachtig had gevonden. Volgens mij mocht hij me wel. Maar pas nu hij dood was, begreep hij wat ik precies ben: een metgezel voor de rusteloze doden. Ik kan hen zien en ik wou dat het niet zo was. Maar ik hou te veel van het leven om de doden de rug toe te keren, want zij verdienen mijn medeleven alleen al omdat zij onder het bestaan van deze wereld hebben geleden.

Toen dr. Jessup achteruit stapte, was hij veranderd. Zijn wonden waren nu duidelijk te zien.

Hij was met een stomp voorwerp in het gezicht geslagen, misschien met een ijzeren pijp of een hamer. Meer dan eens. Zijn schedel was gebroken en zijn gelaatstrekken waren misvormd. Zijn kapotte, opengereten en gebroken handen duidden erop dat hij wanhopige pogingen had gedaan zich te verdedigen – of dat hij iemand te hulp was geschoten. De enige persoon die bij hem woonde, was zijn zoon, Danny.

Mijn medeleven maakte al snel plaats voor een soort gerechtvaardigde woede en dat is een gevaarlijke emotie, waardoor iemand te snel conclusies trekt en niet voldoende voorzorgsmaatregelen treft. In deze toestand, die ik probeer te vermijden en die me angst aanjaagt maar die me overvalt alsof ik bezeten ben, kan ik me niet onttrekken aan wat gedaan moet worden. En daar stort ik me halsoverkop op.

Mijn vrienden, de enkele personen die mijn geheim kennen, denken dat mijn dwangneurose een kwestie van goddelijke inspiratie is. Het zou echter ook best een vlaag van verstandsverbijstering kunnen zijn.

Terwijl ik tree voor tree naar boven liep en vervolgens de veranda overstak, overwoog ik om Chief Wyatt Porter te bellen. Maar ik was bang dat Danny zou overlijden terwijl ik zijn nummer belde en op het openbaar gezag wachtte.

De voordeur stond op een kier.

Ik keek achterom en zag dat dr. Jessup er de voorkeur aan gaf om in de tuin rond te spoken in plaats van in het huis. Hij stond nog steeds op het gazon. Zijn wonden waren weer verdwenen. Hij zag er precies zo uit als voordat de Dood hem had getroffen… en hij leek bang.

Tot ze uit deze wereld vertrekken, kunnen zelfs doden angst

voelen. Je zou denken dat ze niets te verliezen hebben, maar soms maken ze zich ontzettend veel zorgen. Niet om wat hen in het hiernamaals te wachten staat, maar om degenen die ze achter hebben gelaten.

Ik duwde de deur open.

De scharnieren werkten even soepel en geluidloos als het mechanisme van een stel goed geoliede voetangels en klemmen.

2

Matte vlamvormige lampjes in verzilverde blakers in de gang verlichtten de panelen van witte deuren die allemaal gesloten waren en een trap die in het donker verdween.

De marmeren vloer in de hal, glanzend maar niet glimmend, had de kleur van witte wolken en leek even zacht. Het robijnrode, zachtblauwe en smaragdgroene Perzische tapijt leek erop te drijven als een betoverde taxi die wachtte op een avontuurlijk aangelegde passagier.

Ik stapte naar binnen en de vloer van wolken bleek me toch te kunnen dragen. Het tapijt bleef stil onder mijn voeten liggen.

In dit soort omstandigheden werken gesloten deuren meestal als een magneet op me. In de loop der jaren heb ik diverse keren een droom gehad waarin ik nieuwsgierig een witte deur met panelen opentrek. Vervolgens wordt mijn keel prompt doorboord door iets dat scherp en koud aanvoelt en even dik is als de stang van een hek. Ik word onveranderlijk wakker voordat ik doodga, kokhalzend alsof ik nog steeds vastgepind ben. Daarna sta ik meestal meteen op, ook al is het nog zo vroeg.

Mijn dromen zijn niet echt profetisch. Ik heb bijvoorbeeld nooit naakt en zonder zadel op een olifant gezeten, terwijl ik ondertussen de liefde bedrijf met Jennifer Anston. Er zijn inmiddels zeven jaar voorbij sinds die memorabele nacht waarin ik dat als veertienjarig jongetje droomde. Na al die tijd heb ik niet langer de illusie dat die fantasie ook werkelijkheid zal worden. Maar ik weet vrij zeker dat het scenario met de witte, van panelen voorziene deur zich ooit zal afspelen. Ik kan niet zeggen of ik alleen maar gewond zal raken, voorgoed invalide zal worden of zal sterven.

En daaruit zou je de gevolgtrekking kunnen maken dat ik witte deuren met panelen altijd probeer te mijden. En dat zou ook kloppen, als ik ondertussen niet had geleerd dat je het noodlot toch niet kunt ontlopen. Na de prijs die ik voor die les heb moeten betalen is mijn hart een vrijwel lege beurs, waarin alleen onderin nog een paar muntjes zitten.

Ik geef er de voorkeur aan om iedere deur open te trappen en wat erachter wacht het hoofd te bieden in plaats van me om te draaien en weg te lopen – en vervolgens voortdurend op mijn hoede moet blijven voor iedere deurknop die achter mijn rug zacht krakend wordt omgedraaid en het schurende geluid van scharnieren. Maar in dit geval had ik geen belangstelling voor de deuren. Ik liep intuïtief naar de trap en holde naar boven.

De duistere overloop op de eerste verdieping werd alleen verlicht door het schijnsel dat uit twee kamers viel.

Ik had nooit gedroomd over open deuren, dus ik liep zonder aarzelen naar de eerste toe en stapte een slaapkamer binnen.

Gewelddadig verspild bloed werkt zelfs ontmoedigend op personen die daar al vaak mee zijn geconfronteerd. De plassen, de spetters, het gesijpel en het gedruppel vormen eindeloze rorschachpatronen waaruit de toeschouwer slechts één conclusie kan trekken: de kwetsbaarheid van zijn bestaan, het feit dat hij sterfelijk is.

Een collectie van wanhopige rode handafdrukken op een muur waren gebarentaal van het slachtoffer: *Red me, help me, vergeet me niet, wreek me.*

Op de vloer bij het voeteneind van het bed lag het lichaam van dr. Wilbur Jessup, helemaal in elkaar geslagen.

Zelfs op iemand die wéét dat het lichaam slechts de verpakking is en dat alleen de geest telt, werkt een zwaar toegetakeld lijk deprimerend en aanstootgevend. Deze wereld, die de potentie heeft een paradijs te zijn, is in werkelijkheid een hel op aarde. Daar hebben wij in onze arrogantie wel voor gezorgd.

De deur naar de aangrenzende badkamer stond half open. Ik gaf er met mijn voet een zetje tegen. Maar hoewel een met bloed besmeurde lampenkap als een dimmer werkte, viel er genoeg licht in de badkamer om verrassingen uit te sluiten.

Omdat ik wist dat ik me op de plaats van een misdrijf bevond, raakte ik niets aan en lette goed op waar ik mijn voeten neer-zette, uit respect voor eventueel bewijsmateriaal.

Er zijn mensen die willen geloven dat hebzucht ten grondslag ligt aan elke moord, maar een moordenaar wordt zelden gedre-ven door hebzucht. Doodslag komt meestal voort uit dezelfde akelige reden: obstinate mensen moorden uit jaloezie en be-geerte. Dat is niet alleen de voornaamste tragedie van het men-selijk bestaan, het is ook de grondslag van de politieke historie van de wereld.

Het was dan ook gezond verstand in plaats van mediamieke vermogens waaruit ik dit keer opmaakte dat de moordenaar ja-loers was geweest op het gelukkige huwelijk dat dr. Jessup tot voor kort had gehad. Veertien jaar geleden was de radioloog ge-trouwd met Carol Makepeace. Ze bleken voor elkaar gescha-pen.

Carol had een zevenjarig zoontje gehad, Danny, en dr. Jessup had hem geadopteerd.

Ik was bevriend geweest met Danny sinds we zes waren en ontdekten dat we allebei de kauwgumkaartjes van Monster Gum spaarden. Ik ruilde een Martiaanse hersenetende duizendpoot met hem voor een van Venus afkomstig slijmerig beest van me-thaangas, waardoor er meteen bij onze eerste ontmoeting een band ontstond die een levenslange, broederlijke genegenheid ga-randeerde.

We voelden ons ook tot elkaar aangetrokken omdat we allebei anders waren, elk op onze eigen manier, dan andere mensen. Ik zie de rusteloze doden en Danny heeft osteogenesis imperfecta, letterlijk onvolkomen botvorming en ook wel o.i. genoemd. On-ze levens worden bepaald – en mismaakt – door onze aandoe-ning. Mijn afwijkingen zijn voornamelijk maatschappelijk, de zijne grotendeels lichamelijk.

Carol was een jaar geleden aan kanker overleden. Nu was dr. Jessup er ook niet meer en bleef Danny alleen achter.

Ik liep de hoofdslaapkamer uit en holde door de gang naar de achterkant van het huis. Terwijl ik op weg naar de openstaan-de deur die eveneens als lichtbron fungeerde twee gesloten deu-ren passeerde, maakte ik me zorgen over het feit dat ik kamers achterliet die ik niet doorzocht had.

Nadat ik een keer per abuis naar het nieuws op tv had gekeken, had ik een tijdje in de rats gezeten dat een asteroïde in botsing zou komen met de aarde en de hele menselijke beschaving zou vernietigen. De nieuwslezeres had gezegd dat het niet alleen mogelijk, maar zelfs waarschijnlijk was. Na het voorlezen van het bericht had ze geglimlacht.

Ik zat in over die asteroïde tot ik ineens besefte dat ik dat ding toch niet tegen zou kunnen houden. Ik ben Superman niet. Ik ben een snelbuffetkok die een tijdje met verlof is. Die nieuwslezeres heeft me langer dwarsgezeten. Wat voor soort mensen kan een dergelijk angstaanjagend bericht voorlezen en vervolgens glimlachen? Als ik ooit een witte deur met panelen open zou doen en een ijzeren staaf – of iets anders – dwars door mijn keel kreeg, zou die nieuwslezeres vast de dader zijn.

Ik bereikte de volgende open deur, stapte in het licht en liep de kamer in. Geen slachtoffer en geen moordenaar.

De dingen die ons de meeste zorgen baren, zijn nooit de dingen die ons pijn doen. De scherpste tanden happen altijd toe als we de andere kant opkijken.

Het leed geen twijfel dat dit Danny's kamer was. Op de muur achter het overhoop gehaalde bed hing een poster van John Merrick, de echte Elephant Man.

Danny reageerde met humor op de vergroeiingen – voornamelijk in de ledematen – die zijn ziekte veroorzaakt had. Hij leek helemaal niet op Merrick, maar de Elephant Man was zijn held.

Hij werd als een gedrocht tentoongesteld, had Danny me verteld. *Vrouwen vielen flauw als ze hem zagen, kinderen begonnen te huilen en sterke kerels deinsden achteruit. De mensen walgden van hem en hadden geen goed woord voor hem over. En toch werd er een eeuw later een film over hem gemaakt en we kennen zijn naam. Wie weet nu nog hoe zijn eigenaars heetten die hem tentoonstelden en wie kent de namen van de mensen die flauwvielen, huilden of achteruit deinsden? Zij zijn tot stof vergaan en hij is onsterflijk. Trouwens, als hij de straat op ging, droeg hij een wijde mantel met een capuchon die er hartstikke gaaf uitzag.*

Op de andere muren hingen vier posters van de tijdloze seksgodin Demi Moore, die op dat moment aantrekkelijker was dan ooit in een serie advertenties van Versace.

Danny was inmiddels eenentwintig, vijf centimeter kleiner dan de een meter vijftig die hij beweerde te zijn, verwrongen door de abnormale botgroei waarmee het herstel van sommige van zijn breuken gepaard was gegaan en zijn leven was beperkt, maar zijn dromen kenden geen grenzen.

Niemand stak me neer toen ik opnieuw de gang in liep. Dat had ik ook niet verwacht, maar dat soort dingen gebeurt altijd op zulke momenten. Als de wind uit de Mojave nog steeds door het duister woei, kon ik dat tussen de stevige muren van dit zogenaamd zeventiende-eeuwse pand niet horen. De stilte, de mechanische koelte en de vage geur van bloed in de kille lucht deden denken aan een graf.

Ik durfde niet langer te wachten met het bellen van Chief Porter. Boven op de overloop drukte ik op de 2 van mijn mobiele telefoon, zijn privénummer op mijn snelkieslijst.

Hij nam op nadat de telefoon twee keer was overgegaan en klonk klaarwakker.

Op mijn hoede voor plotseling opduikende krankzinnige nieuwslezeressen of erger tuig dempte ik mijn stem. 'Het spijt me dat ik u wakker heb gemaakt, meneer.'

'Ik sliep nog niet. Ik zat hier samen met Louis L'Amour.'

'De schrijver? Ik dacht dat hij dood was.'

'Ongeveer even dood als Dickens. Zeg alsjeblieft dat je je eenzaam voelt, jongen, en dat je niet opnieuw in de moeilijkheden zit.'

'Ik heb niet om moeilijkheden gevraagd, meneer. Maar het lijkt me beter dat u meteen naar het huis van dr. Jessup komt.'

'Hopelijk gaat het alleen om een inbraak.'

'Het is moord,' zei ik. 'Wilbur Jessup ligt op de vloer in zijn slaapkamer. Het ziet er lelijk uit.'

'Waar is Danny?'

'Ontvoerd, denk ik.'

'Simon,' zei hij.

Simon Makepeace, Carols eerste man en Danny's vader, was vier maanden geleden ontslagen uit de gevangenis waar hij zestien jaar had gezeten wegens doodslag.

'Ik zou maar wat mankracht meebrengen,' zei ik. 'En niet te veel lawaai maken.'

'Is er nog iemand in de buurt?'
'Dat gevoel heb ik wel.'
'Hou je gedeisd, Odd.'
'U weet dat ik dat niet kan.'
'Ik snap dat dwangmatige gedrag van je niet.'
'Ik ook niet, meneer.'

Ik maakte een eind aan het gesprek en stopte de mobiele telefoon in mijn zak.

3

Omdat ik ervan uitging dat Danny nog steeds ergens in de buurt door iemand in bedwang werd gehouden en het voor de hand lag dat hij zich op de begane grond bevond, liep ik weer naar de trap aan de voorkant. Maar voordat ik naar beneden kon gaan, draaide ik me om en keerde automatisch op mijn schreden terug. Ik verwachtte eigenlijk dat ik naar de twee gesloten deuren aan de rechterkant van de overloop zou gaan, tussen de hoofdslaapkamer en de kamer van Danny, en dat ik zou uitzoeken wat zich daarachter bevond. Maar net als de eerste keer oefenden de deuren geen enkele aantrekkingskracht op me uit.

Aan de linkerkant waren ook nog drie gesloten deuren. Maar die trokken me ook niet.

Afgezien van mijn vermogen om geesten te zien, een gave die ik maar al te graag in zou willen ruilen voor aanleg voor pianospelen of voor bloemschikken, ben ik ook nog gezegend met iets dat ik zelf paranormaal magnetisme noem, of afgekort mijn PM-syndroom of PMS. Als iemand niet op de plek is waar ik hem verwacht aan te treffen, kan ik een wandeling gaan maken, op de fiets stappen of in een auto rond gaan rijden en zolang ik maar een gezicht of een naam heb om me aan vast te houden terwijl ik kriskras rondrijd of loop, kom ik de persoon die ik zoek geheid tegen. Soms binnen een paar minuten, maar het kan ook een uur duren. Leg maar een paar magneetjes op tafel, dan zul je die ook onverbiddelijk naar elkaar toe zien glijden.

In dit geval draaide alles om het woordje 'soms'.

Af en toe werkt mijn PMS even precies als het mooiste Cartier-horloge. Maar soms gedraagt het zich ook als een kookwekker die je bij de opheffingsuitverkoop van een goedkoop winkeltje op de kop hebt getikt. Als je die op drie minuten zet om een zacht gekookt eitje te krijgen, kun je met het resultaat iemand een gat in de kop gooien.

De onbetrouwbaarheid van die gave bewijst niet dat God wreed of onverschillig is, al zou het best een van de vele aanwijzingen kunnen zijn dat Hij over gevoel voor humor beschikt. De fout ligt bij mij. Ik kan me niet voldoende ontspannen om de gave zijn werk te laten doen. In dit geval werd ik afgeleid door de mogelijkheid dat Simon Makepeace in flagrante tegenspraak met zijn naam – die 'vredestichter' betekent – een deur open zou gooien om de overloop op te springen en me dood te knuppelen.

Ik liep verder door de plas licht die uit Danny's kamer viel. Demi Moore zag er nog steeds schitterend uit en de Elephant Man leek nog steeds op een of andere dikhuid. Op de plaats waar een tweede, kortere gang op de overloop uitkwam, bleef ik in het duister staan.

Dit was een groot huis. Het was in 1910 gebouwd door een immigrant uit Philadelphia die een vermogen had verdiend met kwark of met geligniet. Dat kan ik nooit onthouden.

Geligniet is een springstof die bestaat uit gegelatineerde nitroglycerine vermengd met cellulose-nitraat. In het eerste decennium van de vorige eeuw werd het ballistiet genoemd en het was heel populair in kringen waar grote belangstelling bestond voor het opblazen van dingen.

Kwark is kwark. Het smaakt heerlijk in een groot aantal schotels, maar het explodeert zelden.

Ik zou wel graag iets meer willen weten van onze plaatselijke historie, maar ik heb er nooit genoeg tijd aan kunnen besteden. Ik word steeds afgeleid door dode mensen.

Nu liep ik rechtsaf de tweede gang in, waar het donker was, maar niet pikdonker. Aan het eind was een lichte plek die aangaf dat de deur boven aan de achtertrap openstond. Het traplicht was niet aan. Het schijnsel kwam van beneden.

Aan weerszijden waren kasten en kamers, maar ik voelde niet de minste aandrang om die te doorzoeken. Bovendien kwam ik langs een lift, een hydraulisch apparaat dat al in het huis was geïnstalleerd toen Wilbur en Carol trouwden, dus nog voordat Danny – destijds een joch van zeven – hier kwam wonen.

Als je aan o.i. lijdt, kun je bij het minste of geringste botten breken. Op zijn zesde had Danny zijn pols gebroken toen hij de kaarten voor een potje kwartetten deelde. Vandaar dat trappen een groot risico vormen. Als hij op jeugdige leeftijd van een trap was gevallen, dan zou hij waarschijnlijk aan hoofdletsel zijn overleden. En hoewel ik niet bang was om te vallen, vond ik de achtertrap toch eng. Het was een door het trappenhuis ingesloten wenteltrap, dus je kon nooit meer dan een paar passen vooruit kijken.

Ik wist intuïtief dat er iemand beneden was.

In plaats van de trap zou ik de lift kunnen nemen, maar die maakte veel te veel lawaai. Als Simon Makepeace die herrie hoorde, zou hij me staan op te wachten. En ik kon niet terug. Ik moest gewoon doorlopen – en snel – naar de achterkamers op de benedenverdieping.

Voordat ik precies besefte wat ik deed, drukte ik op de knop van de lift. Als door een adder gebeten trok ik mijn vinger terug. De deuren gleden niet meteen open. De lift bevond zich op de begane grond.

Toen de motor aansloeg en het hydraulische systeem zuchtend de cabine met een zacht geruis door de schacht omhoog hees, drong het tot me door dat ik een plan had. Dat was heel slim van me.

In werkelijkheid was het woord 'plan' een beetje te hoog gegrepen. Het enige wat ik had, was een trucje dat voor afleiding zou kunnen zorgen.

De lift arriveerde met een *bonk* die in het stille huis zo luid klonk, dat ik een sprongetje van schrik maakte, ook al had ik dat geluid verwacht. Toen de deuren open gleden, spande ik mijn spieren, maar ik werd door niemand besprongen. Ik boog voorover en drukte in de cabine op de knop die de lift weer naar beneden zou sturen. En op het moment dat de deuren dicht gingen, liep ik al haastig naar de trap en stoof blindelings naar beneden. Als de lift daar eerder was dan ik zou het trucje niets opleveren, want dan zou Simon meteen ontdekken dat ik er helemaal niet in zat.

De trap, die me een aanval van claustrofobie bezorgde, kwam uit in een van de bijkeukens. Hoewel een bijkeuken met een stenen vloer in Philadelphia misschien van nut was, omdat die stad bekendstaat vanwege de hoeveelheid regen in de lente en sneeuw in de winter, heeft een huis in de zonovergoten Mojave daar net zomin behoefte aan als aan een opslagplaats voor snowboots.

Gelukkig was het ook geen opslagplaats vol geligniet.

De bijkeuken telde drie deuren. Een gaf toegang tot de garage en een tweede tot de achtertuin. Via de derde kwam je in de keuken.

Het huis was oorspronkelijk niet berekend op een lift. De aannemer die het apparaat had ingebouwd, was genoodzaakt om de ingang in een hoek van de grote keuken te plaatsen, allesbehalve ideaal.

Ik was nog maar net in de bijkeuken beland, duizelig van die smalle wenteltrap, toen ik de *bonk* hoorde waarmee de liftcabine op de begane grond arriveerde.

Ik greep meteen een bezem op, alsof ik daarmee een moordlustige psychopaat onderuit zou kunnen vegen. Op z'n hoogst zou ik zijn ogen kunnen beschadigen en hem uit zijn evenwicht brengen door hem de borstel in zijn gezicht te duwen. In feite had ik me meer op mijn gemak gevoeld met een vlammenwerper dan met een harde bezem, maar het ding was in ieder geval beter dan een zwabber of een plumeau.

Ik stelde me achter de deur naar de keuken op met de bedoeling Simon onderuit te halen als hij op zoek naar mij de bijkeuken binnen kwam stormen. Maar dat deed hij niet.

Nadat ik lang genoeg had gewacht om in de tussentijd de grijze muren een vrolijker kleurtje te geven, hoewel het in werkelijkheid niet meer dan vijftien seconden zal zijn geweest, wierp ik een blik op de deur naar de garage. Vervolgens keek ik naar de buitendeur.

Ik vroeg me af of Simon Makepeace Danny al met geweld het huis uit had gedreven. Ze zouden best in de garage kunnen zijn, met Simon achter het stuur van de auto van dr. Jessup en Danny gebonden en hulpeloos op de achterbank. Of misschien liepen ze wel door de tuin, op weg naar de deur in de omheining. Misschien had Simon zelf een auto bij zich, die hij in de steeg achter het huis had geparkeerd.

Maar mijn eerste opwelling was om via de klapdeur de keuken binnen te stappen. Daar waren alleen de lampen onder de wandkasten aan, die het aanrecht en de werkbladen langs de vier muren verlichtten. Toch kon ik zien dat ik alleen was. Desondanks voelde ik dat er nog iemand aanwezig was. Misschien was hij weggedoken onder het grote keukenblok dat midden in het vertrek stond.

Moed puttend uit de bezem die ik in mijn hand klemde alsof het een knuppel was, sloop ik voorzichtig de keuken rond. De glanzende mahoniehouten vloer ontlokte zachte piepjes aan de rubberzolen van mijn schoenen.

Toen ik voor driekwart om het keukenblok was gelopen, hoorde ik achter me de deuren van de lift openglijden.

Ik draaide me met een ruk om en zag niet Simon, maar een vreemde. Hij had op de lift staan wachten en toen ik er niet in bleek te zitten, zoals hij had verwacht, was het tot hem doorgedrongen dat het een afleidingsmanoeuvre was. Hij had meteen gereageerd door in de cabine te stappen voordat ik de bijkeuken uit kwam.

Hij was een kronkelig type, vol gebalde kracht. Uit zijn gifgroene blik straalde een walgelijke kennis. Dit waren de ogen van iemand die elke uitweg uit het paradijs kende. Zijn schubbige lippen vormden de omtrek van een volmaakte leugen: een glimlach waarin kwaadaardigheid voor vriendelijke bedoelingen door moest gaan, waarin geamuseerdheid in werkelijkheid droop van het gif.

Voordat ik in de wereld van de reptielen een vergelijking had kunnen vinden voor zijn neus sloeg de slangachtige vuilak al toe. Hij haalde de trekker over van een Taser en vuurde twee pijltjes af waar dunne draadjes uitkwamen. Ze gingen dwars door mijn t-shirt heen en bezorgden me een verlammende schok.

Ik stortte neer als een heks die hoog in de lucht plotseling haar toverkracht was kwijtgeraakt: met een klap en een nutteloze bezem.

4

Als je net misschien wel vijftigduizend volt uit een Taser te verwerken hebt gekregen, duurt het echt even voordat je weer zin hebt om te dansen. Terwijl ik op de vloer lag te kronkelen als een gewonde kakkerlak, beroofd van elke controle over mijn elementaire motoriek, probeerde ik het uit te schreeuwen, maar in plaats daarvan lag ik alleen een beetje te piepen.

Een pijnscheut gevolgd door een soort hete flits leek zich met zoveel gezag een pad te banen door mijn hele zenuwstelsel dat ik het in gedachten als een soort wegennet voor me zag. Ik vervloekte de man die me aangevallen had, maar de krachtterm kwam eruit als een licht gejammer. Ik klonk als een zenuwachtig marmotje.

Hij torende boven me uit en ik verwachtte eigenlijk dat hij me in elkaar zou stampen. Hij zag eruit als een vent die dat leuk zou vinden. Hij droeg weliswaar geen zware werkschoenen, maar die waren vast bij de schoenmaker om er spikes onder te laten zetten. Toen hij iets zei, leken zijn woorden nergens op te slaan. Ze klonken als het geknetter van een snoer met kortsluiting. Daarna pakte hij de bezem op en aan de manier waarop hij die vasthield, kon ik zien dat hij van plan was om mijn gezicht zo te bewerken met de stompe metalen handgreep dat de Elephant Man in vergelijking met mij op een fotomodel van *GQ* zou lijken.

Hij tilde het verraderlijke wapen hoog boven zijn hoofd, maar voordat hij het op mijn gezicht terecht liet komen, draaide hij zich abrupt om en keek naar de voorkant van het huis. Hij had kennelijk iets gehoord waardoor hij zijn plannen moest herzien, want hij gooide de bezem van zich af. Vervolgens maakte hij zich via de bijkeuken uit de voeten en rende ongetwijfeld via de achterdeur het huis uit.

Ik had nog steeds een hardnekkig gezoem in mijn oren, zodat ik niet kon horen wat mijn overvaller had gehoord, maar ik nam aan dat Chief Porter met zijn secondanten was gearriveerd. Ik had hem verteld dat dr. Jessup dood op de grond in de hoofdslaapkamer lag, maar hij zou ongetwijfeld bevel geven tot de standaard huiszoeking.

En ik wilde ten koste van alles vermijden dat ik daarbij zou worden aangetroffen.

Bij de politie van Pico Mundo is alleen de commissaris op de hoogte van mijn paranormale gaven. Als ik ooit weer als eerste op de plaats van een misdrijf word aangetroffen, zullen heel wat politiemensen nog meer argwaan ten opzichte van mij gaan koesteren dan nu al het geval is. De kans dat een van hen tot de conclusie zou komen dat de doden mij af en toe komen opzoeken om gerechtigheid te krijgen was vrijwel nihil, maar toch wilde ik geen enkel risico nemen.

Mijn leven is al zo vreemd en complex dat ik mijn gezonde verstand alleen kan bewaren dankzij een minimalistische levensstijl. Ik ga nooit op reis. Als ik ergens naartoe ga, loop ik bijna altijd. Ik hang nooit de beest uit. Ik volg het nieuws niet en de mode evenmin. Ik heb geen belangstelling voor politiek. Ik maak geen plannen voor de toekomst. Sinds ik op mijn zestiende het huis uitging, heb ik maar één baantje gehad, dat van kok in een cafetaria. Een tijdje geleden heb ik verlof opgenomen, omdat ik zoveel problemen had dat zelfs het maken van lekkere, luchtige pannenkoeken en pittige broodjes gezond me te veel werd.

Als iedereen zou weten wat ik ben, wat ik kan zien en doen, zou mijn deur morgen worden platgelopen. Door mensen die rouwen of berouw hebben, argwaan of hoop koesteren, vol vertrouwen of juist sceptisch zijn. En die zouden me dan vragen of ik als medium zou willen fungeren tussen hen en alle beminden die ze verloren hadden, of er op staan dat ik bij iedere onopgeloste moord voor detective ga spelen. Een deel van hen zou me vereren en anderen zouden per se willen bewijzen dat ik een bedrieger was.

Ik zou niet weten hoe ik zwaar getroffen mensen of mensen vol hoop weg zou moeten sturen. En als ik dat zou leren, weet ik niet zeker of mijn nieuwe personage me wel zou bevallen. Maar als ik tegen niemand nee zou kunnen zeggen, zouden ze me kapot maken met al hun liefde en haat. Ik zou door hun behoeften vermorzeld en tot stof vermalen worden.

Inmiddels lag ik kronkelend op de vloer in het huis van dr. Jessup en probeerde weg te kruipen uit angst dat iemand me daar zou aantreffen. De verzengende pijn was verdwenen, maar ik had mijn lichaam nog steeds niet helemaal in bedwang. Ik had het gevoel dat ik me in de keuken van een reus bevond en dat de knop van de deur naar de voorraadkamer wel zes meter boven mijn hoofd zat. Hoe ik het klaarspeelde, weet ik niet, maar ondanks mijn knikkende knieën en mijn spastische armen kreeg ik hem toch te pakken. Ik heb trouwens een hele lijst van dingen waarvan ik niet weet hoe ik ze voor elkaar heb gekregen. Uiteindelijk is het altijd een kwestie van volhouden.

Zodra ik in de voorraadkamer was, trok ik de deur achter me dicht. In de donkere, benarde ruimte hingen doordringende chemische dampen die ik nooit eerder had geroken. Met name de smaak van verschroeid aluminium maakte me bijna misselijk. Ik had nog nooit verschroeid aluminium geproefd, maar ik wist zeker dat het die smaak was. In mijn hoofd knetterde en siste een verzameling elektrische circuits die in het laboratorium van Frankenstein niet misstaan hadden, begeleid door het gezoem van overbelaste weerstanden.

Het zat er dik in dat mijn zintuigen voor reuk en smaak niet betrouwbaar waren. De Taser had ze tijdelijk verstoord. En toen ik iets nats op mijn kin voelde, dacht ik eerst dat het bloed was. Maar bij nader inzien drong het tot me door dat ik stond te kwijlen.

Als het huis grondig doorzocht werd, zou de voorraadkast niet overgeslagen worden. Ik had nu alleen een minuut of twee de tijd om Chief Porter te waarschuwen.

Het was me nog nooit overkomen dat ik niet precies wist hoe een eenvoudige broekzak werkt. Je stopt er dingen in en je haalt ze er weer uit. Maar er ging een eeuwigheid voorbij voordat ik erin slaagde om mijn hand in de zak van mijn spijkerbroek te steken. Kennelijk had iemand die dichtgenaaid. En toen mijn hand eindelijk in mijn zak zat, kreeg ik hem er niet meer uit.

Het duurde heel lang voordat ik de hand weer uit die strakke zak los worstelde, om vervolgens tot de ontdekking te komen dat ik mijn mobiele telefoon had laten zitten.

Op hetzelfde moment dat die rare chemische luchtjes begonnen te veranderen in de vertrouwde geur van aardappelen en uien kreeg ik de telefoon te pakken en klapte het toestel open. Trots maar nog steeds kwijlend drukte ik op de 3, het snelkiesnummer van Porters mobiel.

Als de commissaris hoogstpersoonlijk deelnam aan het doorzoeken van het huis zou hij waarschijnlijk zijn mobiele telefoon niet aannemen.

'Ik veronderstel dat jij het bent,' zei Wyatt Porter.

'Ja, meneer, dat klopt.'

'Je klinkt grappig.'

'Ik voel me helemaal niet grappig. Ik voel me geëlektrificeerd.'

'Pardon?'

'Geëlektrificeerd. Een of andere booswicht heeft me op de volle lading uit een Taser getrakteerd.'

'Waar zit je?'

'Ik heb me in de voorraadkast verstopt.'

'Da's niet zo mooi.'

'Beter dan uit te moeten leggen waarom ik hier ben.'

De commissaris neemt me altijd in bescherming. Hij wil net zo graag als ik voorkomen dat ik openlijk aan de kaak word gesteld.

'Dit is echt een vreselijke toestand,' zei hij.

'Ja, meneer.'

'Vreselijk. Dokter Jessup was een fijne vent. Blijf maar gewoon zitten.'

'Ondertussen is Simon misschien al op weg om Danny de stad uit te brengen, meneer.'

'Ik heb beide snelwegen afgezet.'

Er waren maar twee manieren om weg te komen uit Pico Mundo. Drie, als je de dood ook meerekent.

'Wat moet ik doen als iemand de deur van de voorraadkast opendoet, meneer?'

'Net doen alsof je een voorraadje blikvoer bent.'

Hij verbrak de verbinding en ik zette mijn telefoon uit.

Ik bleef nog een tijdje in het donker zitten en probeerde niet na te denken, maar dat lukt me nooit. Danny spookte me door mijn hoofd. Hij was misschien nog niet dood, maar waar hij ook zat, veel goeds stond hem niet te wachten. Net als zijn moeder had hij een afwijking die veel gevaar voor hem opleverde. Danny had broze botten, zijn moeder was mooi geweest.

Simon Makepeace zou waarschijnlijk niet zo geobsedeerd zijn geweest door Carol als ze lelijk of zelfs maar gewoon was geweest. Dan zou hij nooit ter wille van haar een man hebben vermoord. Met dr. Jessup meegerekend zelfs twee.

Tot op dat moment had ik in mijn eentje in de voorraadkast gezeten. Maar hoewel de deur niet was opengegaan kreeg ik plotseling gezelschap.

Een hand pakte mijn schouder vast, zonder dat ik daarvan schrok. Ik wist dat ik bezoek moest hebben gekregen van dr. Jessup, dood en rusteloos.

5

Dr. Jessup was geen gevaar voor me geweest toen hij nog leefde en nu vormde hij ook geen bedreiging. Een poltergeist – dat is een geest die zijn woede gericht kan uiten – kan wel eens schade veroorzaken, maar meestal zijn ze alleen maar gefrustreerd en niet echt kwaadaardig. Ze hebben het gevoel dat ze nog iets te doen hebben in deze wereld en het zijn meestal mensen die in de dood even stijfkoppig zijn gebleven als ze bij leven waren.

De geesten van echt slechte mensen blijven niet lang rondhangen om onheil te veroorzaken en levende mensen te vermoorden. Dat gebeurt alleen in Hollywood. De geesten van slechte mensen verdwijnen meestal snel, alsof ze bij hun dood een afspraak hebben gemaakt met iemand die ze niet durven laten wachten.

Dr. Jessup was waarschijnlijk als een warm mes door de boter door de deur van de voorraadkamer naar binnen gekomen. Zelfs muren konden hem niet meer tegenhouden.

Toen hij zijn hand van mijn schouder nam, ging ik ervan uit dat hij, net als ik, in kleermakerszit op de grond zou gaan zitten en kennelijk deed hij dat ook. Hij keek me in het donker aan, maar dat begreep ik pas toen hij mijn handen vastpakte. Hij kon dan misschien zijn leven niet terugkrijgen, maar hij wilde wel gerustgesteld worden. En hij hoefde niets te zeggen om mij te vertellen waar hij behoefte aan had.

'Ik zal mijn uiterste best doen voor Danny,' zei ik zo zacht dat het buiten de kast niet te horen was.

Het was niet mijn bedoeling dat hij mijn woorden als een garantie zou beschouwen. Zoveel vertrouwen verdien ik niet.

'Maar de bittere waarheid is,' vervolgde ik, 'dat dat misschien niet genoeg is. Dat weet ik uit ervaring.'

Hij pakte mijn handen nog steviger vast.

Ik had zoveel respect voor hem dat ik hem wilde aanmoedigen om deze wereld te verlaten en de genade te aanvaarden die de dood hem bood.

'Iedereen weet dat u voor Carol een goede echtgenoot bent geweest. Maar misschien beseffen ze niet helemaal dat u ook een fantastische vader was voor Danny.'

Hoe langer een bevrijde geest rond blijft waren, des te groter de waarschijnlijkheid dat hij hier vast komt te zitten.

'U was zo lief om de zorg op u te nemen voor een zevenjarig jochie met zulke medische problemen. En u hebt hem altijd het gevoel gegeven dat u trots op hem was, trots dat hij alles zo zonder te klagen aanvaardde en trots op zijn moed.'

Gezien zijn manier van leven hoefde dr. Jessup zich geen zorgen te maken over het hiernamaals. Als hij daarentegen hier bleef – een stomme toeschouwer die op geen enkele manier gebeurtenissen kon beïnvloeden – dan zou hij zich altijd ellendig blijven voelen.

'Hij houdt van u, dr. Jessup. Hij beschouwt u als zijn echte vader, zijn enige vader.'

Ik was blij dat het zo donker in de kast was en dat hij als geest zijn mond niet open kon doen. Inmiddels zou ik eigenlijk beter gewapend moeten zijn tegen het verdriet van anderen en de intense spijt van mensen die voortijdig doodgaan en zonder afscheid te nemen moeten vertrekken, maar met het verloop van de jaren krijg ik het met beide dingen steeds moeilijker.

'U weet toch hoe Danny is,' vervolgde ik. 'Hij laat zich echt niet kisten en drijft overal de spot mee. Maar ik weet wat hij echt voelt. En u weet toch ook wel wat u voor Carol betekende. De liefde voor u straalde gewoon van haar af.'

Daarna hield ik net als hij een tijdje mijn mond. Als je te veel aandringt, sluiten ze zich af en kunnen zelfs in paniek raken. En in die toestand weten ze niet meer hoe ze van hier naar daar moeten komen, ze kunnen de weg – de brug, de deur, of wat het ook mag zijn – niet meer vinden.

Ik gaf hem genoeg tijd om wat ik had gezegd door te laten dringen. Daarna zei ik: 'U hebt zoveel gedaan van wat u hier te doen stond en dat hebt u goed gedaan, op de juiste manier. Meer kunnen we niet van u verwachten.'

Nadat we nog een tijdje samen hadden zitten zwijgen, liet hij mijn handen los.

Op hetzelfde moment dat ik het contact met dr. Jessup verloor, ging de deur van de voorraadkamer open. Het licht uit de keuken verdreef de duisternis en Chief Wyatt Porter torende boven me uit.

Hij is lang, met afhangende schouders en een somber gezicht. Mensen die de ware aard van de commissaris niet in zijn ogen lezen, kunnen op de gedachte komen dat hij één en al droefenis is.

Toen ik opstond besefte ik dat het effect van de Taser nog niet helemaal uitgewerkt was. Ik hoorde opnieuw allerlei spookachtige geluidjes in mijn hoofd knisperen.

Dr. Jessup was vertrokken. Misschien naar het hiernamaals. Of anders spookte hij weer rond door de voortuin.

'Hoe voel je je?' vroeg de commissaris, terwijl hij achteruit stapte over de drempel van de voorraadkamer.

'Geroosterd.'

'Tasers veroorzaken geen echt letsel.'

'Ruikt u geen verbrand haar?'

'Nee. Was het Makepeace?'

'Nee, hij was het niet,' zei ik en liep de keuken in. 'Een of andere vent die iets van een slang weghad. Hebt u Danny gevonden?'

'Hij is niet hier.'

'Dat verwachtte ik ook niet.'

'De kust is vrij. Loop maar naar de steeg.'

'Ik loop naar de steeg,' zei ik.

'En wacht bij de boom des doods.'

'Ik wacht bij de boom des doods.'

'Is alles goed met je, jongen?'

'Mijn tong kriebelt.'

'Die moet je dan maar krabben terwijl je op mij wacht.'

'Bedankt, meneer.'

'Odd?'

'Ja, meneer?'

'Maak dat je wegkomt.'

6

De boom des doods staat aan de overkant van de steeg, een eindje verderop in de achtertuin van de familie Ying.

In de zomer en de herfst is de ruim tien meter hoge brugmansia getooid met hangende, gele trompetvormige bloemen. Af en toe bungelen er wel honderd en soms zelfs wel tweehonderd kelken aan de takken, stuk voor stuk tussen de vijfentwintig en dertig centimeter lang.

Meneer Ying vindt het leuk om verhandelingen te geven over de dodelijke eigenschappen van de schitterende brugmansia. Elk onderdeel van de boom – de wortels, het hout, de schors, de bladeren, de bloesems en de kelken – is giftig.

Het kleinste stukje blad veroorzaakt bloedingen in neus, oren en ogen en een plotselinge, dodelijke diarree. Binnen een minuut vallen je tanden uit je mond, je tong wordt zwart en je hersens lossen op.

Maar dat is misschien een beetje overdreven. Toen meneer Ying me voor het eerst iets over de boom vertelde, was ik een jochie van acht en dat is de indruk die ik overhield aan zijn relaas over de gevolgen van brugmansiavergiftiging.

Waarom meneer Ying – en hetzelfde geldt voor zijn vrouw – zo trots zijn dat ze een boom des doods geplant en opgekweekt hebben, weet ik niet. Ernie en Pooka Ying zijn Aziatische Amerikanen, maar ze doen in geen enkel opzicht aan Fu Manchu denken. Ze zijn veel te aardig om hun tijd te verdoen met kwaadaardige wetenschappelijke experimenten en een enorm geheim laboratorium dat in de rotsen onder hun huis is uitgehouwen. En zelfs al zouden ze het vermogen hebben om de wereld te vernietigen, dan kan ik me bijvoorbeeld al niet voorstellen dat iemand die Pooka heet de hendel moet overhalen van een machine die de dag des oordeels veroorzaakt.

De Yings wonen de mis bij in St. Bartholomew's. Hij is lid van de Knights of Columbus, een mannenclub van de rooms-katholieke kerk die de zorg voor minderbedeelden op zich heeft genomen. Zij werkt tien uur per week voor nop in de kringloopwinkel van de kerk.

De Yings gaan vaak naar de bioscoop en iedereen weet dat Ernie ontzettend sentimenteel is en altijd tranen in zijn ogen krijgt als iemand doodgaat, bij liefdessènes en bij vertoon van vaderlandsliefde. Hij begon zelfs een keer te huilen toen Bruce Willis onverwachts een kogel in zijn arm kreeg.

Maar toch hebben ze jaar in jaar uit, gedurende hun hele drie decennia tellende huwelijk waarin ze twee geadopteerde weesjes grootbrachten, vol ijver de boom des doods bemest, water gegeven, gesnoeid en bespoten tegen luizen en ander ongedierte. Ze hebben hun veranda aan de achterkant vervangen door een veel grotere patio van hardhout met allerlei zitjes die hen in de morgen bij het ontbijt of op een warme woestijnavond uitzicht bieden op de boom zodat ze samen dit schitterende dodelijke stukje natuur kunnen bewonderen.

Omdat ik niet gezien wilde worden door de gezagsdragers die gedurende de rest van de nacht het huis van de familie Jessup in en uit zouden lopen, stapte ik door het hekje de achtertuin van de familie Ying in. Maar het zou onbeschoft zijn om zonder uitnodiging plaats te nemen op de patio, dus ging ik in de tuin onder de brugmansia zitten.

Het achtjarige joch in me vroeg zich af of het gras doordrongen was van het gif uit de boom. Als het sterk genoeg was, kon het door mijn broek in mijn zitvlak trekken.

Mijn mobiele telefoon ging over.

'Hallo.'

'Hoi,' zei een vrouw.

'Met wie spreek ik?'

'Met mij.'

'Ik denk dat u een verkeerd nummer hebt.'

'O ja?'

'Ja, volgens mij wel.'

'Ik ben diep teleurgesteld,' zei ze.

'Dat kan gebeuren.'

'Je kent de eerste voorwaarde toch?'

'Ik heb toch gezegd…'

'Je moet alleen komen,' viel ze me in de rede.

'… dat u een verkeerd nummer hebt.'

'Je stelt me echt ontzettend teleur.'

'Ik?' vroeg ik.

'Ontzettend.'

'Omdat ik het verkeerde nummer ben?'

'Dit is gewoon bespottelijk,' zei ze en verbrak de verbinding.

Ze had haar nummermelding niet aan staan, dus op mijn schermpje stond alleen 'anonieme oproep'.

De telecom-revolutie maakt het communiceren er soms niet gemakkelijker op. Ik staarde naar de telefoon en wachtte tot ze opnieuw het verkeerde nummer in zou toetsen, maar het toestel bleef stil. Ik klapte het dicht.

De wind scheen opgeslorpt te zijn door een riool in de grond van de woestijn.

Achter de roerloze takken van de brugmansia, die wel voorzien waren van bladeren, maar pas laat in de lente bloemen zouden gaan dragen, stonden de sterren te twinkelen aan de hemelboog, terwijl de maan op een gebutste zilveren munt leek. Toen ik op mijn horloge keek, zag ik tot mijn verbazing dat het zeventien minuten over drie was. Er waren pas zesendertig minuten verstreken sinds het moment dat ik wakker werd en dr. Jessup in mijn slaapkamer aantrof. Ik had geen flauw benul hoe laat het was en ging ervan uit dat het binnen de kortste keren licht zou worden. Vijftigduizend volt hadden mijn horloge misschien geen goed gedaan, maar mijn besef van tijd was compleet van streek geraakt.

Als de takken van de boom niet zo'n groot stuk van de lucht bedekt hadden, zou ik een poging hebben ondernomen om Cassiopeia te vinden, een sterrenbeeld dat een speciale betekenis voor me heeft. In de Griekse mythologie was Cassiopeia de moeder van Andromeda. Een andere Cassiopeia, die niets met mythologie te maken heeft, was de moeder van een dochter die ze Bronwen noemde. En Bronwen is de meest fantastische persoon die ik ooit heb gekend en zal kennen. Als het sterrenbeeld Cassiopeia in deze streken te zien is en ik ben in staat het te onderscheiden voel ik me niet zo alleen. Dat is geen logische reactie op een sterrenbeeld, maar het hart heeft meer nodig dan alleen logica. Onzin is een noodzakelijk kwaad, zolang je het maar niet overdrijft.

In de steeg stopte een politieauto voor het hek. De lichten waren uit.

Ik stond op van mijn plekje onder de boom in de tuin en als mijn billen waren vergiftigd, dan waren ze er in ieder geval nog niet afgevallen.

Toen ik in de auto stapte, naast de bestuurder ging zitten en het portier dichttrok, vroeg Chief Porter: 'Hoe is het met je tong?'

'Pardon?'

'Kriebelt die nog steeds?'

'O. Nee, maar dat was me niet eens opgevallen.'

'Dit zou meer succes hebben als je zelf het stuur in handen kon nemen, hè?'

'Ja. Maar het zou een beetje moeilijk zijn om uit te leggen waarom ik als snelbuffetkok achter het stuur van een politieauto zit.'

Terwijl we met een sukkelvaartje de steeg uit reden, deed de Chief de lichten aan en zei: 'Als ik nou eens gewoon rond ga rijden, dan kun jij tegen me zeggen wanneer ik volgens jouw gevoel links- of rechtsaf moet slaan.'

'Laten we het maar proberen.' Omdat hij de politieradio niet aan had staan, vroeg ik: 'Zullen ze niet proberen om contact met u op te nemen?'

'Die lui in het huis van Jessup? Dat is alleen maar een kwestie van afwikkelen. En dat kunnen die technische knullen beter dan ik. Vertel me eens iets meer over die vent met de Taser.'

'Valse groene ogen. Gespierd en snel. Net een slang.'

'Concentreer je je nu op hem?'

'Nee. Ik heb maar een glimp van hem opgevangen voordat hij me de volle laag gaf. Om dit te laten werken moet ik een beter beeld van hem in mijn hoofd hebben. Of een naam.'

'Simon?'

'We weten niet zeker of Simon hier ook echt bij betrokken is.'

'Daar durf ik vergif op in te nemen,' zei Chief Porter. 'De moordenaar heeft nog lang nadat Wilbur Jessup dood was op hem in staan te rammen. Dit was moord uit hartstocht. Maar hij is niet alleen gekomen. Hij heeft een maatje meegebracht, misschien iemand die hij in de gevangenis heeft leren kennen.'

'Desondanks probeer ik het toch maar met Danny.'

We reden een paar straten door zonder iets te zeggen. De raampjes waren omlaag. Het leek helder, maar toch hing de silicageur van de uitgestrekte Mojave rond onze stad in de lucht. De uitgedroogde, afgevallen blaadjes van de ficusstruiken knarsten onder de banden.

Het leek alsof heel Pico Mundo geëvacueerd was.

De commissaris keek een paar keer opzij en vroeg toen: 'Ben je nog van plan om weer in de Grille te gaan werken?'

'Ja, meneer. Vroeg of laat.'

'Vroeg zou beter uitkomen. De mensen missen jouw baksels.'

'Poke maakt ze net zo lekker klaar,' zei ik. Ik had het over Poke Barnett, de andere snelbuffetkok in de Pico Mundo Grille.

'Het is niet zo dat ze je de strot uitkomen,' gaf hij toe, 'maar ze kunnen de vergelijking met die van jou niet doorstaan. Net zomin als zijn pannenkoeken.'

'Niemand maakt zulke luchtige pannenkoeken als ik,' gaf ik toe.

'Is dat een of ander culinair geheim?'

'Nee, meneer. Gewoon een aangeboren instinct.'

'Een talent voor pannenkoeken.'

'Ja, meneer. Kennelijk wel.'

'Voel je al een magnetische aantrekkingskracht of hoe je dat ook wilt noemen?'

'Nee, nog niet. En het is beter om er niet over te praten, maar het gewoon te laten gebeuren.'

Chief Porter zuchtte. 'Ik weet niet of ik ooit aan dat paranormale gedoe gewend zal raken.'

'Dat ben ik ook niet,' zei ik. 'En ik verwacht niet dat het er ooit van zal komen.'

Tussen de stammen van twee palmbomen voor de middelbare school van Pico Mundo hing een groot spandoek met de tekst ZET 'M OP, MONSTERS! Toen ik daar nog op school zat, heette de sportvereniging de Braves en alle cheerleaders droegen een hoofdband met een veer erin. Daarna werd dat ineens als beledigend voor de plaatselijke indiaanse stammen beschouwd, hoewel er nooit een klacht van een indiaan was ontvangen. Het schoolbestuur zorgde ervoor dat *Braves* vervangen werd door *Gila Monsters*. Het reptiel zou de ideale keuze zijn, omdat het symbolisch was voor het bedreigde gebied van de Mojave. Maar op het gebied van American football, basketbal, honkbal en zwemmen hebbben de monsters het aantal overwinningen van de Braves nooit kunnen overtreffen. Volgens de meeste mensen ligt dat aan de coaches.

Ik dacht vroeger dat alle ontwikkelde mensen wisten dat de kans bestond dat de aarde op een dag in botsing komt met een asteroïde, waardoor de hele menselijke beschaving weggevaagd zal worden. Maar misschien weet het merendeel dat nog steeds niet.

Alsof hij mijn gedachten kon lezen, zei Chief Porter ineens: 'Het had erger gekund. De geelgestreepte schildwants is een bedreigde diersoort. Ze hadden de vereniging ook de *Schildwantsen* kunnen noemen.'

'Linksaf,' zei ik en hij nam de volgende afslag.

'Ik ging ervan uit dat als Simon hier ooit terug zou komen,' zei Chief Porter, 'hij dat vier maanden geleden wel had gedaan, toen hij uit Folsom ontslagen werd. We hebben gedurende de maanden oktober en november extra gepatrouilleerd in de buurt van het huis van de Jessups.'

'Danny zei dat er in het huis ook voorzorgsmaatregelen waren getroffen. Betere sloten op de deuren. En een geavanceerder beveiligingssysteem.'

'Maar Simon is dus slim genoeg geweest om te wachten tot iedereen wat minder op zijn hoede was. Maar ik moet je eerlijk bekennen dat toen Carol aan kanker overleed ik eigenlijk niet meer verwachtte dat Simon terug zou komen naar Pico Mundo.'

Zeventien jaar daarvoor was de ziekelijk jaloerse Simon Makepeace ervan overtuigd geraakt dat zijn jonge vrouw hem bedroog. Maar hij had het mis. Omdat hij er zeker van was dat haar afspraakjes zich in zijn eigen huis hadden afgespeeld als hij naar zijn werk was, had Simon geprobeerd om de naam van een mogelijke mannelijke bezoeker uit zijn destijds vierjarig zoontje los te peuteren. Omdat die bezoeker echter niet bestond, had Danny hem niet kunnen helpen. Dus had Simon de jongen bij zijn schouders opgepakt en hem letterlijk door elkaar gerammeld om de naam uit hem te krijgen. Dat was te veel geweest voor Danny's broze botten. Hij brak twee ribben, zijn linkersleutelbeen, zijn rechterbovenarm, zijn linkerbovenarm, zijn rechterspaakbeen, zijn rechterellepijp en drie botjes in zijn rechterhand.

En toen hij nog steeds geen naam uit zijn zoon had losgekregen nadat hij hem door elkaar had gerammeld smeet Simon de jongen vol walging van zich af, waardoor hij ook nog zijn rechterdijbeen, zijn rechterscheenbeen en alle botjes in zijn rechtervoet brak.

Carol was op dat moment boodschappen aan het doen. Toen ze thuiskwam vond ze Danny alleen en bewusteloos op de grond liggen, bloedend en met een verbrijzelde rechterbovenarm waarvan het bot door zijn vlees naar buiten stak.

Omdat hij heel goed wist dat er een aanklacht wegens kindermishandeling tegen hem ingediend zou worden had Simon de benen genomen. Hij wist dat hij hooguit nog een paar uur op vrije voeten zou zijn.

Omdat hij vrijwel niets meer te verliezen had, was er vrijwel ook niets meer dat hem tegenhield toen hij op weg toog om wraak te nemen op de man van wie hij bijna zeker wist dat hij een relatie had met zijn vrouw. En omdat er geen sprake was van een relatie bezondigde hij zich voor de tweede maal aan zinloos geweld.

Lewis Hallman, met wie Carol voor haar huwelijk een paar keer uit was geweest, was Simons hoofdverdachte. Vanuit zijn Ford Explorer bleef hij Hallman in de gaten houden tot hij hem ergens zag lopen. Vervolgens reed hij hem aan en doodde hem. Tijdens het proces beweerde hij dat het alleen maar zijn bedoeling was geweest om Lewis aan het schrikken te maken, niet om hem te vermoorden. Maar die bewering druiste rechtstreeks in tegen het feit dat Simon nadat hij zijn slachtoffer had aangereden was omgedraaid en de man nog een keer had overreden.

Hij beweerde dat hij berouw had. Dat hij van zichzelf walgde. Hij huilde. Hij verdedigde zich niet, maar beriep zich uitsluitend op emotionele onvolwassenheid. Aan de tafel van de verdediging zat hij regelmatig hardop te bidden.

De openbare aanklager slaagde er niet in om hem moord in de schoenen te schuiven. Hij werd veroordeeld wegens doodslag.

Als de jury van dat proces weer opgetrommeld zou kunnen worden om de vraag voorgelegd te krijgen, zouden de leden zich ongetwijfeld unaniem uitspreken voor de naamsverandering van *Braves* tot *Gila Monsters*.

'Sla op het volgende kruispunt maar rechtsaf,' zei ik tegen de commissaris.

Omdat hij na een heftig meningsverschil in de gevangenis bovendien nog een veroordeling voor geweldpleging aan zijn broek kreeg, had Simon Makepeace zijn straf voor de doodslag helemaal uit moeten zitten, plus nog wat extra tijd voor de tweede overtreding. Vandaar dat hij ook niet voorwaardelijk in vrijheid was gesteld. Toen hij uit de gevangenis kwam, was hij vrij geweest om te gaan en te staan waar hij wilde.

Als hij teruggekomen was naar Pico Mundo hield hij nu zijn zoon gevangen.

In brieven die hij vanuit de gevangenis had geschreven had Simon Carols aanvraag voor een scheiding en haar tweede huwelijk beschouwd als ontrouw en verraad. Mannen met een dergelijke psychologische instelling kwamen vaak tot de conclusie dat als de vrouw die ze begeerden niet de hunne kon zijn ze haar ook aan niemand anders gunden.

Kanker had Carol weggerukt van zowel Wilbur Jessup als Simon, maar het kon best zijn dat Simon nog steeds de behoefte had gevoeld om de man te straffen die zijn rol als haar minnaar had overgenomen.

Waar Danny ook zat, hij was er wanhopig aan toe.

Hoewel hij zowel geestelijk als lichamelijk niet meer zo kwetsbaar was als zeventien jaar geleden kon Danny niet tegen Simon Makepeace op. Hij was niet in staat zichzelf te beschermen.

'Laten we maar door Camp's End rijden,' stelde ik voor.

Camp's End is een slonzige, verlopen buurt waar mooie dromen het loodje leggen en duistere dromen maar al te vaak de kop op steken. Bij andere moeilijkheden was ik meer dan eens door die straten gelopen.

Terwijl de commissaris gas gaf en een beetje fermer doorreed, zei ik: 'Als het echt Simon is, zal hij niet lang met Danny opgescheept willen zitten. Ik sta ervan te kijken dat hij hem niet al in het huis heeft vermoord, samen met dr. Jessup.'

'Hoe kom je daar nou bij?'

'Simon heeft nooit echt kunnen geloven dat hij een zoon met een aangeboren afwijking kon krijgen. De o.i. bracht hem op het idee dat Carol hem bedrogen had.'

'Dus iedere keer als hij naar Danny kijkt...' De commissaris hoefde zijn zin niet af te maken. 'De knul is een echte wijsneus, maar ik heb hem altijd graag gemogen.'

De maan, die inmiddels in westelijke richting langs de hemel was afgedaald, had een gelere kleur gekregen. Het zou niet lang meer duren of hij was oranje, een Halloweenlantaarn in de verkeerde tijd van het jaar.

7

Zelfs straatlantaarns met van ouderdom vergeeld glas en maanlicht slaagden er niet in een sluier van romantiek te werpen over
de verkruimelde gepleisterde muren, het verweerde houtwerk en
de bladderende verf van de huizen in Camp's End. Een inge-
zakt verandadak. Een gat in een ruit dat met plakband kriskras
was gerepareerd.

Terwijl ik wachtte op inspiratie reed commissaris Porter op
zijn gemak door de straten, alsof hij gewoon aan het patrouille-
ren was.

'Wat spook je tegenwoordig overdag uit nu je niet in de Grille
werkt?'

'Ik lees vrij veel.'

'Boeken zijn een zegen.'

'En ik denk veel meer na dan ik vroeger deed.'

'Ik zou je liever willen aanraden niet te veel na te denken.'

'Maar het wordt nooit piekeren.'

'Zelfs peinzen kan soms al te veel worden.'

Een gazon vol onkruid werd gevolgd door een dood gazon
dat op zijn beurt weer naast een gazon lag waarvan het gras vervangen was door schelpengruis. En er was maar zelden een ervaren hovenier in deze buurt aan het werk geweest. De bomen
die niet voorgoed verminkt waren door onoordeelkundig snoei-
en hadden ongelimiteerd door mogen groeien.

'Ik wou dat ik in reïncarnatie kon geloven,' zei ik.

'Ik niet. Ik vind het genoeg om deze reis één keer te maken.
Ik weet niet of U wel of niet naar me luistert, lieve God, maar
laat me alsjeblieft niet nog een keer de middelbare school doorlopen.'

'Als er in dit leven iets is waar we naar snakken zonder dat we het kunnen krijgen,' zei ik, 'dan gaat dat misschien wel als we weer terugkomen.'

'Of misschien vormt het feit dat we het niet krijgen, dat we het zonder bitter te worden met minder moeten doen en toch dankbaar moeten zijn voor wat we wel hebben, wel onderdeel van wat we hier op aarde moeten leren.'

'U hebt me ook al eens verteld dat we hier zijn om zoveel mogelijk lekker Mexicaans eten naar binnen te werken,' hielp ik hem herinneren. 'En dat het tijd wordt om op te stappen als we daar genoeg van krijgen.'

'Ik kan me niet herinneren dat ze me dat op zondagsschool bijgebracht hebben,' zei Chief Porter. 'Dus het zou best kunnen dat ik twee of drie flesjes Negra Modelo achter mijn kraag had voordat die theologische theorie bij me opkwam.'

'Het lijkt me niet gemakkelijk om het leven hier in Camp's End te accepteren zonder bitter te worden,' zei ik.

Pico Mundo is een welvarend stadje. Maar er is nooit voldoende welvaart om elke vorm van pech uit te sluiten en luilakken negeren de mogelijkheden die hen worden geboden.

Als een eigenaar zijn huis keurig had onderhouden, legden de nieuwe verf, het nette hekje en de keurig gesnoeide struiken alleen maar meer nadruk op de rotzooi, de slechte staat en het verval van de omliggende huizen. In plaats van hoop te bieden op een transformatie van de hele omgeving was ieder eilandje van netheid een soort dijk die ieder moment zou kunnen bezwijken onder de ontembare vloed van chaos.

Ik werd een beetje zenuwachtig van deze akelige buurt, maar hoewel we er een tijdje bleven rondrijden had ik niet het gevoel dat we zelfs maar in de buurt van Danny en Simon waren.

Toen we op mijn voorstel naar een wat vriendelijker omgeving gingen, zei de commissaris: 'Er bestaan wel ergere dingen dan het wonen in Camp's End. Er zijn zelfs mensen die het daar prettig vinden. Waarschijnlijk zouden bepaalde inwoners van Camp's End ons nog wel iets kunnen leren over gelukkig zijn.'

'Ik ben gelukkig, hoor,' verzekerde ik hem.

Hij hield zijn mond terwijl hij de straat uitreed. Daarna zei hij: 'Je hebt vrede met je bestaan, jongen. Dat is een groot verschil.'

'In wat voor opzicht?'

'Als je je rustig houdt en niet te veel hoop koestert, word je vanzelf vredig. Dat is een vorm van respijt. Maar je moet er echt voor kiezen om gelukkig te worden.'

'Gaat dat echt zo gemakkelijk? Is het alleen maar een keuze?'

'Het besluit om daarvoor te kiezen is niet altijd gemakkelijk.'

'Dat klinkt alsof u te veel na hebt gedacht,' zei ik.

'Soms zoeken we onze toevlucht tot ellende, als een vreemd soort troost.'

Hoewel hij even zijn mond dicht hield, zei ik niets.

Hij vervolgde: 'Maar wat ons in het leven ook overkomt, het geluk ligt altijd op ons te wachten. We hebben het voor het grijpen.'

'Bent u tot die conclusie gekomen na drie flesjes Negra Modelo, meneer, of waren het er vier?'

'Het moeten er drie zijn geweest. Ik drink er nooit vier achter elkaar.'

Tegen de tijd dat we kriskras door het centrum van de stad reden, was ik tot de conclusie gekomen dat mijn paranormale magnetisme om de een of andere reden niet werkte. Misschien moest ik echt zelf rijden. Misschien had de schok van de Taser kortsluiting veroorzaakt in mijn paranormale circuits. Of misschien was Danny al dood en vocht ik onbewust tegen de aantrekkingskracht omdat ik hem niet zwaar verminkt wilde vinden.

Volgens de klok van de Bank of America was het vier minuten over vier toen Chief Porter op mijn verzoek stopte en me uit liet stappen aan de noordkant van het Memorial Park, dat door de omringende straten een soort stadsplein vormt.

'Het ziet ernaar uit dat ik in dit geval weinig hulp kan bieden,' zei ik.

In het verleden had ik vaker het vermoeden gehad dat ik me niet zo kan verlaten op mijn gaven als het gaat om toestanden waarbij mensen betrokken zijn die me persoonlijk na aan het hart liggen in plaats van personen bij wie ik me wat afstandelijker kan opstellen. Misschien werken gevoelens storend op paranormale verschijnselen, net als migraine en dronkenschap.

Danny Jessup was als een broer voor me. Ik hield van hem.

En als je ervan uitgaat dat ik mijn paranormale gaven niet aan een genetische kronkel maar aan een hogere macht te danken heb, dan lijkt de verklaring voor dat verschil in functioneren voor de hand te liggen. Misschien is die begrenzing bedoeld om te voorkomen dat die gaven voor egoïstische doeleinden aangewend worden. Maar het lijkt me waarschijnlijker dat mijn feilbaarheid ervoor moet zorgen dat ik nederig blijf. En als dat echt het geval is, dan heb ik mijn les goed geleerd. Er zijn heel wat dagen geweest waarop de wetenschap dat ik mijn beperkingen heb me zo berustend maakte, dat ik tot diep in de middag of zelfs tot 's avonds in mijn bed bleef liggen alsof ik vastgeketend was.

Toen ik het portier opendeed, zei Chief Porter: 'Weet je zeker dat ik je niet naar huis moet rijden?'

'Nee, dank u wel, meneer. Ik ben klaarwakker en ik heb honger. Zodra de deuren van de Grille opengaan, ben ik als eerste binnen.'

'Ze gaan pas om zes uur open.'

Ik stapte uit, bukte me en keek hem aan. 'Dan ga ik wel een tijdje in het park zitten om de duiven te voeren.'

'We hebben geen duiven.'

'Dan voer ik de pterodactylussen wel.'

'Je gaat vast in het park zitten om na te denken.'

'Nee, meneer. Ik beloof dat ik dat niet zal doen.'

Nadat ik het portier had gesloten reed de patrouillewagen weg.

Ik wachtte tot de commissaris uit het zicht was, liep het park in, ging op een bank zitten en hield me niet aan mijn belofte.

8

Rondom het stadsplein stonden smeedijzeren lantaarnpalen, zwart geschilderd en met elk drie bollen. Het mooie bronzen standbeeld van drie soldaten – uit de tijd van de Tweede Wereldoorlog – in het midden van Memorial Park was meestal verlicht, maar het stond nu in het donker. Waarschijnlijk hadden vandalen de schijnwerper vernield.

Onlangs had een kleine, maar vastberaden groep burgers geëist dat het standbeeld vervangen zou worden, omdat het te militaristisch zou zijn. Ze wilden dat Memorial Park gewijd zou worden aan een vreedzame man. En de voorstellen voor het onderwerp van dat nieuwe gedenkteken varieerden van Ghandi via Woodrow Wilson tot Yasser Arafat.

Iemand had zelfs voorgesteld dat Ben Kingsley, die de rol van de grote man in de gelijknamige film had gespeeld, maar model moest staan voor Ghandi. Dan zou de acteur misschien bereid zijn om de onthulling op te luisteren. Dat had Terri Stambaugh, mijn vriendin en eigenares van de Grille, ertoe gebracht om te suggereren dat Brad Pitt ook wel model kon staan voor Ghandi, want als híj de feestelijkheden bij zou wonen zou dat voor Pico Mundo een hele gebeurtenis zijn. En bij dezelfde vergadering van de gemeenteraad had Ozzie Boone zichzelf aangeboden als onderwerp voor een gedenkteken. 'Mannen met zo'n formidabele omvang als de mijne worden nooit naar het slagveld gestuurd,' zei hij. 'En als iedereen net zo dik was als ik zouden er ook geen legers bestaan.'

Hij was ervan beschuldigd dat hij de spot dreef met het onderwerp, maar er waren ook mensen die vonden dat het helemaal geen slecht idee was. Misschien wordt het huidige beeld op een goede dag vervangen door een standbeeld van een ontzettend dikke Ghandi waarvoor Johnny Depp model heeft gestaan, maar tot op heden staan de soldaten er nog steeds. In duisternis gehuld.

Aan weerszijden van de hoofdstraten in het centrum staan oude jacaranda's die iedere lente overladen zijn met paarse bloemen, maar Memorial Park kan bogen op schitterende *Phoenix*-palmen, en onder een daarvan ging ik op een bank zitten, met het gezicht naar de straat. De dichtstbijzijnde lantaarn stond een eindje verderop en de boom beschutte me tegen het steeds rossiger wordende maanlicht.

Maar hoewel ik op zo'n duister plekje zat, vond Elvis me toch. Hij verscheen op het moment dat hij naast me ging zitten.

Hij was gekleed in een legeruniform uit het eind van de jaren vijftig van de vorige eeuw. Ik durf niet met stelligheid te beweren dat het ook echt het uniform was dat hij in dienst had gedragen, want het zou net zo goed het kostuum kunnen zijn uit de film *G.I. Blues,* die binnen vijf maanden nadat hij in 1960 was afgezwaaid werd opgenomen en uitgebracht.

Alle andere rusteloze doden die ik ken, verschijnen in de kleren waarin ze zijn gestorven. Alleen Elvis vertoont zich in de kledij waar hij op dat moment de voorkeur aan geeft. Misschien verklaarde hij zich solidair met de mensen die wilden dat het standbeeld van de soldaten bleef staan. Of hij vond gewoon dat hij er gaaf uitzag in zijn kakikleurige kostuum en dat was ook zo.

Er zijn niet veel mensen die zo'n openbaar leven hebben geleid dat min of meer van dag tot dag vaststaat wat ze uitgespookt hebben, maar Elvis is zo'n figuur. Omdat zelfs zijn gewone activiteiten zo minutieus zijn vastgelegd kunnen we er vrij zeker van zijn dat hij bij leven nooit een bezoek heeft gebracht aan Pico Mundo. Hij is er nooit met de trein langsgekomen, hij heeft nooit verkering gehad met een meisje van hier, hij had in feite geen enkele connectie met ons stadje. Ik wist niet waarom hij heeft verkozen om rond te spoken in deze geblakerde uithoek van de Mojave-woestijn in plaats van in Graceland, waar hij is gestorven. Ik heb het hem wel gevraagd, maar hij wenste de regel dat doden er het zwijgen toe doen niet te doorbreken.

Af en toe, meestal 's avonds als we in mijn woonkamer naar

zijn beste muziek zitten te luisteren, wat we de laatste tijd vrij vaak doen, probeer ik wel eens met hem in gesprek te komen. Zo heb ik voorgesteld dat hij een soort gebarentaal gebruikt om antwoord te geven: duim omhoog voor ja, duim omlaag voor nee... Maar hij kijkt me alleen maar aan met die half geloken, licht omschaduwde ogen die zelfs nog blauwer zijn dan in zijn films en houdt zijn geheimen voor zich. Hij lacht wel vaak en geeft me een knipoogje. Of een speels klapje tegen mijn arm. Of een klopje op mijn knie.

Hij is een minzame geestverschijning.

Hier op dat bankje in het park trok hij zijn wenkbrauwen op en schudde zijn hoofd, alsof hij me duidelijk wilde maken dat mijn neiging om in moeilijkheden te raken hem telkens opnieuw verrast.

Ik dacht eerst altijd dat hij geen zin had om deze wereld te verlaten omdat de mensen hier zo goed voor hem waren geweest en hij zoveel trouwe aanbidders had gehad. Ondanks het feit dat zijn laatste optredens tot een bedenkelijk niveau waren afgezakt en hij verslaafd was geraakt aan diverse soorten medicijnen had hij ten tijde van zijn dood toch op het toppunt van zijn roem gestaan. Bovendien was hij pas tweeënveertig geweest.

Maar de laatste tijd heb ik een andere theorie bedacht. Als ik de moed kan opbrengen, zal ik hem ermee confronteren. En ik denk dat hij in tranen zal uitbarsten als ik het bij het rechte eind heb. Hij huilt af en toe wel.

Inmiddels leunde de koning van de rock-'n-roll op het bankje naar voren, tuurde naar het westen en hield zijn hoofd schuin, alsof hij ergens naar zat te luisteren. Ik hoorde niets anders dan het vage vleugelgeruis van de vleermuizen die boven ons in de lucht naar motten hengelden. Maar Elvis keek nog steeds de lege straat in, stak zijn beide handen op en maakte gebaartjes alsof hij iemand naar ons toe probeerde te wenken.

Toen hoorde ik in de verte een motor, het geluid van een voertuig groter dan een personenwagen dat langzaam maar zeker dichterbij kwam. Elvis knipoogde tegen me alsof hij me duidelijk wilde maken dat mijn pms wel degelijk werkte, ook al had ik dat zelf niet door. Misschien was ik in plaats van op goed geluk rond te rijden wel ergens gaan zitten omdat ik – op de een of andere manier – wist dat de persoon die ik achtervolgde vanzelf naar me toe zou komen.

Twee straten verderop kwam een stoffig wit Ford bestelbusje de hoek om. Het reed langzaam naar ons toe, alsof de chauffeur naar iets op zoek was. Elvis legde zijn hand op mijn arm om me te waarschuwen dat ik in de schaduw van de *Phoenix*-palm moest blijven zitten. Het licht van een straatlantaarn viel op de voorruit en verlichtte het interieur van het busje toen het langs ons heen reed. Achter het stuur zat de slangenman die me op de volle lading uit zijn Taser had getrakteerd.

Ik was zonder het te beseffen van verbazing opgesprongen. Maar de chauffeur merkte niets. Hij reed langs me heen en sloeg op de kruising linksaf.

Ik rende de straat op en liet sergeant Presley achter op het bankje, samen met de vleermuizen die in de lucht genoten van hun feestmaal.

9

Toen het de hoek om was, verdween het busje uit het zicht en ik rende erachteraan, niet omdat ik moedig ben, want dat is niet zo, en ook niet omdat ik zo dol ben op gevaar, want dat is ook niet zo, maar omdat sloomheid nooit tot verlossing leidt.

Toen ik op het kruispunt aankwam, zag ik de Ford halverwege de straat in een steegje verdwijnen. Ik was achterop geraakt en zette het op een lopen.

Toen ik bij de ingang van de steeg kwam, was de weg voor me donker terwijl de straat achter me verlicht was. Dat betekende dat ik een prima doelwit vormde voor iemand met een pistool, maar het bleek geen valstrik te zijn. Niemand schoot op me, want voordat ik opdook, was het busje al linksaf geslagen en weer een andere dwarsstraat in gereden. Ik wist waar het was gebleven, maar alleen omdat op de muur van het huis op de hoek de rossige weerschijn van de achterlichten zichtbaar was. Terwijl ik achter de snel verdwijnende rode gloed aan holde in de zekerheid dat ik hen inhaalde omdat ze de nauwe bocht alleen langzaam konden nemen, zocht ik op de tast naar de mobiele telefoon in mijn zak.

Toen ik op het kruispunt van de stegen was aangekomen bleek het busje verdwenen, net als de lichten en alle weerschijn daarvan. Verbaasd keek ik omhoog, omdat ik half en half verwachtte het door de woestijnlucht te zien vliegen. Ik drukte het snelkiesnummer voor de mobiele telefoon van Chief Porter in en kwam tot de ontdekking dat de batterij leeg was. Ik was vergeten de telefoon thuis op te laden.

Bij het licht van de sterren zag ik grote en stinkende vuilcontainers aan weerszijden van de achteringangen van restaurants en winkels staan. De meeste van de met een draadbehuizing uitgeruste veiligheidslampen werkten op timers en waren in dit laatste uur voordat het licht zou worden al uitgeschakeld.

Sommige van de twee of drie verdiepingen hoge panden hadden roldeuren. Daarachter zouden zich in de meeste gevallen ontvangstruimtes voor leveranties en voorraden bevinden en voor de rest garages, maar ik kon er op geen enkele manier achterkomen welke dat waren. Terwijl ik de nutteloze telefoon weer wegstopte, holde ik nog een paar passen verder. Toen bleef ik onzeker staan om met ingehouden adem te luisteren. Maar ik hoorde alleen mijn eigen bonzende hart en het donderende geruis van mijn bloed. Geen stationair lopende of zich verwijderende motor, geen deuren die open of dicht gingen en geen stemmen. Omdat ik gehold had, kon ik mijn adem niet lang inhouden en de echo van het geluid van de lucht die uit mijn mond ontsnapte, rolde door het steegje. Bij de eerste de beste grote deur drukte ik mijn oor tegen het roestige ijzer. De ruimte erachter leek even geluidloos als luchtledig. Ik liep van de ene kant van de steeg naar de andere, van roldeur naar roldeur, maar ik vond geen enkele aanwijzing, geen enkel bewijs. Ik voelde mijn hoop wegebben en dacht aan de slangenman achter het stuur. Danny moest samen met Simon in de laadruimte hebben gezeten.

Plotseling begon ik weer te rennen. De steeg uit, naar de volgende straat, rechtsaf naar het kruispunt en linksaf naar Palomino Avenue. Pas toen drong het tot me door dat ik weer bezig was met PMS, of liever, dat het me had overvallen.

Een postduif keert terug naar de til, een vermoeid paard wil naar de stal en een bij gaat terug naar haar korf, maar ik was niet op weg naar huis en haard. Ik was op zoek naar moeilijkheden. Vanaf Palomino Avenue liep ik opnieuw een steegje in en stuitte op drie katten die blazend op de vlucht sloegen.

Ik schrok meer van de knal van een vuurwapen dan de katten van mij. Het scheelde maar een haar of ik was in elkaar gedoken en weggerold, maar in plaats daarvan wrong ik me tussen twee vuilcontainers en bleef met mijn rug tegen een stenen muur staan. Echo's van echo's klinken zo bedrieglijk dat je niet weet waar het geluid echt vandaan komt. Het was een harde knal geweest, vermoedelijk uit een jachtgeweer. Maar het lukte me niet de plaats van oorsprong te bepalen.

Ik was ongewapend. Het valt niet mee om iemand met een leeg mobieltje buiten westen te slaan. In mijn vreemde leven vol gevaar heb ik slechts één keer mijn toevlucht genomen tot een vuurwapen. Daarmee heb ik een man doodgeschoten, die zelf ook een geweer had waarmee hij mensen doodschoot. Het feit dat ik hem had gedood had levens gered. Ik heb geen intellectuele of morele bezwaren tegen het gebruik van vuurwapens. Wat mij betreft zijn ze te vergelijken met lepels of moersleutels. De problemen die ik met vuurwapens heb, zijn emotioneel. Mijn moeder werd erdoor gefascineerd. Zoals ik al in een vorig boek heb beschreven heeft ze zich in mijn jeugd vaak op grimmige wijze van een pistool bediend. Het valt me moeilijk om het rechtmatig gebruik van een pistool te onderscheiden van de ziekelijke manier waarop zij zich van haar wapen bediende. Als ik een vuurwapen in mijn hand heb, lijkt het een eigen leven te leiden, een kil en schubbig leven. Bovendien is het net alsof het valse neigingen bezit die ik niet onder controle kan houden. Op een dag zal mijn aversie tegen vuurwapens me het leven kosten. Maar ik heb nooit de illusie gehad dat ik het eeuwige leven bezit. Als het geen pistool wordt, zal een bacil me er wel onder krijgen. Of vergif. Of een houweel.

Nadat ik ongeveer een minuut of twee tussen de containers verscholen had gezeten, kwam ik tot de slotsom dat het geweerschot niet op mij gericht was. Als iemand me gezien had en me wilde doden, zou de schutter wel zonder aarzelen naar me toe zijn gekomen en de haan hebben overgehaald om eerst een nieuwe kogel in het magazijn en vervolgens in mij te pompen.

Boven een aantal van de winkels hier in het centrum bevonden zich appartementen. In een paar daarvan waren de lichten aangegaan, omdat het geweerschot de taak van de later afgestelde wekkers had overgenomen. Toen ik weer verder liep, merkte ik dat ik aangetrokken werd door het volgende dwarsstraatje waar ik zonder aarzelen links afsloeg. Halverwege de straat stond het witte busje, aan deze kant van de achteringang van het Blue Moon Café.

Naast de Blue Moon is een parkeerplaats die doorloopt naar de hoofdstraat. Het zag ernaar uit dat het busje achter op deze parkeerplaats was achtergelaten, met de neus naar de steeg. De beide voorportieren stonden open, waardoor het licht naar buiten viel, maar achter de voorruit was niemand te zien. Toen ik heel voorzichtig dichterbij kwam, hoorde ik de motor stationair lopen. Dat betekende dat ze er haastig vandoor waren gegaan. Of van plan waren terug te komen om zich uit de voeten te maken.

In de Blue Moon kun je niet ontbijten, alleen lunchen of dineren. Het keukenpersoneel gaat pas halverwege de ochtend aan het werk. Het café had gewoon gesloten moeten zijn. Ik betwijfelde of Simon zich schietend een weg naar binnen had gebaand voor een strooptocht door de koelkasten van het restaurant. Er zijn gemakkelijkere manieren om aan een koud kippenpootje te komen, al is dit wel de snelste.

Ik kon me niet voorstellen waar ze gebleven waren. Of waarom ze het busje achter hadden gelaten als ze niet van plan waren om terug te komen.

Door een van de verlichte ramen van het appartement op de eerste verdieping stond een vrouw in een blauwe ochtendjas naar beneden te kijken. Ze leek eerder nieuwsgierig dan verbaasd.

Ik liep voorzichtig naar de rechterkant van het busje en liep langzaam naar de achterkant. Daar stonden de deuren van de laadbak ook open. Het binnenlampje was aan, maar er zat niemand in.

In de verte klonken sirenes die snel dichterbij kwamen.

Ik vroeg me af wie het geweer had afgevuurd, op wie en waarom. Danny was zo mismaakt en zo kwetsbaar dat het hem nooit gelukt kon zijn het geweer uit handen van zijn kwelgeesten te rukken. En als hij had geprobeerd er een schot mee te lossen, zou de terugslag zijn schouder hebben gebroken en misschien ook wel een van zijn armen.

Terwijl ik verbijsterd om mijn as draaide, vroeg ik me af wat er was gebeurd met mijn vriend met de broze botten.

10

P. Oswald Boone, de honderdtachtig kilo wegende culinaire tovenaar die ik net had gewekt, liep op de gracieuze en lichtvoe-
tige manier van een kampioen sumoworstelen door de keuken
van zijn in Craftsmanstijl gebouwde huis om het ontbijt klaar te
maken. Af en toe maak ik me ernstige zorgen over zijn gewicht
en vrees ik het ergste voor zijn hart dat het zo zwaar te verduren heeft. Maar als hij kookt, is hij kennelijk gewichtsloos en
lijkt hij sprekend op die niet aan zwaartekracht onderhevige krij-
gers uit *Crouching Tiger, Hidden Dragon*, ook al zweefde hij niet
letterlijk over het keukenblok in het midden van het vertrek.

Toen ik op die februariochtend naar hem zat te kijken, overwoog ik dat als hij al een leven lang bezig was zichzelf met voedsel om zeep te helpen, het net zo goed mogelijk was dat hij zonder de troost en toevlucht van dat voedsel al lang geleden het
loodje had gelegd. Elk leven is gecompliceerd en ieder brein is
een koninkrijk vol niet onthulde mysteries. Dat gold zeker voor
Ozzie.

Hoewel hij nooit in details treedt, weet ik dat hij een moeilijke jeugd heeft gehad en dat zijn ouders zijn hart hebben gebroken. Boeken en overgewicht vormen zijn afweermechanisme
tegen verdriet.

Hij is schrijver en heeft inmiddels twee succesvolle detective-
series en diverse boeken over actuele onderwerpen op zijn naam
staan. Hij is zo productief dat we met rasse schreden de dag na-
deren waarop zijn lichaamsgewicht overtroffen zal worden als
van al zijn boeken één exemplaar op een weegschaal is gelegd.
Omdat hij me verzekerde dat ik vanzelf zou merken dat schrijven een soort psychologische chemotherapie is tegen geestelijke tumoren had ik mijn waargebeurde verhaal over verlies en

doorzettingsvermogen op papier gezet en vervolgens in een la gelegd. Ik was tot rust gekomen, maar zeker niet gelukkig. Tot zijn ontsteltenis had ik hem bovendien te horen gegeven dat ik genoeg had van schrijven. Dat dacht ik ook echt. En nu zit ik als mijn eigen psychologische oncoloog weer woorden aan het papier toe te vertrouwen.

Misschien zal ik Ozzie op den duur in alle opzichten imiteren en ga ik ook honderdtachtig kilo wegen. Dan zal ik niet in staat zijn om op zo'n snelle en stiekeme manier samen met geesten op pad te gaan en door donkere steegjes te sluipen, maar misschien kan ik met mijn kamerolifantenstreken dan kinderen aan het lachen maken. En iedereen zal het met me eens zijn dat het een loffelijk streven is om in deze sombere wereld kinderen aan het lachen te maken.

Terwijl Ozzie bezig was met het ontbijt vertelde ik hem alles over dr. Jessup en wat er allemaal was gebeurd sinds de dode radioloog midden in de nacht bij me langs was gekomen. Maar hoewel ik tijdens het verhaal echt inzat over Danny maakte ik me ook zorgen over Terrible Chester.

Terrible Chester, de kat die elke hond nachtmerries bezorgt, laat oogluikend toe dat Ozzie bij hem inwoont. Ozzie is even gek op dat beest als op eten en boeken. En hoewel Terrible Chester me nog nooit zo met zijn nagels heeft bewerkt als hij naar mijn idee graag zou willen, heeft hij wél meer dan eens over mijn schoenen gepiest. Volgens Ozzie is dat een blijk van genegenheid. Hij beweert dat de kat me met zijn lucht markeert om aan te geven dat ik een erkend lid van zijn familie ben. Maar het is me opgevallen dat Terrible Chester zijn genegenheid voor Ozzie alleen maar toont door middel van kopjes geven en spinnen.

Vanaf het moment dat Ozzie de deur voor me had opengedaan en we door het huis waren gelopen op weg naar de keuken waar ik nu al een tijdje zat, had ik geen spoor gezien van Terrible Chester. Dat maakte me een beetje zenuwachtig. Ik had nieuwe schoenen aan.

Het is een grote kat die nergens bang voor is en zo vol zelfvertrouwen zit dat hij zich niet verwaardigt te sluipen. Hij glipt nooit een kamer in, maar schrijdt altijd naar binnen. Hoewel hij ervan uitgaat dat hij meteen het middelpunt van de belangstelling vormt, gedraagt hij zich zo onverschillig – of zelfs minachtend – dat iedereen onmiddellijk begrijpt dat hij alleen maar uit de verte aanbeden wil worden. En hij mag dan niet sluipen, maar hij kan je wel plotseling verrassen door naast je schoenen op te duiken. Soms merk je dat pas als je tenen ineens vreemd warm en vochtig worden. Dus tot Ozzie en ik naar de achterveranda liepen om daar in de openlucht te ontbijten hield ik mijn voeten van de vloer door ze op een van de sporten van een stoel te laten rusten.

De veranda biedt uitzicht op een gazon en een halve hectare bosgrond met laurierbomen, coniferen en gracieuze Californische peperbomen. In het gouden ochtendlicht kon je de vogeltjes horen kwinkeleren en leek de dood een mythe. Als de tafel niet zo'n stevig model van hardhout was geweest, zou hij vast zijn bezweken onder de schalen met kreeftomelet en gegratineerde aardappels, de stapels toast, bagels, luxe broodjes en kaneelbroodjes, de kannen sinaasappelsap en melk, de potten vol koffie en chocolademelk...

'"Wat voor de een voedsel is, is voor de ander een bitter gif",' citeerde Ozzie opgewekt terwijl hij een toast uitbracht met een vork vol omelet.

'Shakespeare?' vroeg ik.

'Lucretius, wiens geschriften al van voor Christus dateren. Ik zal jou één ding vertellen, jongen... Ik zal nooit een van die gezondheidsfreaks worden die naar een liter dikke room kijken met dezelfde blik vol afschuw die verstandiger mensen reserveren voor atoomwapens.'

'Maar mensen die genegenheid voor u koesteren, zouden misschien wel willen proberen u ervan te overtuigen dat sojamelk met een vanillesmaakje niet zo verschrikkelijk is als u beweert, meneer.'

'Ik wens geen grove taal of schuttingwoorden aan mijn tafel te horen, evenmin als smerige troep in de trant van sojamelk erop. Knoop dat maar in je oren.'

'Ik ben laatst bij Gelato Italiano langs geweest. Ze hebben nu ook diverse smaken die maar halfvet zijn.'

'De paarden die bij onze plaatselijke renbaan op stal staan produceren per week een paar ton mest, maar dat leg ik ook niet in mijn koelkast. Goed, waar is Danny volgens Wyatt Porter gebleven?'

'Het meest waarschijnlijke is dat Simon eerder een reservevoertuig op de parkeerplaats van de Blue Moon heeft achtergelaten, voor het geval er iets mis ging bij het huis van Jessup en iemand hen in het busje zag wegrijden.'

'Maar niemand heeft dat busje bij het huis van Jessup gezien, dus was het geen verdacht voertuig.'

'Nee.'

'En toch is hij bij de Blue Moon overgestapt.'

'Ja.'

'Vind je dat logisch?'

'Logischer dan alle andere verklaringen.'

'Dus hij is zestien jaar lang geobsedeerd gebleven door Carol, zo geobsedeerd dat hij dr. Jessup wenste te doden omdat hij met haar getrouwd was.'

'Daar lijkt het wel op.'

'Wat wil hij dan met Danny?'

'Dat weet ik niet.'

'Simon lijkt me niet het type dat hunkert naar een emotioneel bevredigende vader-zoonrelatie.'

'Dat lijkt niet in zijn aard te liggen,' beaamde ik.

'Hoe smaakt je omelet?'

'Heerlijk, meneer.'

'Er zit room in. Plus roomboter.'

'Ja, meneer.'

'En peterselie. Ik heb geen bezwaar tegen een incidentele portie verse groente. Het heeft geen zin om de wegen af te zetten als Simons tweede voertuig vierwielaandrijving heeft, zodat hij dwars over het land kan rijden.'

'Het bureau van de sheriff heeft verkenningsvliegtuigen ter beschikking gesteld.'

'Heb jij het gevoel dat Danny nog in Pico Mundo is?'

'Ik heb een heel vreemd gevoel.'

'Hoezo vreemd?'

'Alsof er iets niet klopt.'

'Alsof er iets niet klopt?'

'Ja.'

'Ach, dat maakt alles kristalhelder.'

'Het spijt me. Meer weet ik niet. Ik kan het niet duidelijker uitleggen.'

'Hij is toch niet... dood?'

Ik schudde mijn hoofd. 'Nee, zo simpel is het volgens mij niet.'

'Nog een glaasje sinaasappelsap? Het is vers geperst.'

Terwijl hij het inschonk, vroeg ik: 'Meneer, ik zat me af te vragen... Waar is Terrible Chester eigenlijk?'

'Die zit naar je te kijken,' zei hij en wees.

Toen ik me omdraaide, zag ik de kat drie meter achter en boven me zitten, op een van de spanten waarop het dak van de veranda steunt. Hij is oranjerood met zwarte vlekken. Zijn ogen zijn zo groen als smaragden die in de zon liggen te blinken.

Normaal gesproken gunt Terrible Chester mij – of wie dan ook – alleen maar een vluchtige blik, alsof menselijke wezens wat hem betreft ondraaglijk vervelend zijn. Met zijn ogen en zijn houding kan hij een laatdunkende mening over het menselijk ras tot uiting brengen, een minachting die zelfs door zo'n minimalistische schrijver Cormac McCarthy in niet minder dan twintig bladzijden beschreven kan worden.

Chester had nooit eerder zo'n intense belangstelling voor me getoond. Nu bleef hij me aankijken zonder zijn ogen af te wenden en zonder zelfs maar te knipperen. Hij scheen me even fascinerend te vinden als een buitenaards wezen met drie koppen. En hoewel hij geen aanstalten scheen te maken om me te bespringen, voelde ik me toch niet op mijn gemak bij het idee dat ik deze formidabele kat de rug toe moest keren. Maar ik werd nog onrustiger bij de gedachte dat ik hem moest blijven aankijken. Hij weigerde gewoon zijn blik af te wenden.

Toen ik mijn ogen weer op de tafel richtte, had Ozzie de vrijheid genomen om nog een portie aardappels op mijn bord te scheppen.

'Hij heeft me nog nooit zo zitten aanstaren,' zei ik.

'Terwijl we in de keuken waren, heeft hij ook de hele tijd zo naar je zitten staren.'

'Ik heb hem in de keuken helemaal niet gezien.'

'Toen je even de andere kant opkeek, kwam hij naar binnen sluipen, wrikte met zijn poot de deur van een gootsteenkastje open en heeft je vandaaruit stiekem zitten begluren.'

'Waarom hebt u niets gezegd?'

'Omdat ik wilde zien wat hij zou gaan doen.'

'Waarschijnlijk iets met schoenen en piesen.'

'Dat denk ik niet,' zei Ozzie. 'Dit heeft hij nog nooit gedaan.'

'Zit hij nog steeds op die balk?'

'Ja.'

'En ook nog steeds naar me te kijken?'

'Hij verliest je geen moment uit het oog. Wil je nog een luxe broodje?'

'Ik heb ineens geen zin meer.'

'Doe niet zo mal, jongen. Vanwege Chester?'

'Hij heeft er wel iets mee te maken. Ik kan me nog een andere keer herinneren, toen hij even intens was.'

'Wanneer dan? Dat is me even ontschoten.'

Ik kon niet voorkomen dat mijn stem gesmoord klonk. 'Augustus... en alles wat toen is gebeurd.'

Ozzie prikte met een vork in de lucht. 'O, je bedoelt die geestverschijning.'

Afgelopen augustus had ik ontdekt dat Terrible Chester net als ik de rusteloze zielen kan zien die aan deze zijde van de dood blijven rondhangen. Hij had die geest even strak zitten aankijken als hij nu naar mij staarde.

'Je bent nog niet dood, hoor,' verzekerde Ozzie me. 'Je bent even tastbaar als deze hardhouten tafel, ook al ben je nog niet zo tastbaar als ik.'

'Misschien weet Chester iets dat mij is ontgaan.'

'Mijn beste Odd, je bent in bepaalde opzichten zo'n naïeve jongeman dat ik ervan overtuigd ben dat hij een heleboel meer weet dan jij. Waar zat je aan te denken?'

'Dat mijn uur binnenkort is geslagen.'

'Het zal vast en zeker iets minder ingrijpends zijn.'

'Zoals?'

'Je hebt toch niet toevallig een paar dode muizen in je zak?'

'Alleen een mobiele telefoon die de geest heeft gegeven.'

Ozzie bestudeerde me ernstig. Hij maakte zich oprecht zorgen. Maar tegelijkertijd is hij een te goede vriend om tegen me te slijmen.

'Nou,' zei hij, 'als je uur binnenkort is geslagen, kun je maar beter nog een koffiebroodje nemen. Eentje met ananas en kaas lijkt me bij uitstek geschikt als afsluiter van de maaltijd.'

11

Toen ik voorstelde dat ik, voordat ik wegging, zou helpen met het afruimen van de tafel en de afwas, woof Little Ozzie – die zelfs een kilootje of twintig zwaarder is dan zijn vader, Big Ozzie – dat voorstel achteloos weg met een stukje beboterde toast.

'We hebben nog maar een minuut of veertig aan tafel gezeten. Ik blijf altijd op z'n minst anderhalf uur aan de ontbijttafel zitten. Ik heb een paar van mijn beste plots bedacht aan het ontbijt bij een kopje koffie en een rozijnenbroodje.'

'U zou eigenlijk een serie moeten schrijven die in de culinaire wereld speelt.'

'De boekwinkels puilen al uit van thrillers over chef-koks die voor detective spelen en schrijvers van kookrubrieken die hetzelfde doen...'

In een van Ozzies series wordt de hoofdrol gespeeld door een bijzonder zwaarlijvige detective met een slanke, sexy vrouw die hem aanbidt. Ozzie is nooit getrouwd geweest.

Zijn andere serie gaat over een aardige vrouwelijke speurneus met een hoop complexen. Zij lijdt ook aan boulimia. De kans dat Ozzie ooit boulimia zal krijgen is ongeveer even groot als de kans dat hij zijn complete garderobe omruilt voor glimmende spanbroeken en elastische hesjes.

'Ik zit te overwegen,' zei hij, 'om aan een serie te beginnen over een detective die kan communiceren met huisdieren.'

'Zo'n figuur die beweert dat hij met dieren kan praten?'

'Ja, maar hij zou het ook echt kunnen.'

'En zouden die dieren hem dan helpen bij het oplossen van misdaden?' vroeg ik.

'Ja, inderdaad, maar ze zouden zijn zaken ook lastiger maken. Honden zouden hem bijna altijd de waarheid vertellen, maar vogels zouden vaak liegen en cavia's zouden serieus zijn, maar geneigd tot overdrijven.'

'Ik krijg nu al medelijden met die vent.'

Zonder iets te zeggen smeerde Ozzie citroenmarmelade op een broodje, terwijl ik met een vork in het koffiebroodje met ananas en kaas zat te prikken.

Ik moest weg. Ik moest iets dóén. Ik had het gevoel dat ik geen moment langer kon blijven zitten. Maar toch nam ik een hapje van het broodje.

We zitten zelden zwijgend bij elkaar. Hij zit nooit om woorden verlegen en ik ben ook meestal wel bereid om een duit in het zakje te doen. Maar na een minuut of twee merkte ik plotseling dat Ozzie me net zo strak zat aan te kijken als Terrible Chester. Ik dacht dat die plotselinge stilte betekende dat hij had zitten kauwen. Nu drong het tot me door dat ik me vergist had, want het broodje dat hij at was zo luchtig dat het bijna zonder te kauwen in je mond smelt.

Ozzie had zijn mond gehouden omdat hij zat te piekeren. Over mij.

'Wat is er?' vroeg ik.

'Je bent niet hiernaartoe gekomen om met me te ontbijten,' zei hij.

'In ieder geval niet zo uitgebreid.'

'En je bent ook niet hier gekomen om me te vertellen wat er met Wilbur Jessup en met Danny is gebeurd.'

'Nou, eigenlijk wel, meneer.'

'Goed, dan heb je dat dus gedaan en aangezien je kennelijk geen trek meer hebt in dat koffiebroodje kun je volgens mij net zo goed weer vertrekken.'

'Ja, meneer,' zei ik. 'Eigenlijk moet ik weg.' Maar ik bleef op mijn stoel zitten.

Terwijl hij een kop geurende koffie uit een thermoskan schonk die eruitzag als een koffiepot bleef Ozzie me strak aankijken.

'Ik heb nooit gemerkt dat jij iemand bedroog, Odd.'

'Ik verzeker u dat ik op dat gebied mijn mannetje sta, hoor, meneer.'

'Nee, dat is niet waar. De onschuld straalt van je af. Je bent net zo geslepen als een lammetje.'

66

Ik wendde mijn ogen af en kwam tot de ontdekking dat Terrible Chester zijn plekje op de balk had verlaten. De kat zat nu op de bovenste tree van de verandatrap naar me te staren.

'Maar wat eigenlijk nog verbazingwekkender is,' vervolgde Ozzie, 'is dat ik je maar hoogstzelden op zélfbedrog heb kunnen betrappen.'

'Wanneer word ik heilig verklaard, meneer?'

'Als je oudere mensen dat soort brutale antwoorden geeft, komt dat er nooit van.'

'Verdorie. En ik had me nog wel zo verheugd op een aureooltje. Het zou vast een praktisch leeslampje zijn.'

'Ik had het over zelfbedrog. Dat is voor de meeste mensen een even grote levensbehoefte als zuurstof. Jij bezondigt je daar bijna nooit aan. En toch blijf je nu volhouden dat je hier alleen naartoe bent gekomen om me het nieuws over Wilbur en Danny te vertellen.'

'Blijf ik volhouden?'

'Zonder veel overtuiging.'

'Waarom ben ik dan volgens u hierheen gekomen?' vroeg ik.

'Ik ben zo zelfverzekerd, dat jij abusievelijk altijd aanneemt dat ik diep over dingen nadenk,' zei hij zonder een moment van aarzeling. 'Dus als jij op zoek bent naar begrip, kom je automatisch naar mij toe.'

'Bedoelt u dat al die wijze woorden die u me de afgelopen jaren hebt voorgeschoteld in feite maar oppervlakkige raadgevingen waren?'

'Ja, natuurlijk, beste Odd. Ik ben maar een mens, net als jij, ook al heb ik elf vingers.'

Hij heeft er echt elf, zes aan zijn linkerhand. Volgens hem wordt een op de negentigduizend baby's met een dergelijke afwijking geboren. In het ziekenhuis wordt een dergelijk overbodig vingertje vrijwel altijd meteen geamputeerd. Maar om de een of andere reden die Ozzie me nooit heeft verteld, weigerden zijn ouders toestemming voor de operatie te geven. Vandaar dat andere kinderen hem bijzonder spannend vonden. De jongen met de elf vingers. En later: de dikke jongen met de elf vingers. En vervolgens: de dikke jongen met de elf vingers en het dodelijke gevoel voor humor.

'Maar hoe oppervlakkig die raadgevingen van mij ook waren,' zei hij, 'ze kwamen altijd recht uit het hart.'

'Daar moet ik me dan maar mee troosten.'

'Maar goed, je bent hier vandaag naartoe gekomen met een brandend filosofisch probleem, dat je echter zo dwarszit dat je er bij nader inzien toch niet over wilt praten.'

'Nee, dat is het niet,' zei ik.

Ik keek naar de klonterende resten van mijn kreeftomelet. En naar Terrible Chester. Naar het gazon. En naar het bosje dat zo groen leek in de ochtendzon.

Ozzies vollemaansgezicht kon tegelijkertijd verwaand en liefkozend staan. Zijn ogen twinkelden bij het vooruitzicht dat hij gelijk zou krijgen.

Uiteindelijk zei ik: 'U kent Ernie en Pooka Ying.'

'Schatten van mensen...'

'De boom in hun achtertuin...'

'De brugmansia. Een schitterend exemplaar.'

'Alles ervan is dodelijk. Van de wortels tot de bladeren.'

Ozzie glimlachte zoals Boeddha zou hebben geglimlacht als Boeddha detectiveboeken zou hebben geschreven en dol was geweest op buitenissige manieren om mensen te vermoorden. Hij knikte goedkeurend. 'Ja, uiterst giftig.'

'Waarom zouden zulke lieve mensen als Ernie en Pooka zo'n dodelijke boom in hun tuin willen hebben?'

'In de eerste plaats omdat hij zo mooi is, vooral als hij in bloei staat.'

'De bloemen zijn ook giftig.'

Nadat hij het laatste stukje van zijn met marmelade bestreken broodje genietend in zijn mond had gestoken, likte Ozzie zijn lippen af en zei: 'Een van die gigantische trompetten bevat voldoende gif, mits op de juiste manier gewonnen, om zeker een derde van de bevolking van Pico Mundo om zeep te brengen.'

'Het lijkt mij op z'n minst roekeloos en zelfs onzinnig om zoveel tijd en moeite te besteden aan het kweken van zoiets gevaarlijks.'

'Maakt Ernie Ying op jou dan een roekeloze en onzinnige indruk?'

'Nee, juist het tegendeel.'

'Nou, dan moet Pooka het monster zijn. Haar bescheiden manier van doen moet natuurlijk een kwaadaardige inborst verdoezelen.'

'Af en toe,' zei ik, 'denk ik wel eens dat een echte vriend niet zo vaak de draak met mij zou steken als u doet.'

'Lieve Odd, als iemands vrienden hem niet recht in zijn gezicht durven uit te lachen, zijn het geen echte vrienden. Hoe moet je anders leren dat je bepaalde dingen niet moet zeggen, omdat je dan door vreemden wordt uitgelachen? De spot van vrienden is vol genegenheid en wapent iemand tegen dwaas gedrag.'

'Dat klinkt in ieder geval heel doordacht,' zei ik.

'Het is niet echt oppervlakkig,' verzekerde hij me. 'Mag ik je iets duidelijk maken, jongen?'

'Dat zou u kunnen proberen.'

'Het is helemaal niet roekeloos om zo'n brugmansia op te kweken. Pico Mundo staat vol planten die even giftig zijn.'

Ik geloofde hem maar half. 'Héél Pico Mundo?'

'Jij wordt zo in beslag genomen door de bovennatuurlijke wereld dat je te weinig af weet van de gewone natuur.'

'Ik ga ook maar zelden bowlen.'

'Je hebt die bloeiende oleanderstruiken overal in de stad toch wel eens gezien? "Oleander" betekent in het sanskriet "paardendoder". Ieder onderdeel van de plant is giftig.'

'Ik hou van die soort met de rode bloemen.'

'Als je de struik verbrandt, komt er giftige rook af,' zei Ozzie. 'Als bijen al te vaak op bezoek gaan bij een oleander wordt de honing dodelijk. En hetzelfde geldt voor azalea's.'

'Maar iedereen heeft azalea's in de tuin.'

'Van een oleander sterf je meteen. Als je een azalea zou eten, duurt het een paar uur. Overgeven, verlamming, toevallen, coma, dood. En dan heb je ook nog jeneverbes, bilzekruid, vingerhoedskruid, doornappel... allemaal hier in Pico Mundo.'

'En dan hebben we het over Móéder Natuur.'

'Er is ook niets vaderlijks aan de tijd en wat die met ons doet,' zei Ozzie.

'Maar Ernie en Pooka Ying wéten dat de brugmansia dodelijk is, meneer. Dat is juist de reden waarom ze die boom geplant en opgekweekt hebben.'

'Dat moet je vanuit een zen-gedachte bekijken.'

'Dat zou ik best willen, als ik wist hoe dat moest.'

'Ernie en Pooka proberen de dood te begrijpen en hun angst ervoor te overwinnen door er iets huiselijks van te maken in de vorm van de brugmansia.'

'Dat klinkt niet oppervlakkig.'

'Nee. Dat is zelfs een diepe gedachte.'

Hoewel ik geen zin meer had in het koffiebroodje pakte ik het toch op en nam er een grote hap van. Ik schonk koffie in een mok om iets te hebben dat ik vast kon houden. Het nietsdoen begon me op mijn zenuwen te werken. Ik had het gevoel dat ik iets kapot zou maken als mijn handen niet bezig bleven.

'Waarom,' vroeg ik me af, 'staan mensen toe dat er moorden gepleegd worden?'

'Voor zover ik weet, is dat nog steeds strafbaar.'

'Simon Makepeace heeft iemand gedood. En ze hebben hem toch vrijgelaten.'

'De wet is niet volmaakt.'

'U had het lichaam van dokter Jessup moeten zien.'

'Dat is niet nodig. Ik heb het voorstellingsvermogen van een schrijver.'

Terwijl mijn handen druk doende waren met het koffiebroodje waarin ik geen trek had en de koffie die ik niet opdronk, kwamen Ozzies handen juist tot rust. Ze lagen gevouwen op de tafel voor hem.

'Meneer, ik moet nog zo vaak denken aan al die mensen die toen zijn neergeschoten...'

Hij vroeg niet wie ik bedoelde. Hij wist dat ik het over de eenenveertig personen had die afgelopen augustus in het winkelcentrum neergeschoten waren en over de negentien doden.

'Ik heb al een hele tijd geen nieuws meer gezien of gelezen,' zei ik. 'Maar er wordt gepraat over alles wat zich in de wereld afspeelt, dus krijg ik bepaalde dingen toch wel te horen.'

'Je moet alleen niet vergeten dat het nieuws niet hetzelfde is als het leven. Onder journalisten doet het gezegde "bloed doet het goed" de ronde. Geweld verkoopt, dus wordt er veel over geweld gepubliceerd.'

'Maar waarom verkoopt slecht nieuws zoveel beter dan goed nieuws?'

Hij zuchtte en leunde achterover in zijn stoel, die prompt begon te kraken. 'Nu komen we in de buurt.'

'In de buurt van wat?'

'De vraag die je hier heeft gebracht.'

'Die brandende filosofische kwestie? Nee, meneer, die is er niet. Ik zit gewoon een beetje te... raaskallen.'

'Ga daar dan voor mij nog maar even mee door.'

'Wat is er met de mensen aan de hand?'

'Welke mensen?'

'Ik bedoel de mensheid. Wat is er mis met de mensheid?'

'Dat was wel heel kort door de bocht.'

'Pardon?'

'Je lippen zullen wel verschroeid aanvoelen, aangezien de brandende vraag er net over is gekomen. Dat is een moeilijke vraag om aan een andere sterveling voor te leggen.'

'Ja, meneer. Maar ik zal al tevreden zijn met een van uw gewone oppervlakkige opmerkingen.'

'De hele vraag bestaat eigenlijk uit drie delen. Wat is er mis met de mensheid? En vervolgens, wat is er mis met de natuur, met al die giftige planten, de roofdieren, de aardbevingen en de overstromingen? En ten slotte, wat is er mis met de kosmische tijd zoals wij die kennen, die ons alles afpakt?'

Ozzie mag dan beweren dat ik zijn ultieme zelfvertrouwen abusievelijk aanzie voor wijsheid, maar dat ben ik niet met hem eens. Hij is écht wijs. Maar kennelijk heeft hij door schade en schande geleerd dat wijsgeren kwetsbaar zijn. Een minder geavanceerd brein had misschien geprobeerd zich te verschuilen achter een masker van stompzinnigheid. Hij verkiest daarentegen om zijn grote wijsheid te verbergen onder een opzichtig vertoon van kennis en de mensen wijs te maken dat dat zijn sterkste punt is.

'Die drie vragen,' zei hij, 'hebben allemaal hetzelfde antwoord.'

'Ik luister.'

'Het heeft geen zin om je gewoon te vertellen wat dat is. Je zult het toch niet geloven en jaren van je leven besteden aan het zoeken naar een antwoord dat je meer genoegen doet. Maar als je er uiteindelijk zelf op komt, zul je meteen overtuigd zijn.'

'En meer wilt u er niet over kwijt?'

Hij lachte en haalde zijn schouders op.

'Ik kom hier met een brandende filosofische kwestie en u zet me alleen maar een ontbijt voor?'

'Het was wel een heel uitgebreid ontbijt,' zei hij. 'Het enige wat ik er verder nog over wil zeggen is dit: je kent het antwoord al en je hebt het altijd geweten. Je hoeft het niet echt te ontdekken, alleen maar te herkennen.'

Ik schudde mijn hoofd. 'Af en toe werkt u behoorlijk op mijn zenuwen.'

'Ja, maar ik ben altijd verrukkelijk dik en leuk om te zien.'

'U kunt even raadselachtig zijn als een verdomde...' Terrible Chester zat me nog steeds op de bovenste tree van de verandatrap gebiologeerd aan te kijken. '... als een verdomde kat.'

'Dat beschouw ik als een compliment.'

'Zo was het niet bedoeld.' Ik schoof mijn stoel achteruit. 'Ik kan er maar beter vandoorgaan.'

Hij hees zich moeizaam overeind, zoals hij altijd doet als ik op het punt sta te vertrekken. En ik ben iedere keer opnieuw bang dat daardoor zijn bloeddruk met zo'n vaart omhoog zal schieten dat hij rijp is voor een beroerte en ter plekke neer zal storten.

Hij omhelsde mij en ik omhelsde hem. Dat doen we altijd als we afscheid van elkaar nemen, alsof we niet verwachten dat we elkaar weer zullen zien. Ik vraag me soms af of er wel eens een kink in de kabel komt bij het verdelen van de zieltjes, zodat de verkeerde geest in de verkeerde baby vaart. Dat zal wel heiligschennis zijn, maar door mijn brutale mond heb ik toch geen kans meer om heilig verklaard te worden. En Ozzie heeft zo'n vriendelijke inborst, dat hij eigenlijk slank en gezond zou moeten zijn, met tien vingers. En mijn leven zou heel wat begrijpelijker zijn als ik zijn zoon was geweest in plaats van de spruit van de getroebleerde ouders die wat mij betreft in gebreke zijn gebleven.

Toen de omhelzing voorbij was, vroeg hij: 'En nu?'

'Dat weet ik niet. Dat is nooit het geval. Het overkomt me gewoon.'

Chester pieste niet op mijn schoen.

Ik liep de diepe tuin in, door het bosje, en vertrok door het hek in de omheining aan de achterkant.

12

Ik was niet verrast dat ik weer terugkeerde naar het Blue Moon Café.

De duistere sluiers van de nacht hadden het steegje nog iets van romantiek gegeven, maar het daglicht had korte metten gemaakt met elke vorm van schoonheid. De omgeving was geen opeenhoping van vuil en ongedierte, maar gewoon grauw, grimmig, saai en ongastvrij.

De architectuur van de mens heeft vrijwel overal meer aandacht voor de voorkant dan voor de achterkant en meer waardering voor openbare gelegenheden dan voor privé-onderkomens. Dat is grotendeels het gevolg van beperkte middelen en budgetten. Maar Danny Jessup zegt dat dit aspect van de architectuur ook een afspiegeling is van de menselijke natuur, dat de meeste mensen zich drukker maken over hun uiterlijk dan over de toestand van hun ziel. Hoewel ik niet zo'n cynicus ben als Danny en ook vraagtekens zet bij de analogie tussen achterdeuren en zielen, moet ik toegeven dat er wel iets waars zit in zijn bewering.

Wat ik hier niet zag, in het zachtgele ochtendlicht, was een aanwijzing die me zelfs maar een stapje dichter in de buurt zou brengen van hem of zijn psychopathische vader.

De politie had haar werk gedaan en was weer vertrokken. Het Ford-busje was weggesleept. Ik was hier niet naartoe gekomen in de veronderstelling dat ik een aanwijzing zou vinden die door de autoriteiten over het hoofd was gezien en dat ik plotseling in een Sherlock zou veranderen die de booswichten binnen de kortste keren in een vlaag van logisch redeneren op zou sporen. Ik was teruggekomen omdat dit de plek was waar mijn zesde zintuig me in de steek had gelaten. En nu hoopte ik het terug te vinden, alsof het een balletje touw was dat ik had laten vallen en dat vervolgens uit het zicht was gerold. Als ik het uiteinde van het touw zou ontdekken, dan zou ik vanzelf bij het balletje uitkomen.

Tegenover de keukendeur van het café was het raam op de eerste verdieping waarachter de bejaarde vrouw in de blauwe kamerjas had staan kijken toen ik een paar uur geleden naar het busje was toe gelopen. De gordijnen zaten dicht. Ik overwoog even of ik met haar zou gaan praten. Maar ze was al ondervraagd door de politie en die weet veel beter hoe ze waardevolle informatie uit getuigen los moet krijgen.

Ik liep langzaam naar het noordeinde van de steeg. Daarna draaide ik me om en liep terug in zuidelijke richting, langs de Blue Moon.

Vrachtauto's stonden dwars tussen de vuilcontainers in, de eerste leveranties werden uitgeladen, gecontroleerd en geïnventariseerd. Winkeliers waren, een uur voordat hun personeel in dienst kwam, druk bezig bij de achteringangen van hun panden.

De dood kwam en de dood ging, maar niets hield de commercie tegen.

Een paar mensen zagen me langskomen. Ik kende geen van hen goed en sommigen helemaal niet. Maar de manier waarop ze mij herkenden was voor mij even vertrouwd als onbehaaglijk. Ze wisten dat ik de held was, de vent die de gek had tegengehouden die afgelopen augustus al die mensen had neergeschoten.

Eenenveertig personen. Een paar waren voorgoed invalide geworden of mismaakt. Negentien mensen hadden het leven gelaten.

Ik had het allemaal kunnen voorkomen. Dan was ik een échte held geweest.

Volgens Chief Porter zouden honderden mensen zijn omgekomen als ik anders had gereageerd dan ik heb gedaan. Maar de potentiële slachtoffers, degenen die gespaard bleven, zijn voor mij geen realiteit. Dat geldt alleen voor de doden.

Ze zijn hier niet blijven rondhangen. Ze zijn allemaal naar het hiernamaals gegaan. Maar er zijn te veel nachten waarin ik ze in mijn dromen tegenkom. Ze verschijnen zoals ze bij leven waren en zoals ze hadden kunnen zijn als ze niet overleden waren. In die nachten word ik wakker met zo'n ontzettend gevoel van verlatenheid, dat ik er de voorkeur aan zou geven nooit meer wakker te worden. Maar ik word wel wakker en ik ga door, want dat is wat de dochter van Cassiopeia, een van de negentien, zou hebben gewild en ook van me zou hebben verwacht.

Ik heb een bestemming die ik moet verdienen. Daarvoor leef ik en als het zover is, mag ik sterven.

Het enige voordeel dat je hebt als je tot held gebombardeerd wordt, is dat je door de meeste mensen met een zeker ontzag wordt bekeken en dat, als je daarop inspeelt door een somber gezicht te trekken en oogcontact te vermijden, je er vrij zeker van kunt zijn dat je privacy gerespecteerd wordt.

Terwijl ik door de steeg liep, waarbij ik af en toe opgemerkt maar niet lastiggevallen werd, kwam ik bij een stukje braakliggend land waar een met gaas bespannen hek omheen stond. Ik probeerde de deur. Op slot. Op een bord stond MARAVILLA COUNTY AFWATERINGSBEDRIJF en daaronder in rode letters VERBODEN TOEGANG VOOR ONBEVOEGDEN. Hier vond ik het loshangende touwtje van mijn zesde zintuig terug. Toen ik het gaas aanraakte, wist ik zeker dat Danny hier langs was gekomen.

Een slot zou geen problemen opleveren voor een vastberaden vluchteling als Simon Makepeace, wiens criminele vaardigheden alleen maar waren toegenomen dankzij alles wat hij in de gevangenis had opgepikt.

Achter het hek, midden op het stuk land, stond een gebouwtje van drie bij drie meter, opgetrokken uit restmateriaal en gedekt met ronde betonnen dakpannen. De twee planken deuren aan de voorkant van dit bouwsel waren ongetwijfeld eveneens op slot, maar de sloten zagen er oud uit.

Als Danny door dit hek en die deuren naar binnen was gesleurd, zoals ik instinctief aanvoelde, had Simon die route niet op goed geluk gekozen. Dit was onderdeel geweest van zijn plan. Of misschien was het alleen zijn bedoeling geweest om hiernaartoe te gaan als er iets volkomen uit de hand liep in het huis van dr. Jessup. Omdat ik al zo snel was komen opdagen bij het huis van de radioloog en omdat Chief Porter had besloten de beide snelwegen af te zetten, waren ze hierheen gegaan. Nadat ze op de parkeerplaats van de Blue Moon waren gestopt, had Simon Danny niet in een andere auto gezet. In plaats daarvan waren ze door dit hek gelopen en vervolgens door die deuren, om te belanden in een wereld onder Pico Mundo. Een wereld waarvan ik het bestaan kende, maar waar ik nog nooit was geweest.

Mijn eerste neiging was om Chief Porter te bellen en hem deelgenoot te maken van mijn vermoedens.

Maar toen ik het hek de rug toe keerde, waarschuwde mijn intuïtie dat ik dat niet moest doen. Danny's toestand was zo precair dat zijn leven geen knip voor de neus waard was als een traditioneel opsporingsteam hen in de diepte zou volgen. Bovendien wist ik intuïtief dat hij er weliswaar slecht aan toe was, maar niet in onmiddellijk levensgevaar. Bij deze achtervolging was haast minder belangrijk dan heimelijkheid en de jacht zou alleen succes opleveren als ik scherp bleef opletten zodat ik geen enkel detail van het spoor over het hoofd zou zien.

Ik kon niet weten of dat allemaal ook echt waar was. Ik vóélde het gewoon, op een stomme helderziende manier die veel meer is dan een voorgevoel maar in de verste verte nog geen vaststaand feit.

Ik weet niet waarom ik dode mensen zie maar niet kan horen, waarom ik mensen kan zoeken en soms ook vind met behulp van PMS en waarom ik voel dat er een gevaar boven ons hoofd hangt maar niet precies weet waar het uit bestaat. Misschien kan er in deze gemankeerde wereld niets puur of compleet zijn. Of misschien heb ik gewoon niet geleerd om alle krachten aan te wenden waarover ik beschik. Een van de dingen die ik met betrekking tot afgelopen augustus het meest betreur, is dat ik bij al het gedoe en alle drukte af en toe op mijn gezond verstand had vertrouwd terwijl het beter was geweest om mijn instinct te volgen. Ik balanceer iedere dag op het slappe koord, waarbij ik constant mijn evenwicht dreig te verliezen. In mijn leven draait alles om paranormale dingen en die moet ik respecteren als ik mijn gave voor honderd procent wil uitbuiten. Maar ik leef in een wereld die is gebaseerd op logica en ik moet me aan de daar heersende wetten houden. Het is heel verleidelijk om me alleen maar te laten leiden door neigingen van een bovennatuurlijke aard, maar in déze wereld geldt hoe dieper de val, hoe harder de klap.

Ik kan mezelf staande houden door de leemte te vullen tussen het logische en het onlogische, tussen het rationele en het irrationele. In het verleden ben ik te vaak overgeheld naar de kant van de logica en dat ging ten koste van vertrouwen. Vertrouwen in mijzelf en in de bron van mijn gave.

Als ik ten opzichte van Danny in gebreke zou blijven, zoals ik naar mijn idee afgelopen augustus ook in gebreke was gebleven tegenover andere mensen, dan zou ik alleen nog maar minachting voor mezelf kunnen koesteren. En als ik faalde, zou ik me ergeren aan de gave die mijn wezen bepaalt. Mocht ik mijn bestemming alleen kunnen bereiken door het gebruiken van mijn zesde zintuig, dan zou een te groot verlies van zelfrespect en zelfvertrouwen me tot een ander lot veroordelen dan ik zelf wens en het ingelijste kaartje uit de waarzegmachine boven mijn bed tot een leugen verklaren.

Dit keer zou ik overhellen naar de kant van het onlogische. Ik moest op mijn intuïtie vertrouwen en zonder aarzelen in het diepe springen, in blind vertrouwen. En ik zou Chief Porter niet bellen. Als mijn hart zei dat ik in mijn eentje op zoek moest gaan naar Danny, dan luisterde ik naar mijn hart.

13

In mijn appartement stopte ik een kleine rugzak vol met de spullen die ik waarschijnlijk nodig zou hebben, zoals twee zaklantaarns en een pakje reservebatterijen.

Ik bleef in de slaapkamer aan het voeteneind van het bed staan en keek zwijgend naar het ingelijstje kaartje aan de muur: JULLIE ZIJN VOORBESTEMD EEUWIG BIJ ELKAAR TE BLIJVEN. Eigenlijk wilde ik het kartonnetje erachter lospeuteren en het kaartje uit het lijstje halen om het mee te nemen. Dan zou ik me veel veiliger voelen, alsof ik beschermd werd. Maar met dit soort irrationele gedachten zou ik niet veel opschieten. Een kaartje uit een waarzegmachine op de kermis kan nooit een heilig relikwie zijn. Bovendien zat me een tweede, nog irrationelere gedachte dwars. Het was best mogelijk dat ik bij de achtervolging van Danny en zijn vader het leven zou laten en nadat ik de zee der dood was overgestoken en in het hiernamaals aankwam, zou ik het kaartje nodig hebben om het aan het wezen dat me daar opwachtte te kunnen tonen. *Dit,* zou ik dan zeggen, *is wat mij is beloofd. Zij is hier eerder gearriveerd dan ik, dus breng me nu maar naar haar toe.*

In werkelijkheid waren de omstandigheden waaronder we dit kaartje uit de machine hadden getrokken naar ons idee wel heel bijzonder en betekeningsvol geweest, maar er was geen wonder aan te pas gekomen. De belofte was niet van goddelijke oorsprong, het was iets dat zij en ik elkaar beloofd hadden en we hadden er allebei op vertrouwd dat God ons genadig zou zijn en ons die eeuwigheid zou schenken.

Als ik in het hiernamaals door een wezen word opgewacht, dan kan ik met een kaartje uit een waarzegmachine niet aantonen dat ik een goddelijk contract heb afgesloten. En als het hiernamaals dat mij voor ogen staat anders is dan wat de hemel voor mij in petto heeft, dan kan ik niet dreigen met een proces en vragen wie de beste advocaat in de buurt is.

Maar in het omgekeerde geval, als die gunst mij wordt verleend en de belofte van de kaart wordt vervuld, dan zal het wezen dat mij daarginds verwelkomt Bronwen Llewellyn in eigen persoon zijn, mijn Stormy.

De juiste plaats voor dat kaartje was in de lijst. Daar zou het veilig zijn en als ik levend uit deze onderneming terugkwam, zou ik er weer inspiratie uit kunnen putten.

Toen ik de keuken in liep om Terri Stambaugh bij de Pico Mundo Grille te bellen zat Elvis aan de tafel te huilen.

Ik heb er een hekel aan als hij dat doet. De koning van de rock-'n-roll hoort helemaal niet te huilen. Hij hoort ook niet in zijn neus te peuteren, maar af en toe doet hij dat toch. Ik weet zeker dat hij dan een grapje maakt. Een geest heeft geen behoefte om in zijn neus te peuteren. Soms doet hij net alsof hij een brok vindt en schiet dat op mij af, met een jongensachtige grijns. De laatste tijd was hij meestal vrij opgewekt geweest. Maar zijn stemming kon ieder moment omslaan. Hij was al meer dan zevenentwintig jaar dood, hij had geen enkel doel in het leven en hij was niet in staat om naar het hiernamaals te gaan, dus dat waren redenen genoeg om te wentelen in melancholie. Toch leek zijn verdriet veroorzaakt te worden door het peper- en zoutstelletje dat op de tafel stond.

Terri, de trouwste Presleyfan en de grootste deskundige ter wereld, had me twee porseleinen Elvisjes gegeven, allebei tien centimeter hoog en stammend uit 1962. Bij het poppetje in het wit fungeerde zijn gitaar als zoutstrooier, bij dat in het zwarte pak kwam de peper uit zijn kuif.

Elvis keek me aan, wees eerst naar het zoutvaatje, toen naar het pepervaatje en vervolgens op zichzelf.

'Wat is er aan de hand?' vroeg ik, hoewel ik wist dat hij geen antwoord zou geven.

Hij keek omhoog naar het plafond alsof het de hemel was en bleef met een intens droevige uitdrukking op zijn gezicht geluidloos snikken.

De peper- en zoutvaatjes hadden al sinds de dag na Kerstmis op de tafel gestaan. Hij had ze altijd grappig gevonden.

Ik betwijfelde of hij zo wanhopig was geworden omdat hij zich na al die tijd ineens had gerealiseerd dat zijn beeltenis werd misbruikt om goedkope, ordinaire spullen te verkopen. Bij de honderden, en misschien wel duizenden, Elvis-artikelen die in de loop der jaren op de markt waren gebracht zaten heel wat kleffere dingen dan deze porseleinen hebbedingetjes en hij had de fabricage ervan niet tegengehouden.

De tranen biggelden over zijn wangen en drupten van zijn kaken en zijn kin, maar verdwenen voordat ze op de tafel terecht kwamen.

Omdat ik Elvis toch niet kon begrijpen of troosten en omdat ik zo snel mogelijk terug wilde naar het steegje achter de Blue Moon, pakte ik de telefoon in de keuken om de Grille te bellen, waar ze net midden in de ontbijtdrukte zaten. Ik bood mijn verontschuldigingen aan voor het feit dat ik op zo'n ongelegen moment belde, maar Terri zei meteen: 'Heb je het al gehoord van de Jessups?'

'Ik ben er al geweest,' zei ik.

'Dus je bent erbij betrokken?'

'Ik zit er tot mijn nek in. Luister, ik moet je even spreken.'

'Kom maar meteen.'

'Niet in de Grille. Dan zullen alle vaste klanten met me willen praten. Ik wil ze een andere keer wel zien, maar nu heb ik haast.'

'Boven dan,' zei ze.

'Ik kom eraan.'

Toen ik de telefoon neerlegde, maakte Elvis een gebaar om mijn aandacht te trekken. Hij wees naar het zoutvaatje, vervolgens naar het pepervaatje, maakte een v met de wijs- en de middelvinger van zijn rechterhand en keek me met betraande ogen vol verwachting aan.

Het leek op een nog niet eerder vertoonde poging tot communicatie.

'Het v-teken? Voor victorie?' vroeg ik, uitgaande van de gewone betekenis van dat handgebaar.

Hij schudde zijn hoofd en duwde de v onder mijn neus, alsof hij erop aandrong dat ik een andere betekenis zou zoeken.

'Twee?' vroeg ik.

Hij knikte heftig. Hij wees eerst naar het zout- en toen naar het pepervaatje en stak twee vingers op.

'Twee Elvissen,' zei ik.

Die opmerking veranderde hem in een trillend hoopje emotie. Hij dook in elkaar, boog zijn hoofd en sloeg zijn handen voor zijn gezicht.

Ik legde mijn rechterhand op zijn schouder. Hij voelde voor mij even tastbaar aan als elke andere geest.

'Het spijt me, meneer. Ik weet niet waarom u zo overstuur bent, of wat ik daaraan kan doen.'

Hij had verder niets meer dat hij me via zijn gelaatsuitdrukking of gebaren mee wilde delen. Hij was overstelpt door verdriet en voorlopig zou hij voor mij even ontoegankelijk zijn als voor de rest van de levenden. Hoewel ik het vervelend vond om hem in zo'n treurige toestand achter te laten, voel ik me toch meer verplicht aan de levenden dan aan de doden.

14

Terri Stambaugh dreef de Pico Mundo Grille samen met haar man, Kelsey, tot hij aan kanker overleed. Nu staat ze alleen aan het hoofd van het bedrijf. Al bijna tien jaar woont ze alleen boven het restaurant, in een appartement dat via een trap vanuit het smalle straatje aan de achterkant bereikt kan worden. En sinds haar tweeëndertigste, toen ze Kelsey had verloren, was Elvis de man in haar leven geweest. Niet zijn geest, maar de historische figuur en de mythe die hij is geworden. Ze heeft ieder nummer dat de King ooit heeft opgenomen en ze heeft zich een encyclopedische kennis van zijn leven eigen gemaakt. Terri had allang belangstelling voor alles wat met Presley te maken heeft voordat ik haar vertelde dat zijn geest om onverklaarbare redenen door ons obscure stadje spookt.

Terri houdt van Elvis, misschien wel om te voorkomen dat ze na Kelsey, aan wie ze haar hart verpand heeft op een manier die alle trouwbeloftes overtreft, opnieuw aan de man raakt. Ze houdt niet alleen van zijn muziek en van zijn roem, niet alleen van het idéé van Elvis, ze houdt van de man. En hoewel hij veel goede eigenschappen had, bleven die toch een stuk achter bij zijn fouten, zijn zwakheden en zijn tekortkomingen. Ze weet dat hij egocentrisch was, vooral na de vroege dood van zijn beminde moeder, dat hij bijna niemand durfde te vertrouwen en dat hij in bepaalde opzichten zijn hele leven een puber is gebleven. Ze weet dat hij later in zijn leven zijn toevlucht zocht in verslavingen die hem geheel tegen zijn natuur in vals en achterdochtig maakten.

Al die dingen zijn haar bekend, maar ze houdt toch van hem. Ze houdt van hem omdat hij zo hard heeft gewerkt om iets te bereiken, vanwege de hartstocht die hij in zijn muziek stopte en omdat hij zijn moeder aanbad.

Ze houdt van hem omdat hij zo ongewoon gul was, ook al heeft hij die gulheid af en toe als een lokmiddel gebruikt en ook wel als een moker. Ze houdt van hem omdat hij zo gelovig was, ook al bleef hij in dat opzicht vaak in gebreke. Ze houdt van hem omdat hij op latere leeftijd nog steeds bescheiden genoeg was om te weten dat hij zijn belofte nauwelijks had vervuld en omdat spijt en berouw hem niet vreemd waren. Hij heeft nooit de moed op kunnen brengen om echt het boetekleed aan te trekken, hoewel hij daar wel naar verlangde, net als naar de wedergeboorte die het gevolg zou zijn geweest.

Liefhebben is voor Terri Stambaugh een noodzaak, net zoals het een noodzaak is voor een haai om voortdurend te blijven zwemmen. Dit is een misplaatste vergelijking, maar het klopt wel. Als een haai ophoudt met bewegen zal hij verdrinken, dus als hij wil overleven moet hij voortdurend in beweging blijven. Terri moet liefhebben, anders gaat ze dood.

Haar vrienden weten dat ze zo aan hen is gehecht dat ze haar leven voor hen zou willen geven. Ze houdt niet alleen van een opgepoetste herinnering aan haar man, maar ze houdt van wie hij werkelijk was, niet alleen de blanke pit maar ook de ruwe bolster. Op dezelfde manier houdt ze niet alleen van wat haar vrienden voor haar zouden kunnen betekenen maar ook van wie of wat ze werkelijk zijn.

Ik liep de trap op en drukte op de bel. Toen ze de deur opendeed, zei ze meteen toen ze me naar binnen trok: 'Wat kan ik voor je doen, Oddie? Wat heb je nodig en wat heb je jezelf nu weer op de hals gehaald?'

Toen ik zestien was en wanhopig zocht naar een manier om te ontvluchten uit het door waanzin geregeerde huis van mijn moeder, gaf Terri me een baan en de kans op een eigen leven. En ze geeft nog steeds. Ze is mijn baas, mijn vriendin en de zus die ik nooit heb gehad.

Nadat we elkaar hadden omhelsd gingen we schuin tegenover elkaar aan de keukentafel zitten, met ineengestrengelde handen op het rood-wit geblokte tafelzeil. Haar handen zijn sterk en verweerd van het vele werken, prachtig gewoon.

Haar stereoinstallatie liet 'Good Luck Charm', een nummer

van Elvis, horen. Haar luidsprekers worden nooit vervuild met de liedjes van andere zangers.

Toen ik haar vertelde waar ze Danny volgens mij mee naartoe hadden genomen en dat mijn intuïtie me vertelde dat ik alleen achter hem aan moest gaan, greep ze mijn hand nog steviger vast. 'Waarom zou Simon hem daarnaartoe brengen?'

'Misschien heeft hij de wegafzetting gezien en is omgedraaid, Misschien had hij een politieradio en is hij er op die manier achtergekomen. De afwateringstunnels vormen ook een uitweg uit de stad, onder de wegafzetting door.'

'Maar dan moeten ze lopen.'

'Als hij weer ergens met Danny naar boven komt, kan hij zo een auto stelen.'

'Heeft hij dat dan niet allang gedaan? Als hij al uren geleden met Danny naar beneden is gegaan, minstens vier uur geleden, dan is hij nu wel weg.'

'Dat zou kunnen. Maar ik denk het niet.'

Terri fronste. 'Als hij nog steeds in de afvoerbuizen is, heeft hij Danny daar om een andere reden mee naartoe genomen, niet om hem de stad uit te krijgen.'

Haar instinct heeft geen bovennatuurlijke trekjes zoals het mijne, maar het is scherp genoeg om haar van nut te zijn.

'Dat heb ik ook al tegen Ozzie gezegd… Er klopt iets niet.'

'Wat klopt niet?'

'Deze hele toestand. De moord op dr. Jessup en de rest. Het klópt gewoon niet. Ik voel het in mijn botten, maar ik kan de vinger niet op de zere plek leggen.'

Terri is een van de weinige mensen die op de hoogte zijn van mijn gave. Ze begrijpt dat ik me verplicht voel er gebruik van te maken en ze piekert er niet over om te proberen me op andere gedachten te brengen. Maar ze zou heel graag willen dat dit juk van mijn schouders wordt genomen.

Ik ook.

Terwijl 'Good Luck Charm' plaatsmaakte voor 'Puppet on a String' legde ik mijn mobiele telefoon op tafel, vertelde haar dat ik was vergeten het apparaat de afgelopen nacht op te laden en vroeg of ze dat nu voor me wilde doen. En of ik ondertussen de hare mocht lenen.

Ze deed haar tas open en viste de telefoon eruit. 'Het is geen mobiele maar een satelliettelefoon. Zou die onder de grond wel werken?'

'Ik weet het niet. Misschien niet. Maar dan doet hij het in ieder geval overal waar ik weer boven de grond kom. Bedankt, Terri.'

Ik probeerde het geluid van de bel uit en zette het wat zachter.

'En als die van mij weer is opgeladen,' zei ik, 'en je krijgt eigenaardige mensen aan de lijn... geef ze dan maar het nummer van jouw telefoon, zodat ze mij kunnen bellen.'

'Hoezo eigenaardig?'

Ik had tijd genoeg gehad om na te denken over het telefoontje dat ik had gekregen toen ik onder de giftige *Brugmansia* zat. Misschien had degene die belde inderdaad een verkeerd nummer ingetoetst. En misschien ook niet.

'Als het een vrouw met een rokerige stem is die raadselachtige taal uitslaat en niet wil zeggen hoe ze heet... Die wil ik spreken.'

Ze trok haar wenkbrauwen op. 'Waar gaat het precies om?'

'Ik weet het niet,' zei ik eerlijk. 'Waarschijnlijk is er niets aan de hand.'

Terwijl ik haar telefoon in een ritsvakje op mijn rugzak stopte, zei ze: 'Ga je wel weer aan het werk, Oddie?'

'Binnenkort waarschijnlijk. Deze week nog niet.'

'We hebben een nieuwe spatel voor je gekocht. Met een brede bek en schuin aflopende voorkant. Je naam staat in de steel.'

'Wat gaaf.'

'Hartstikke gaaf. De steel is rood en je naam wit, in dezelfde letters als van het oorspronkelijke Coca-Cola-logo.'

'Ik mis het bakken,' zei ik. 'Ik hou van de bakplaat.'

Het personeel van het cafetaria was al meer dan vier jaar mijn familie geweest. Ik was nog steeds aan hen verknocht. Maar als ik ze tegenwoordig tegenkwam, waren er twee dingen die de ontspannen kameraadschap uit het verleden in de weg stonden: mijn intense verdriet en het feit dat ze mij een echte held vonden.

'Ik moet ervandoor,' zei ik, terwijl ik opstond en mijn rugzak opnieuw omdeed.

Alsof ze me nog even tegen wilde houden, zei ze: 'En... heb je Elvis de laatste tijd nog gezien?'

'Ik heb hem net huilend in mijn keuken achtergelaten.'

'Zat hij alweer te huilen? Waarover?'

Ik vertelde haar het verhaal over het peper-en-zoutstelletje. 'Hij deed zelfs een poging om me iets aan mijn verstand te brengen en dat is iets nieuws. Maar ik begreep hem niet.'

'Ik misschien wel,' zei ze, terwijl ze de deur voor me optrok. 'Je weet toch dat hij een broertje had? Ze waren een eeneiige tweeling.'

'O ja, dat was ik vergeten.'

'Jesse Garon Presley werd 's morgens om vier uur dood geboren en Elvis Aaron Presley kwam vijfendertig minuten later ter wereld.'

'Ik kan me nog vaag herinneren dat je me dat verteld hebt. Jesse is in een kartonnen doos begraven.'

'Meer kon het gezin zich niet veroorloven. Hij is te ruste gelegd op het Priceville Cemetery, ten noordoosten van Tupelo.'

'Wat kan het noodlot toch rare streken uithalen, hè?' zei ik. 'Een identieke tweeling, die er precies hetzelfde uit zal gaan zien, precies hetzelfde zal gaan klinken en waarschijnlijk precies hetzelfde talent zal hebben. Maar een van beiden wordt de grootste ster die de muziekgeschiedenis kent en de ander wordt als baby in een kartonnen doos begraven.'

'Het heeft hem zijn hele leven achtervolgd,' zei Terri. 'Er wordt gezegd dat hij vaak 's avonds laat tegen Jesse zat te praten. Hij had het gevoel dat hij er maar voor de helft was.'

'Zo heeft hij in zekere zin ook geleefd... alsof hij er maar voor de helft was.'

'In zekere zin wel,' beaamde ze.

Omdat ik precies wist hoe dat voelde, zei ik: 'Ik begin ineens meer sympathie voor die vent te krijgen.'

We omhelsden elkaar en ze zei: 'We kunnen niet zonder je, Oddie.'

'Ik zou nergens anders willen zijn,' bevestigde ik. 'Jij bent alles wat een vriendin moet zijn, Terri, en je hebt niet één van de nare trekjes.'

'Wanneer moet ik me volgens jou zorgen gaan maken?'

'Aan je gezicht te zien,' zei ik, 'ben je daar nu al mee begonnen.'

'Ik vind het geen prettig idee dat je afdaalt in die afvoerbuizen. Het geeft me het gevoel dat je jezelf levend begraaft.'

'Ik heb helemaal geen last van claustrofobie,' verzekerde ik haar terwijl ik op het platje voor de keukendeur stapte.

'Dat bedoelde ik helemaal niet. Ik geef je zes uur, dan ga ik Wyatt Porter bellen.'

'Ik zou liever willen dat je dat niet doet, Terri. Als ik van één ding overtuigd ben, dan is het dat ik dit in mijn eentje moet opknappen.'

'Echt waar? Of gaat het... om iets anders?'

'Iets anders? Wat bedoel je?'

Kennelijk had ze een bepaalde angst, maar die wilde ze niet onder woorden brengen. In plaats van antwoord te geven of me aan te kijken om te zien of ze iets in mijn ogen kon lezen, tuurde ze naar de lucht. Grauwe wolken kwamen vanuit het noord-noordoosten aandrijven. Ze leken op dweilen die voor een smerige grond waren gebruikt.

'Dit gaat niet alleen om de jaloezie en de obsessies van Simon,' zei ik. 'Er is iets vreemds aan de hand. Wat weet ik niet, maar de Mobiele Eenheid zal Danny niet levend boven de grond krijgen. Dankzij mijn gave ben ik zijn beste kans.'

Ik drukte een kus op haar voorhoofd, draaide me om en liep de trap af naar de straat.

'Is Danny al dood?' vroeg ze.

'Nee. Ik heb je al verteld dat ik door hem aangetrokken word.'

'Is dat echt zo?'

Ik bleef verbaasd staan en draaide me om. 'Hij leeft echt nog, Terri.'

'Als Kelsey en ik gezegend waren geweest met een kind, zou hij nu net zo oud kunnen zijn als jij.'

Ik glimlachte. 'Je bent een lieverd.'

Ze zuchtte. 'Nou, goed dan. Acht uur. Geen minuut langer. Je mag dan helderziend zijn, of een medium, of weet ik veel, maar ik heb mijn vrouwelijke intuïtie en de hemel weet dat dat ook wel iets wil zeggen.'

Ik had geen zesde zintuig nodig om te begrijpen dat het geen zin had om te proberen de limiet te verhogen van acht tot tien uur.

'Acht uur,' bevestigde ik. 'Voor die tijd heb ik je wel gebeld.'

Toen ik verder de trap afliep, zei ze: 'Oddie, je bent toch echt alleen maar langs gekomen om mijn telefoon te lenen, hè?'

Nadat ik opnieuw was blijven staan en omkeek, zag ik dat ze van het platje was gestapt en op de eerste tree stond.

'Om mezelf gerust te stellen zal ik je het wel ronduit moeten vragen... Je bent hier toch niet naartoe gekomen om afscheid te nemen, hè?'

'Nee.'

'Echt niet?'

'Echt niet.'

'Zweer het op God.'

Ik hief mijn rechterhand op alsof ik een padvinder was die een plechtige gelofte aflegde.

Nog steeds onzeker zei ze: 'Het zou een rotstreek van je zijn om met een leugen uit mijn leven te verdwijnen.'

'Dat zou ik je niet willen aandoen. Ik zal trouwens mijn uiteindelijke bestemming nooit kunnen bereiken door bewust of onbewust zelfmoord te plegen. Ik moet mijn vreemde leventje afmaken. En zo goed als ik kan, want dat is de enige manier om te komen waar ik naartoe wil. Snap je wat ik bedoel?'

'Ja hoor.' Terri zakte op de bovenste tree neer. 'Ik blijf hier zitten om je na te kijken. Ik heb het gevoel dat het ongeluk zal brengen als ik je nu mijn rug toekeer.'

'Is alles goed met je?'

'Ga nou maar. Als hij nog leeft, zoek hem dan op.'

Ik draaide me om en liep weer verder naar beneden.

'Niet omkijken,' zei ze. 'Dat brengt ook ongeluk.'

Ik was bij de onderste tree aanbeland en liep via de steeg naar de hoofdstraat. Ik keek niet om, maar ik hoorde haar zacht huilen.

15

Ik keek niet om me heen of iemand me zag, ik bleef niet rondhangen in de hoop dat zich een ideale gelegenheid zou voordoen, maar ik liep rechtstreeks naar het bijna drie meter hoge,
met gaas bespannen hek en klom erover. Nog geen tien seconden nadat ik in de steeg voor het hek had gestaan landde ik op
het grondgebied van het Maravilla County Waterschapsproject.

Er zijn niet veel mensen die brutaal op klaarlichte dag ergens
binnendringen. Als iemand me over het hek had zien klimmen,
zou hij waarschijnlijk denken dat ik een personeelslid was dat
zijn sleutel had verloren in plaats van een van die onbevoegden
op wie het bord sloeg.

Keurig uitziende jongemannen, kortgeknipt en zonder baard,
worden niet snel verdacht van slechte voornemens. Ik heb kort
haar en niet alleen geen baard maar ook geen tatoeages, geen
oorringetje, geen wenkbrauwringetje, geen neusringetje, geen
lipringetje en evenmin een piercing in mijn tong. Het gevolg is
dat argwanende mensen me er alleen van kunnen verdenken dat
ik een tijdreiziger ben uit een verre toekomst, waarin de bevolking zich onder de druk van een totalitair regime opnieuw moet
houden aan de benauwende culturele normen uit de jaren vijftig van de vorige eeuw.

Het stenen gebouwtje had ventilatiegaten vlak onder het dak,
maar die waren zelfs niet groot genoeg voor een slanke jongeman met een onopvallend kapsel. Maar vroeger in de morgen,
toen ik door het gaas had staan turen, was me al opgevallen dat
het ijzerwerk op de planken deuren een oude indruk maakte.
Het was waarschijnlijk geïnstalleerd in een ver verleden, toen de
gouverneur van Californië nog geloofde in de genezende kracht
van kristallen, vol vertrouwen voorspelde dat de auto in 1990 uit

het straatbeeld zou zijn verdwenen en verkering had met een popster die Linda Ronstadt heette. Bij nadere inspectie bleek het slot niet alleen oud maar ook goedkoop. Er zat geen veiligheidsring op. Daardoor was het hooguit een graadje beter dan een hangslot.

Tijdens de wandeling van de Grille hiernaartoe was ik in Memorial Park even blijven staan om een stevige tang uit mijn rugzak te pakken. Die trok ik nu onder mijn riem vandaan en gebruikte het gereedschap om het hele cilinderslot uit de deur te rukken. Het maakte behoorlijk wat herrie, maar dat duurde hooguit een halve minuut. Alsof ik het volste recht had, liep ik brutaal naar binnen, vond de knop van het licht en trok de deuren achter me dicht.

Het gebouwtje was voorzien van een rek met gereedschap, maar het diende toch voornamelijk als voorportaal van het netwerk van afvoerbuizen voor overtollig regenwater onder Pico Mundo. Een brede wenteltrap leidde naar beneden.

Terwijl ik de kronkelende trap afliep en het licht uit mijn zaklantaarn op de geperforeerde metalen treden liet vallen, moest ik weer denken aan de achtertrap in het huis van dr. Jessup. Heel even leek het net alsof ik midden in een of ander duister spel zat, waarbij ik al een keer het bord rond was geweest en nu door het rollen van de dobbelstenen opnieuw was veroordeeld tot zo'n gevaarlijke afdaling. Ik had het licht op de trap niet aan gedaan, omdat ik niet wist of ik met dezelfde schakelaar niet toevallig ook andere werklampen in de afvoerbuizen aan zou doen, waarmee mijn aanwezigheid vroeger dan nodig was aangekondigd zou worden.

Ik telde de treden, waarbij ik uitging van twintig centimeter per stuk. Op die manier daalde ik meer dan vijftien meter af, veel dieper dan ik had verwacht.

Onder aan de trap was een deur. De grendel van een dikke centimeter breed kon van beide kanten bediend worden.

Ik drukte de zaklantaarn uit.

Hoewel ik verwachtte dat de grendel zou knarsen en de scharnieren zouden piepen, ging de deur zonder protest open. Het was een opmerkelijk zwaar exemplaar, dat gemakkelijk draaide.

Terwijl ik zonder iets te zien en met ingehouden adem luisterde of ik vijandige geluiden hoorde, bleef alles stil. Toen ik genoeg had gehoord, voelde ik me veilig genoeg om de zaklantaarn weer aan te knippen.

Achter de drempel lag een gang die vanuit mijn standpunt naar rechts leidde: ongeveer drieëneenhalve meter lang, anderhalve meter breed en met een laag plafond. Ik liep erdoor en kwam tot de ontdekking dat het een l was, waarvan de korte poot tweeëneenhalve meter mat. Daar was opnieuw een zware deur met een grendel die van twee kanten bediend kon worden. Deze vorm van toegang tot het afwateringssysteem was heel anders dan ik had verwacht en leek onnodig ingewikkeld.

Opnieuw doofde ik mijn zaklantaarn. Opnieuw draaide de deur soepel open, zonder geluid te maken. Ik stond in het stikdonker te luisteren en hoorde een vaag ruisend en sissend geluid. In gedachten zag ik meteen een gigantische slang door het duister kronkelen. Maar toen herkende ik het gefluister van kabbelend water dat rustig langs de gladde wanden van de buis stroomde.

Ik knipte de zaklantaarn weer aan en stapte over de drempel. Direct erachter lag een zestig centimeter brede loopbrug, die zich zowel links als rechts van me eindeloos leek uit te strekken. Ongeveer vijfenveertig centimeter onder de loopbrug stroomde water voorbij, waarvan de grauwe kleur waarschijnlijk voornamelijk werd veroorzaakt door de betonnen wanden van de afvoerbuis. Niet in een kolkende stortvloed, maar kalm en statig. De lichtstraal uit de zaklantaarn tekende een netwerk van zilveren draadjes op het zacht deinende wateroppervlak.

Afgaande op de ronding van de buis schatte ik dat het water in het midden van de buis hooguit vijfenveertig centimeter diep was. Direct naast de loopbrug zou dat niet meer dan dertig centimeter zijn.

De diameter van de buis moest ongeveer drieëneenhalve meter zijn, een gigantische ader in het lichaam van de woestijn, die naar een duister hart ergens ver weg leek te leiden.

Ik was bang geweest dat Simon op mijn komst voorbereid zou zijn als ik de werklampen in deze doolhof aan zou doen. Maar het licht van een zaklantaarn zou iemand die me ergens in het duister opwachtte precies vertellen waar ik me bevond. Omdat ik me anders op de tast een weg zou moeten zoeken, koos ik voor het enige alternatief en liep terug naar het trappenhuis waar ik een aantal schakelaars vond. De eerste verlichtte het afwateringssysteem.

Terug op de loopbrug zag ik met glas en metaaldraad afgeschermde lampen die met een tussenruimte van negen meter in het plafond van de tunnel waren aangebracht. Ze wekten niet de indruk van daglicht in dit diepe en duistere rijk, want op de muren tekenden zich nog met de regelmaat van de klok schaduwen als vleermuisvleugels af, maar alles was duidelijk genoeg te zien.

Hoewel dit een afvoerbuis was voor overtollig regenwater en geen echt riool had ik toch verwacht dat het smerig zou ruiken en misschien zelfs wel zou stinken. De koele lucht rook vochtig maar niet vies en er hing die haast aantrekkelijke citroenachtige geur die beton eigen is.

Gedurende het merendeel van het jaar stond er geen water in deze buizen. Ze droogden op en daardoor bleven er ook geen schimmels achter.

Ik bleef even naar het stromende water kijken. We hadden de afgelopen vijf dagen geen regen gehad. En dit kon niet het laatste regenwater van de hoogvlakte in het oostelijk deel van het district zijn. Zo lang doet de woestijn er niet over om water af te voeren. Maar de wolken die zich in het noordoosten aan de lucht opgehoopt hadden toen ik uit Terri's appartement vertrok, waren misschien de voorposten van een aanstormend leger dat nog uren op zich zou laten wachten.

U zult zich misschien afvragen waarom een woestijndistrict zo'n uitgebreid afwateringssysteem nodig heeft. Het antwoord is tweeledig en heeft deels te maken met klimaat en grondgebied en deels met geopolitiek.

We hebben weliswaar weinig neerslag in Maravilla County, maar als het gaat regenen zijn het meestal ook enorme stortbuien. Grote delen van de woestijn bevatten minder zand dan leisteen en minder leisteen dan rotsgrond, met weinig tot geen aarde of begroeiing om een plensbui te absorberen of het weglopende water van hoger gelegen gebieden op te vangen.

Plotselinge overstromingen kunnen laaggelegen woestijnge-

bieden in enorme meren veranderen. Zonder een ingrijpend afwateringssysteem zou een groot deel van Pico Mundo daarbij
gevaar lopen. Er kan een jaar voorbijgaan zonder zo'n hoosbui
die ons zenuwachtig aan Noach doet denken en vervolgens krijgen we er in het jaar daarop vijf voor de kiezen.

Maar goed, afwateringssystemen in woestijnsteden bestaan
doorgaans uit een netwerk van v-vormige betonnen sloten, door
de natuur gevormde *arroyo's* en duikers die het water afvoeren
naar een droge rivierbedding of een kanaal dat speciaal is aangelegd om water af te voeren uit woongebieden. En als Pico
Mundo niet vlak naast Fort Kraken had gelegen, een grote lucht-
machtbasis, dan zouden wij net zo'n simpel en slecht werkend
systeem hebben gehad.

Zes decennia lang was Fort Kraken een van de belangrijkste
militaire bases van het land geweest. Het afwateringssysteem
waarvan Pico Mundo mee profiteerde, was voornamelijk aangelegd om er zeker van te zijn dat de startbanen en het uitgestrekte
gebouwencomplex van de basis niet te lijden zouden hebben als
Moeder Natuur zich weer eens van haar onstuimigste kant zou
laten zien.

Er zijn mensen die geloven dat zich onder Kraken een op grote diepte in de rotsen uitgehouwen stelsel van commando- en
controlebunkers bevindt, dat was bedoeld om eventuele nucleaire aanvallen van de voormalige Sovjet-Unie te doorstaan en
dienst te doen als regeringscentrum bij de wederopbouw van het
zuidwesten van de Verenigde Staten na een atoomoorlog.

Het eind van de koude oorlog had tot gevolg dat Fort Kraken ook ingekrompen werd, maar niet ontmanteld, zoals veel
andere militaire bases. Sommigen zeggen dat dit verborgen complex nog steeds in stand wordt gehouden vanwege de kans dat
we op een dag de confrontatie aan zullen moeten gaan met een
agressief China, gewapend met duizenden kernraketten. Het ge-
rucht wil dat deze tunnels niet alleen voor afwateringsdoelein-
den worden gebruikt, maar ook voor clandestiene zaken. Misschien maken ze deel uit van het ventilatiesysteem voor die
ondergrondse bunkers. Misschien dienen een paar ervan wel als
geheime ingangen.

Dat kan allemaal waar zijn, maar de kans is net zo groot dat het een equivalent is van het broodje aap-verhaal dat beweert dat alligators, die als huisdieren werden gehouden en door het toilet waren gespoeld toen ze nog klein waren, in de riolen onder New York City leven waar ze zich voeden met ratten en onoplettende medewerkers van de rioleringsdienst.

Een van de mensen die geheel of gedeeltelijk geloof hechten aan dat verhaal over Kraken is Horton Banks, de uitgever van de *Maravilla County Times*. Meneer Banks beweert ook dat hij twintig jaar geleden, toen hij een trektocht maakte door de bossen van Oregon, samen met Bigfoot gezellig gedroogde vruchten en worstjes uit blik heeft zitten eten. Nu ben ik toevallig wie ik ben en gezien mijn ervaringen heb ik de neiging om zijn verhaal over de Sasquatsch te geloven.

Nu sloeg ik, op zoek naar Danny Jessup en vertrouwend op mijn unieke intuïtie, rechts af en volgde de onderhoudsloopbrug stroomopwaarts, via geordende patronen van licht en schaduw op weg naar een of andere vorm van zwaar weer.

16

Een dobberende tennisbal, een plastic zak die op en neer ging alsof het een kwal was, een speelkaart – ruitentien – een tuin-handschoen en een plukje bloemblaadjes dat afkomstig had kunnen zijn van een cyclaam: elk voorwerp in het grauwe water straalde een geheimzinnige betekenis uit. Die indruk had ik tenminste, want ik hunkerde inmiddels naar betekenisvolle dingen.

Omdat dit water niet in Pico Mundo in het afwateringssysteem was gestroomd, maar ergens ver in het oosten na een regenbui, dreef er niet zoveel rommel in. Verderop, als de hoeveelheid toenam en het regenwater uit de stad erbij kwam, zou dat wel erger worden.

Zijtunnels kwamen uit in de tunnel waarin ik liep. Sommige waren droog, maar andere voegden water toe. Veel ervan waren ongeveer zestig centimeter doorsnee, hoewel een paar net zo hoog waren als de buis waardoor ik was binnengekomen.

Bij iedere zijtunnel hield de loopbrug op, maar liep aan de overkant weer verder. Bij de eerste overwoog ik om mijn schoenen uit te trekken en mijn spijkerbroek op te rollen, maar op blote voeten zou ik op iets scherps in het water kunnen trappen. Uit bezorgdheid hield ik mijn schoenen aan en mijn nieuwe witte gympen zagen er meteen verschrikkelijk uit. Terrible Chester had er net zo goed op kunnen piesen.

Terwijl ik kilometer na kilometer naar het oosten liep, me nauwelijks bewust van het summiere stijgingspercentage, kwam ik steeds meer onder de indruk van het onderaardse bouwwerk. De prettige nieuwsgierigheid die je voelt als je op onderzoek uitgaat, groeide langzaam maar zeker uit tot bewondering voor de architecten, de ingenieurs en de vakkundige werklieden die dit project hadden bedacht en uitgevoerd. En die bewondering ging weer langzaam over in iets dat op verbijstering leek.

Het complex bleek gigantisch groot te zijn. Een deel van de tunnels die groot genoeg waren om door te lopen waren verlicht, maar andere bleven in het duister gehuld. De verlichte gangen strekten zich voor me uit alsof ze oneindig lang waren, of verdwenen met een sierlijke boog uit het zicht. Ik zag nergens een eindpunt, alleen openingen naar nieuwe aftakkingen.

Ik kreeg ineens het fantastische idee dat ik terecht was gekomen in een bouwwerk dat zich tussen twee werelden bevond of die met elkaar verbond, alsof ontelbare nautilusschelpen elkaar in een onvoorstelbare hoeveelheid richtingen kruisten en met de vloeiende geometrie van hun spiraalvormige gangen de weg openden naar nieuwe werelden.

Er wordt gezegd dat de infrastructuur onder de stad New York zeven niveaus telt. Sommige daarvan zijn benard en onderhoud daarvan kost de grootste moeite, terwijl andere gewoon groots zijn opgezet. Maar dit was Pico Mundo, de thuishaven van de Gila Monsters. Ons grootste culturele evenement is het jaarlijkse cactusfestival.

Op cruciale punten waren bogen en steunberen aangebracht ter versterking en op sommige plekken waren de gebogen wanden geribd. Maar al deze onderdelen waren voorzien van afgeronde randen die geen afbreuk deden aan de fundamentele deugdelijkheid van het geheel.

De enorme omvang van deze tunnels leek overdreven als je naging waarvoor ze eigenlijk dienden. Je kon zoveel verschillende kanten op dat ik maar nauwelijks kon geloven dat zelfs het overtollige water van een honderdjarige plensbui in een van de hoofdleidingen een hoger niveau dan het midden van de buis zou halen. Wat ik wél onmiddellijk geloofde, was dat deze tunnels niet in de eerste plaats afwateringskanalen waren, maar eenbaanssnelwegen. Vrachtwagens konden er gemakkelijk door, zelfs trucks met opleggers. Om van de ene gang in de andere te komen zouden hooguit twee stuurcorrecties volstaan.

Gewone vrachtwagens of mobiele lanceerplatforms.

Ik vermoedde dat dit labyrint niet alleen onder Fort Kraken en Pico Mundo lag. Het strekte zich ook kilometers ver uit in noordelijke en zuidelijke richting, door de hele Maravilla Valley. Als je gedurende de eerste uren van de laatste oorlog kwetsbare nucleaire wapens moest vervoeren vanuit het verwoeste gebied van de eerste aanval naar plaatsen waar ze bovengronds konden worden gebracht en gelanceerd, dan waren deze onderaardse snelwegen waarschijnlijk precies wat je nodig had. Ze lagen zo diep onder de grond dat het gevaar van bominslag vrijwel uitgesloten leek.

Het kon dan ook niet anders of het overtollige water dat zich zover onder de grond bevond, zou uiteindelijk niet in een reservoir terechtkomen, maar in een ondergronds meer of een andere geologische formatie met een gelijke waterstand als de rest van het gebied.

Het was vreemd om te bedenken dat ik in het verleden, voor mijn verlies, dromend over een bruiloft achter de bakplaat in de Pico Mundo Grille had gestaan om cheeseburgers te bakken, eieren kapot te slaan en spek om te draaien, zonder te weten dat diep onder me de snelwegen van Armageddon zwijgend lagen te wachten op plotselinge konvooien des doods.

Weliswaar kan ik, in tegenstelling tot de meeste andere mensen, de doden zien, maar de wereld gaat nog steeds schuil onder een grote hoeveelheid sluiers en er zijn stapels geheimen die niet, met alleen een zesde zintuig, te doorgronden zijn.

Terwijl ik de ene na de andere kilometer achter me liet, schoot ik niet zo op als ik had gewild. Mijn paranormale magnetisme werkte minder goed dan anders, waardoor ik vaak bleef staan aarzelen als ik de keus had om een andere route te volgen. Desondanks bleef ik hardnekkig in oostelijke richting lopen, althans dat vermoedde ik. Het is niet gemakkelijk om ondergronds je gevoel voor richting te bewaren.

Voor het eerst zag ik midden in de waterstroom een paal waarop het waterniveau aangegeven stond – wit met zwarte cijfers op vijfentwintig centimeter tussenruimte. Het vierkante bouwsel van planken met een breedte van vijftien centimeter was bijna drieëneenhalve meter hoog en raakte op een haar na het ronde plafond van de buis. Het grauwe water stond nog zo'n vijf tot zeven centimeter onder de markering voor vijftig centimeter, wat betekende dat mijn eerdere schatting aardig klopte, maar wat me meer interesseerde was het lijk, dat tegen de paal was blijven steken.

Het dobberde met het gezicht naar beneden in het stroompje, maar het smerige water, dat bovendien de broek en het T-shirt liet opbollen, voorkwam dat ik vanaf de hoge loopbrug zelfs maar het geslacht van de dode kon bepalen.

Mijn hart begon zo te bonzen dat het geluid door mijn lijf weergalmde alsof ik een leeg huis was. Als dit Danny was, dan was alles voorbij. Niet alleen de zoektocht naar hem, maar dan was voor mij alles gezien.

Vijftig centimeter snel stromend water zou een volwassen man binnen de kortste keren ondersteboven kunnen gooien. Maar dit afvoerkanaal had slechts een gering hellingspercentage en uit de onveranderde diepte van het stroompje, plus het feit dat het er zo rustig uitzag, dacht ik op te kunnen maken dat de snelheid niet erg groot was en voorlopig ook niet veel groter zou worden.

Nadat ik mijn rugzak op de loopbrug had gelegd, stapte ik in de buis en waadde naar de meetpaal. Het water dat er zo rustig uitzag, bleek toch nog behoorlijk wat kracht te hebben. In plaats van midden in de stroom te blijven staan en de goden van de af-voer te tarten, probeerde ik niet meteen het lichaam om te draai-en en naar het gezicht te kijken, maar greep het bij de kleren vast en trok het mee in de richting van de loopbrug.

Hoewel ik me bij geestverschijningen van doden prima op mijn gemak voel, vind ik lijken eng. Ze maken op mij de indruk van lege vaten die wellicht een nieuwe en kwaadaardige geest tot onderdak kunnen dienen. Ik heb nog nooit meegemaakt dat dit ook werkelijk is gebeurd, hoewel ik mijn twijfels heb over een van de winkelbedienden in de 7-Eleven in Pico Mundo.

Op de loopbrug draaide ik het lichaam op de rug en herken-de de slangenman die me de volle lading had gegeven met zijn Taser.

Dus niet Danny. Ik kreunde van opluchting.

Tegelijkertijd verkrampten mijn zenuwen en ik huiverde. Het gezicht van de dode man leek in niets op de gezichten van an-dere lijken die ik had gezien. Zijn ogen waren zover weggedraaid in zijn hoofd dat ik zelfs geen flintertje groen meer zag. Hoe-wel hij hooguit een paar uur dood kon zijn, leken zijn ogen ook ontzettend uit te puilen, alsof de druk in de schedel ze uit de kassen probeerde te duwen.

Ik zou er niet van opgekeken hebben als zijn gezicht bloedeloos wit was geweest. Evenmin als de huid een beetje groen was geworden, zoals dat binnen een dag na de dood gebeurt, al had ik me dan wel afgevraagd wat het ontbindingsproces versneld zou hebben. Maar de huid was niet bloedeloos of groenig en zelfs niet vurig, maar vlekkerig in verschillende tinten grijs, van asgrauw tot antraciet. Hij zag er ook weggetrokken uit, alsof het leven een sap was dat uit hem weggezogen was.

Zijn mond was open. Zijn tong was verdwenen. Ik had niet het idee dat iemand die eruit gesneden had. Hij had hem kennelijk ingeslikt. Met geweld. Zichtbaar hoofdletsel ontbrak. Hoewel ik nieuwsgierig was naar de doodsoorzaak, was ik niet van plan om hem uit te kleden op zoek naar wonden. Ik rolde hem wel op zijn buik, om te zien of ik een portefeuille kon vinden. Maar die had hij niet bij zich.

Als deze man niet door een ongeluk om het leven was gekomen, als hij was vermoord, dan had Danny Jessup dat vast niet gedaan. Hij moest wel door een van zijn bondgenoten om zeep zijn gebracht, dat was de enige overgebleven mogelijkheid.

Nadat ik mijn rugzak weer had opgepakt en om mijn schouders had gehangen, liep ik in dezelfde richting verder. Ik keek nog een paar keer om, omdat ik half en half een wederopstanding verwachtte, maar dat gebeurde niet.

17

Uiteindelijk liep ik een andere tunnel in en ging verder in oost-zuidoostelijke richting. Hier brandden geen lampen. Maar er viel voldoende licht van de kruising naar binnen om de elektriciteitsschakelaar op de muur van de nieuwe doorgang te zien. De roestvrijstalen plaat was op een hoogte van een meter tachtig aangebracht, wat de indruk wekt dat de ontwerpers van het afwateringssysteem niet hadden verwacht dat het water ooit hoger dan anderhalve meter zou komen te staan. Waarmee bevestigd werd dat de omvang van het systeem veel groter was dan de ergste regenperiode noodzakelijk maakte.

Ik knipte de schakelaar aan. De tunnel voor me werd helder verlicht, waarschijnlijk net als de aftakkingen ervan. Omdat ik nu in oostzuidoostelijke richting liep en de regen kennelijk vanuit het noorden kwam, stroomde er in deze buis geen water naar me toe. Het beton was al bijna droog na de laatste vloedgolf. Op de bodem lag een laagje bezinksel, vermengd met allerlei rommel die was aangevoerd met het laatste water van een eerdere regenbui.

Ik keek of ik voetsporen in het bezinksel zag, maar dat was niet zo. Danny en zijn overvallers waren langs deze weg gekomen, over dezelfde loopbrug die ik gebruikte.

Mijn zesde zintuig dwong me verder te gaan. Terwijl ik in versneld tempo doorliep, begon ik me iets af te vragen.

In de straten van Pico Mundo zijn overal putdeksels aangebracht. Die zware smeedijzeren schijven zitten met klinken vast en kunnen alleen met speciaal gereedschap opgetild worden. Het leek een logische conclusie dat de buizen van het drinkwater- en elektriciteitsbedrijf en van de riolering tot een ander – en veel bescheidener – systeem behoorden dan de afwateringstunnels.

Anders was ik inmiddels al talloze onderhoudskokers voorzien van trappen of ladders tegengekomen. Maar hoewel ik kilometers door die eerste tunnel had gelopen, had ik niet één onderhoudsingang gezien na degene waardoor ik naar binnen was gekomen. Na nog geen tweehonderd meter in de nieuwe tunnel kwam ik bij een stalen deur in de muur. Er stond niets op.

Het paranormale magnetisme dat me in de richting van Danny Jessup dreef, stuurde me niet op deze uitgang af. Ik ging er uit pure nieuwsgierigheid naartoe.

Achter de deur – zo zwaar dat hij massief leek, net als de twee waardoor ik binnen was gekomen – zag ik een lichtschakelaar en een T-vormige gang. Aan de uiteinden van de dwarsbalk van de T bevonden zich nog twee deuren. Een daarvan bleek toegang te geven tot een voorportaal waar een open metalen wenteltrap omhoog leidde naar wat kennelijk een soortgelijk stenen gebouwtje was als het eigendom van de Maravilla County Afwateringsbedrijf waar ik ingebroken had. Via de deur ertegenover kwam ik in een hoog trappenhuis met een normale maar steile trap die zes meter hoger eindigde bij een deur met het opschrift PMEWB. Ik nam voetstoots aan dat dit 'Pico Mundo Elektriciteits- en Waterbedrijf' betekende. In het staal stond ook 16s-sw-v2453 geëtst, maar dat zei me niets.

Ik ging niet verder op onderzoek uit. Ik had ontdekt dat het ondergrondse systeem van het elektriciteits- en waterbedrijf in ieder geval op een paar punten in verbinding stond met de tunnels van het afwateringsbedrijf. Waarom dit uiteindelijk zinnige informatie zou blijken te zijn, wist ik niet, maar dat gevoel had ik wel.

Nadat ik weer terug was gegaan naar de afwateringstunnel en tot de ontdekking was gekomen dat de slangenman met de witte ogen me niet stond op te wachten, liep ik verder in oost-zuidoostelijke richting.

Bij het kruispunt met een andere tunnel hield de loopbrug op. In het poederachtige bezinksel onder me stonden voetstappen die over het kruispunt liepen naar de plek waar de loopbrug weer verder ging. Ik sprong de halve meter omlaag naar de bodem van de buis en bestudeerde de voetstappen in het slib.

Danny's sporen weken af van de andere. Door de talloze breuken die hij in de loop der jaren had gehad – en het ongelukkige feit dat bij genezing van een breuk de botten van iemand met osteogenesis imperfecta vaak misvormd raken – was zijn rechterbeen niet alleen tweeëneenhalve centimeter korter geworden dan het linker, maar ook verdraaid. Doordat hij op een vreemde manier met zijn heupen draaide, strompelde hij en sleepte licht met zijn rechtervoet.

Als ik nou ook nog een bochel had gehad, zei hij op een gegeven moment, *dan had ik in de klokkentoren van de Notre Dame een baan voor het leven gehad, met prima secundaire arbeidsvoorwaarden, maar zoals gewoonlijk heeft Moeder Natuur me weer een loer gedraaid.*

Omdat hij zo klein van stuk was, waren zijn voeten niet groter dan die van een tien- of twaalfjarig jongetje. Bovendien was zijn rechtervoet een maat groter dan de linker. Niemand anders had deze sporen achter kunnen laten.

Toen ik nadacht over de afstand die ze hem hadden laten lopen werd ik niet alleen misselijk en boos, maar ook ontzettend bezorgd. Hij kon best een wandelingetje maken zonder pijn en soms zelfs zonder ongemak, maar niet meer dan een paar straten ver, of een tochtje door het winkelcentrum. Bij zo'n lange voettocht als deze zou hij creperen van de pijn.

Ik dacht eigenlijk dat Danny ontvoerd was door twee mannen, zijn biologische vader, Simon Makepeace, en de naamloze slangenman die inmiddels dood was. Maar in het poederachtige bezinksel stonden nog dríé andere voetsporen. Twee daarvan waren de afdrukken van volwassen mannen, van wie de een wat grotere voeten had dan de ander. Het derde leek afkomstig van een jongen of een vrouw.

Ik volgde het spoor over het kruispunt van de tunnels naar de plek waar de loopbrug weer verder ging. Daarna was er niets meer om te volgen, behalve mijn ongewoon sterke intuïtie.

In dit droge gedeelte van het labyrint ontbrak zelfs het ruisende gefluister van ondiep water dat ongehinderd voorbijstroomde. Dit was meer dan stilte, dit was diepe rust.

Ik loop licht en omdat ik alleen maar stevig doorgewandeld had, hijgde ik niet. Onder het lopen door kon ik dus naar de tunnel luisteren omdat eventuele geluiden die mijn prooi maakte niet gemaskeerd werden. Maar ik hoorde geen veelzeggende voetstappen of stemmen, ook al bleef ik een paar keer met dichtgeknepen ogen staan om nog geconcentreerder te kunnen luisteren. Het enige wat ik hoorde, was een diepe en holle *ruimte* voor geluid en geen gebons of gegorgel dat niet door mijn eigen lijf werd geproduceerd. Die intense stilte leek te suggereren dat het viertal ergens verderop de afwateringstunnels had verlaten.

Waarom zou Simon een zoon ontvoerd hebben die hij niet had gewild en van wie hij weigerde te geloven dat het zijn eigen kind was?

Het antwoord: als hij dacht dat Danny een kind was van de man met wie Carol hem had bedrogen, dan zou het Simon wellicht bevrediging schenken om hem te vermoorden. Hij was een psychopaat. Zijn gedrag was op logica noch op normale emoties gebaseerd. Macht – en het plezier dat hij daaruit putte – en overlevingsdrang waren zijn enige beweegredenen.

Dat antwoord had me tot nu toe redelijk geleken, maar dat was inmiddels veranderd. Simon had Danny ook in zijn slaapkamer kunnen vermoorden. En als hij daarbij was gestoord toen ik het huis van dr. Jessup binnen was gekomen, dan had hij de klus ook wel in het busje kunnen klaren terwijl de slangenkerel reed. Hij zou ook tijd genoeg hebben gehad om hem te martelen, als dat zijn bedoeling was geweest.

Om Danny mee te nemen naar deze doolhof en hem kilometers lang door de tunnels te laten lopen was ook een soort marteling, maar dat was niet dramatisch genoeg en het had evenmin de fysieke betrokkenheid waarvan een psychopaat die ervan hield letterlijk bloed aan zijn handen te krijgen opgewonden zou raken.

Simon – en zijn twee overgebleven metgezellen – hadden Danny nodig om een reden die mij voorlopig ontging. En ze waren ook niet hierheen gekomen om de wegafzetting te omzeilen en uit het zicht te blijven van de verkenningsvliegtuigen van het bureau van de sheriff. Ze hadden wel een betere plek kunnen vinden waar ze zich gedeisd konden houden tot de wegafzetting opgeheven zou worden.

Met akelige voorgevoelens liep ik nu sneller door, niet omdat het PMS sterker was geworden, want dat was niet het geval, maar omdat ik bij ieder kruispunt aan hun voetstappen in het slijk zag dat ik op de goede weg was.

De eindeloze grauwe wanden, de monotone patronen van licht en schaduw van de lampen in het plafond, de stilte. Dit zou een echte hel zijn geweest voor een hopeloze zondaar die vooral bang was voor eenzaamheid en verveling.

Nadat ik de eerste voetsporen had ontdekt, bleef ik nog dertig minuten haastig doorlopen – niet hollend, maar met stevige pas – tot ik de plek bereikte waar ze de doolhof verlaten hadden.

18

Toen ik de roestvrijstalen deur van de onderhoudsdienst in de muur aanraakte, werd ik in psychische zin aan de haak geslagen en vooruit gesleurd, alsof mijn prooi vissers waren en ik de vis.

Achter de deur bevond zich een L-vormige gang. Aan het eind van de L weer een deur. En toen ik die openduwde, bevond ik me in een portaal met een stalen wenteltrap die uitkwam in alweer zo'n stenen gebouwtje met een rek vol gereedschap.

Hoewel het een aangenaam warme februaridag was, helemaal niet heet, was de lucht hier bedompt. De geur van rottend hout steeg op uit de balken en bleef onder het door de zon geblakerde metalen dak hangen.

Kennelijk had Simon het slot opengebroken, precies zoals hij had gedaan bij het eerste gebouwtje, in de steeg achter het Blue Moon Café. Bij hun vertrek hadden ze de deur achter zich dicht getrokken en die was weer keurig in het slot gevallen.

Met behulp van mijn gelamineerde rijbewijs kon ik wel een eenvoudig slot openkrijgen, maar hoewel dit een goedkoop en ondeugdelijk exemplaar was, zou een plastic kaartje het niet open krijgen. Ik pakte de tang weer uit mijn rugzak.

Ik was niet bang dat Simon en zijn ploeg door de herrie gealarmeerd zouden worden. Ze waren hier vast al uren geleden langs gekomen en ik had redenen te over om aan te nemen dat ze niet waren blijven plakken.

Net toen ik op het punt stond om het slot met behulp van de tang los te rukken ging Terri's satelliettelefoon over en daar schrok ik van.

Ik viste het toestel met enige moeite uit mijn tas en antwoordde nadat het drie keer was overgegaan. 'Hallo?'

'Hoi.'

Aan dat ene woordje had ik genoeg om de vrouw met de ro-kerige stem te herkennen, die me de afgelopen nacht ook had gebeld toen ik onder de takken van de giftige brugmansia in de achtertuin van de familie Ying zat.

'Jij weer.'

'Ik.'

Ze had dit nummer alleen kunnen krijgen als ze mijn inmid-dels weer opgeladen mobiele telefoon had gebeld en met Terri had gesproken.

'Wie ben je?' vroeg ik.

'Denk je nog steeds dat ik verkeerd verbonden ben?'

'Nee. Wie ben je?'

'Moet je dat nog vragen?' zei ze.

'Dat heb je toch gehoord?'

'Eigenlijk zou je dat niet hoeven te vragen.'

'Ik ken je stem niet.'

'Een heleboel mannen kennen die juist heel goed.'

Ze zei dan misschien geen raadselachtige dingen, maar ze hield zich op de vlakte en daagde me uit.

'Heb ik je wel eens ontmoet?' vroeg ik.

'Nee. Maar je hebt toch wel genoeg fantasie om te weten hoe ik eruitzie?'

'Fantasie?'

'Je stelt me teleur.'

'Alweer?'

'Nog steeds.'

Ik dacht aan de voetstappen in het slijk. Een paar was van een jongen of een vrouw geweest.

Omdat ik niet wist wat voor spelletje ze speelde, hield ik mijn mond.

Zij ook.

Op de meeste plekken waar de dakbalken elkaar kruisten, hin-gen spinnenwebben. De architecten ervan hingen glanzend en zwart tussen de bleke lijken van de vliegen en motten waaraan ze zich te goed hadden gedaan.

Ten slotte zei ik: 'Wat wil je?'

'Wonderen.'

'Eh… Wat bedoel je daar precies mee?'

'Fantastische, onmogelijke dingen.'

'En daarvoor bel je mij?'

'Wie anders?'

'Ik ben een snelbuffetkok.'

'Laat me maar sprakeloos staan.'

'Ik maak eten klaar.'

'Kouwe rillingen,' zei ze.

'Hè?'

'Dat is wat ik wil.'

'Wil je kouwe rillingen?'

'Over mijn rug.'

'Dan moet je bij een Eskimo zijn.'

'Hoezo?'

'Die kan je kouwe rillingen bezorgen.'

Het is typisch een vraag van mensen die geen gevoel voor humor hebben en daar hoorde zij ook bij. 'Is dat een grapje?'

'Ja, maar niet echt leuk,' gaf ik toe.

'Maak jij overal grapjes over? Ben jij er zo één?'

'Niet overal over.'

'Bijna nergens over, klootzak. Moet je nou ook lachen?'

'Nee, nu niet.'

'Weet je wat ik grappig zou vinden?'

Ik gaf geen antwoord.

'Ik zou het echt grappig vinden om de arm van die kleine griezel met een hamer te bewerken.'

Boven mijn hoofd bewoog een achtpotige harpspeler en stille arpeggio's klaterden over de strakke, uit zijde gesponnen spinnenwebsnaren.

Ze zei: 'Zouden zijn botten aan gruzelementen gaan?'

Ik gaf niet meteen antwoord. Ik dacht na voordat ik mijn mond opendeed en zei toen: 'Het spijt me.'

'Wat spijt je?'

'Dat ik je beledigd heb met dat grapje over die Eskimo.'

'Lieve schat, ik ben niet te beledigen.'

'Ik ben blij dat te horen.'

'Ik word alleen nijdig.'

'Het spijt me. Dat meen ik echt.'

'Doe niet zo vervelend,' zei ze.

'Doe hem alsjeblieft geen pijn,' vroeg ik.

'Waarom niet?'

'Waarom wel?'

'Om mijn zin te krijgen,' zei ze.

'Wat wil je dan?'

'Wonderen.'

'Ik neem onmiddellijk aan dat het aan mij ligt, maar ik snap niet wat je bedoelt.'

'Wonderen,' herhaalde ze.

'Vertel me maar wat ik kan doen.'

'Dingen die me versteld doen staan.'

'Wat moet ik doen om hem ongedeerd terug te krijgen?'

'Je stelt me teleur.'

'Ik probeer het te begrijpen.'

'Hij is trots op zijn gezicht, hè?' vroeg ze.

'Trots? Dat zou ik niet weten.'

'Het is het enige aan hem dat niet mismaakt is.'

Mijn mond was droog geworden, maar niet omdat het zo warm en zo stoffig was in het gebouwtje.

'Hij heeft een leuk smoeltje,' zei ze. 'Nu nog wel.'

Ze verbrak de verbinding.

Ik overwoog even of ik op *69 zou drukken, om te zien of ik haar terug kon bellen, ook al had ze haar nummermelding niet aan staan. Ik deed het niet, omdat ik het vermoeden had dat dat een vergissing zou zijn. Hoewel ik uit haar raadselachtige uitlatingen niet op had kunnen maken wat ze precies van plan was, leek één ding wel duidelijk. Ze was eraan gewend om de dingen naar haar hand te zetten en de minste of geringste poging om daar verandering in te brengen leverde een vijandige reactie op. Omdat ze de rol van de agressor op zich had genomen, verwachtte ze van mij dat ik me passief zou gedragen. Als ik haar via sterretje-negenenzestig terugbelde, zou ze ongetwijfeld pissig zijn.

Ze had een wreed trekje. Als ik haar boos maakte, zou ze dat misschien op Danny afreageren.

De stank van rottend hout. Van stof. Van iets dat dood en uitgedroogd in een donker hoekje lag.

Ik stopte de telefoon weer in mijn zak.

Een spin zakte aan een zijden draad uit haar web omlaag, met trillende poten loom rondwentelend in de stille lucht.

19

Ik rukte het slot uit de deur, duwde die open en liet de spinnen over aan hun rooftochten.

De tunnels van het afwateringssysteem waren zo buitenaards en verontrustend geweest en het telefoontje dat ik net achter de rug had zo luguber, dat ik hooguit een tikje verrast zou zijn geweest als ik over de drempel regelrecht Narnia was binnengestapt.

In feite bevond ik me buiten de stadsgrenzen van Pico Mundo, maar niet in een land waar toverkunst regeerde. Ik was omgeven door woestijngrond, rotsachtig en meedogenloos.

Dit gebouwtje stond op een betonnen plaat die twee keer zo groot was. Het geheel werd omringd door een met gaas bespannen hek.

Ik liep rondom langs het hek en bestudeerde het ruige landschap, op zoek naar een teken dat iemand me in de gaten hield. Maar in het omringende gebied kon niemand zich schuilhouden. Toen het duidelijk werd dat ik niet terug naar binnen hoefde om dekking te zoeken tegen vijandige kogels, klom ik over het hek.

Op de rotsachtige grond vlak voor me bleven geen sporen achter. Vertrouwend op mijn intuïtie ging ik op weg naar het zuiden.

De zon stond op het hoogste punt aan de hemel. Het zou nog een uur of vijf licht blijven, voordat de vroege winteravond inviel. In het zuiden en westen leek de bleke hemel drie tinten lichter dan het ideale blauw, alsof de kleur verschoten was van duizenden jaren zonlicht dat teruggekaatst werd door de Mojave.

Daarentegen was het noordelijk deel van het zwerk, achter

me, in beslag genomen door gulzige opeenhopingen van dreigende wolken. Ze waren nog steeds goor, net als een tijdje geleden, maar ze zagen er nu ook beurs uit.

Ik had nog geen honderd meter afgelegd toen ik op de top van
een lage heuvel kwam en omlaag liep naar een kleine vallei met
een zachte grond waarin wel sporen te zien waren. Voor me uit
zag ik de voetstappen van de vluchtelingen en hun gevangene.

Danny had hier zwaarder met zijn rechtervoet gesleept dan in
de afwateringstunnels. Uit zijn voetspoor bleek duidelijk dat hij
pijn leed en wanhopig was.

De meeste slachtoffers van o.i. hebben na de puberteit aan-
zienlijk minder last van botbreuken. Dat gold ook voor Danny.
En nadat ze volwassen zijn geworden, komen de geluksvogels
onder hen tot de ontdekking dat ze nauwelijks meer last hebben van botbreuken dan de gemiddelde mens. Ze hebben er een
lichaam aan overgehouden dat mismaakt is door verkeerd gene-
zen breuken en abnormale botaanwas, en bij sommigen heeft de
ziekte zelfs voor een gehoorstoornis gezorgd, maar verder hebben ze de ergste uitwerkingen van deze erfelijke ziekte achter
zich.

Hoewel Danny tien keer minder broos was dan in zijn jeugd,
was hij een van de onfortuinlijke minderheid van volwassenen
met o.i. die moest blijven oppassen. Het was al lang geleden dat
hij zonder aanleiding een botbreuk had opgelopen, zoals toen
hij op zijn zesde de kaarten voor het kwartetten uitdeelde. Maar
een jaar geleden had hij bij een val zijn rechterspaakbeen gebroken.

Ik bleef heel even aandachtig naar het voetspoor van de vrouw
kijken, terwijl ik me afvroeg wie ze was, wat ze was en waarom.
Daarna volgde ik de vallei ongeveer tweehonderd meter voordat de sporen tegen een rotsachtige helling op liepen en verdwenen. Terwijl ik begon te klimmen ging de satelliettelefoon
weer over.

'Odd Thomas?' vroeg ze.

'Wie zou het anders zijn?'

'Ik heb een foto van je gezien,' zei ze.

'Mijn oren lijken op foto's altijd groter dan in werkelijkheid.'

'Ik kan het aan je zien,' zei ze.

'Wat kun je zien?'

'*Mundunugu.*'

'Is dat een woord?'

'Je weet best wat dat betekent.'

'Het spijt me, maar dat weet ik echt niet.'

'Leugenaar,' zei ze, maar ze klonk niet boos.

Dit begon te lijken op de tafelgesprekken tijdens de theevisite bij de Gekke Hoedenmaker.

'Wil je die kleine griezel terughebben?' vroeg ze.

'Ik wil Danny terughebben. Levend.'

'Denk je dat je hem kunt vinden?'

'Ik doe mijn best,' zei ik.

'Eerst was je zo snel en nu ben je zo verdomd sloom.'

'Denk jij dat je iets van mij afweet?'

'Valt er soms iets te weten, schattebout?' vroeg ze met een bedeesd stemmetje.

'Niet veel.'

'Ik hoop voor Danny dat je nu jokt.'

Ik begon het akelige en tegelijkertijd onverklaarbare gevoel te krijgen dat ik op de een of andere manier de aanleiding was voor de moord op dr. Jessup.

'Zulke moeilijkheden wil je je echt niet op de hals halen,' zei ik.

'Niemand kan mij iets doen,' verklaarde ze.

'O nee?'

'Ik ben onoverwinnelijk.'

'Wat fijn voor je.'

'Weet je waarom?'

'Nou?'

'Ik heb er dertig in een amulet.'

'Dertig wat?' vroeg ik.

'*Ti bon ange.*'

Ik had de term nooit eerder gehoord. 'Wat betekent dat?'

'Dat weet je best.'

'Nee, echt niet.'

'Leugenaar.'

Toen ze de verbinding niet verbrak, maar ook niet meteen doorpraatte, ging ik op de grond zitten, weer met mijn gezicht naar het westen. Met uitzondering van een incidenteel groepje johannesbroodbomen en wat ruige plukjes gras was het land asgrauw en gifgeel.

'Ben je er nog?' vroeg ze.

'Waar zou ik anders zijn?'

'Waar ben je precies?'

Dat beantwoordde ik met een andere vraag: 'Mag ik Simon even spreken?'

'De simpele of de witte?'

'Dat snap ik niet.'

'Simpele Simon of Simon de Wit?'

'Simon Makepeace,' zei ik geduldig.

'Denk je dan dat hij hier is?'

'Ja.'

'Stakker.'

'Hij heeft Wilbur Jessup vermoord.'

'Je gooit er echt met de pet naar,' zei ze.

'Waarnaar?'

'Stel me niet teleur.'

'Ik dacht dat je zei dat ik dat allang had gedaan.'

'Stel me niet opnieuw teleur.'

'Want anders?' vroeg ik en ik wenste meteen dat ik mijn mond had gehouden.

'Wat zou je hiervan zeggen...'

Ik wachtte af.

Ten slotte zei ze: 'Wat zou je hiervan zeggen. Als je ons bij zonsondergang nog niet hebt gevonden breken we zijn beide benen.'

'Als je wilt dat ik jullie vind, vertel me dan maar gewoon waar je zit.'

'Wat heeft dat nou voor zin? Als je ons om negen uur nog niet hebt gevonden, breken we ook zijn beide armen.'

'Dat moet je niet doen. Hij heeft je nooit kwaad gedaan. Hij heeft nog nooit iemand kwaad gedaan.'

'Wat is de eerste voorwaarde?' vroeg ze.

Ik dacht terug aan ons kortste en meest raadselachtige gesprek dat gisteravond had plaatsgevonden en zei: 'Ik moet alleen komen.'

'Als je de smerissen of iemand anders meebrengt, slaan we zijn knappe smoeltje in elkaar, zodat hij de rest van zijn leven van top tot teen niet om aan te zien zal zijn.'

Toen ze de verbinding verbrak, zette ik het toestel uit.

Wie ze ook was, ze was stapelgek. Prima. Ik had wel eerder met gekken te maken gehad.

Ze was gek én slecht. Maar dat was ook niets nieuws.

20

Ik schoof mijn rugzak van mijn schouders en rommelde erin, op zoek naar een flesje Evian. Het water was niet koud, maar het smaakte heerlijk, ook al zat er niet echt Evian in de plastic fles. Ik had hem in mijn keuken gevuld met water uit de kraan.

Als je bereid was om een hoop geld neer te tellen voor water in een flesje, waarom zou je dan nog niet meer betalen voor een zak met frisse lucht uit de Rocky Mountains als je die op een dag in je supermarkt zou aantreffen?

Ik ben geen vrek, maar ik heb al jarenlang zuinig geleefd. Als snelbuffetkok met trouwplannen en een redelijk maar niet overdreven salaris moest ik wel geld opzijleggen voor de toekomst. Nu ze er niet meer is en ik alleen ben achtergebleven is geld voor een bruidstaart echt het laatste wat ik nodig heb. Maar als ik geld voor mezelf moet uitgeven blijf ik uit pure gewoonte elk dubbeltje zo vaak omdraaien dat het bijna versleten is als ik er afstand van doe.

Gezien mijn eigenaardige en avontuurlijke bestaan verwacht ik niet dat ik lang genoeg in leven zal blijven om last te krijgen van een vergrote prostaat, maar als ik op miraculeuze wijze wél de negentig bereik voordat ik het hoekje omga, zal ik waarschijnlijk een van die excentriekelingen zijn van wie werd aangenomen dat hij arm was, maar die toch een miljoen dollar aan contanten weggepropt in potjes en pannetjes heeft achtergelaten met de strikte opdracht die aan te wenden voor de opvang van dakloze poedels.

Nadat ik de zogenaamde Evian had opgedronken, stopte ik de lege fles weer in mijn rugzak en begoot een deel van de woestijn met Odds levenswater. Ik had het vermoeden dat ik vrij dicht bij mijn doel was en nu had ik ook een tijdslimiet gekregen. Zonsondergang.

Maar voordat ik aan het laatste stuk van de tocht begon, wilde ik eerst iets weten over een paar dingen die zich in de wereld van alledag afspeelden. De nummers van Chief Porter stonden geen van alle in het snelkiesmenu van Terri's telefoon, maar ik had ze al lang geleden uit mijn hoofd geleerd.

Zijn mobiele telefoon ging twee keer over, toen nam hij al op. 'Porter.'

'Neem me niet kwalijk dat ik u stoor, meneer.'

'Hoezo storen? Dacht je soms dat ik tot over mijn oren in politiewerk zat?'

'Is dat dan niet zo?'

'Lieve jongen, op dit moment heb ik het gevoel dat ik een koe ben.'

'Een koe, meneer?'

'Een koe die in een wei staat te herkauwen.'

'U klinkt niet zo ontspannen als een koe,' zei ik.

'Ik voel me ook niet zo ontspannen als een koe, maar zo dom als een koe.'

'Geen aanwijzingen met betrekking tot Simon?'

'O, Simon is boven water. Hij zit in Santa Barbara in de lik.'

'Dat is snel.'

'Nog veel sneller dan jij denkt. Hij werd twee dagen geleden gearresteerd omdat hij begon te knokken in een kroeg en de agent die hem in de kraag wilde vatten een klap verkocht. Nu houden ze hem vast wegens geweldpleging.'

'Twee dagen geleden. Dus de zaak...'

'De zaak,' zei hij, 'is niet wat we ervan dachten. Simon heeft dr. Jessup niet vermoord. Hoewel hij volgens zijn zeggen blij is dat het is gebeurd.'

'Heeft hij misschien een huurmoordenaar in de arm genomen?'

Chief Porter lachte bitter. 'Met de reputatie die Simon uit de gevangenis meekreeg, heeft hij alleen maar een baantje kunnen krijgen bij een bedrijf dat afvaltanks leegpompt. Hij woont op een huurkamer.'

'Sommige mensen zijn al bereid voor duizend dollar iemand om zeep te helpen,' zei ik.

'Dat is ongetwijfeld waar, maar het enige dat Simon hen te bieden heeft, is het gratis wegpompen van hun afvalwater.'

De dode woestijn imiteerde Lazarus, haalde diep adem en leek een wederopstanding te plannen. De graspollen huiverden. De doornappelstruiken begonnen te fluisteren, maar maakten geen geluid meer toen de lucht verstilde. Terwijl ik naar het noorden keek, naar de donderwolken in de verte, zei ik: 'Hadden jullie nog iets aan dat witte busje?'

'Dat was gestolen. De vingerafdrukken die we erop vonden, waren geen knip voor de neus waard.'

'Geen andere aanwijzingen?'

'Nee, tenzij de technische dienst van het district onbekende DNA-sporen of ander miniem bewijsmateriaal in het huis van Jessup heeft aangetroffen. Wat ben jij aan het doen, jongen?'

Ik keek naar de omringende woestenij. 'Ik loop een beetje rond.'

'Voel je je een beetje magnetisch?'

Ik kon hem net zomin voor de gek houden als mijzelf. 'Ik word aangetrokken, meneer.'

'Waarheen?'

'Dat weet ik nog niet. Ik ben nog steeds onderweg.'

'Waar zit je nu?'

'Dat zeg ik liever niet, meneer.'

'Je gaat toch niet de Lone Ranger uithangen, hè?' vroeg hij bezorgd.

'Alleen als dat nodig lijkt.'

'Zonder Tonto, zonder Silver... dat zou niet verstandig zijn. Gebruik je verstand, jongen.'

'Soms moet je doen wat je hart je ingeeft.'

'Het heeft geen zin om te proberen je om te praten, hè?'

'Nee, meneer. Maar wat u wel zou kunnen doen, is een onderzoek instellen in Danny's kamer, om na te gaan of er onlangs een vrouw in zijn leven is gekomen.'

'Je weet dat ik geen wrede inborst heb, Odd, maar als smeris heb ik wel met de werkelijkheid te maken. Als die arme knul een afspraakje zou hebben gehad, was dat als een lopend vuurtje door Pico Mundo gegaan.'

'Het kan een heel discrete relatie zijn geweest, meneer. En ik zeg niet dat Danny heeft gekregen waar hij naar verlangde. In werkelijkheid heeft het hem waarschijnlijk een en al ellende gebracht.'

Na een korte stilte zei de commissaris: 'Je bedoelt dat hij kwetsbaar zou zijn. Een prooi.'

'Eenzaamheid kan ervoor zorgen dat je niet op je hoede bent.'

'Maar ze hebben niets gestolen,' zei de commissaris. 'Ze hebben het huis niet leeggeroofd. Ze hebben zelfs niet de moeite genomen om het geld uit de portefeuille van dr. Jessup te pakken.'

'Dus wilden ze geen geld van Danny, maar iets anders.'

'Wat dan?'

'Dat is voor mij ook nog steeds een blinde vlek, meneer. Ik kan wel een bepaalde vorm voelen, maar ik kan nog steeds niet zien wat het is.'

Ver weg in het noorden leek de regen op glinsterende rookgordijnen tussen de verkoolde hemel en de in as gelegde aarde.

'Ik moet weer verder,' zei ik.

'Als we iets ontdekken over een vrouw, bel ik het wel door.'

'Nee, liever niet, meneer. Ik wil de lijn open houden en ik moet zuinig zijn met de batterijen. Ik heb alleen gebeld omdat ik u wilde vertellen dat er ook een vrouw bij betrokken is. Dan hebt u tenminste een aanknopingspunt als er iets met mij gebeurt. Een vrouw en drie mannen.'

'Drie? Degene die jou de volle lading gaf uit zijn Taser... en wie dan nog meer?'

'Ik dacht dat een van hen Simon was,' zei ik. 'Maar dat kan dus niet. Het enige wat ik van die anderen weet, is dat een van hen grote voeten heeft.'

'Grote voeten?'

'Steek maar een gebedje voor me af, meneer.'

'Dat doe ik iedere avond.'

Ik verbrak de verbinding.

Nadat ik mijn rugzak weer omgehesen had, vervolgde ik met de klim die was onderbroken toen de vrouw belde. De helling was lang, maar niet erg steil. De broze leisteen verbrokkelde en gleed weg onder mijn voeten, waardoor mijn lenigheid en mijn gevoel voor evenwicht regelmatig op de proef werden gesteld.

Een paar kleine hagedissen scharrelden haastig weg. Ik lette goed op of ik ratelslangen zag. Stevige leren wandelschoenen waren beter geweest dan de slappe gympen die ik aan had. Maar uiteindelijk zou ik waarschijnlijk wel moeten sluipen en daar zouden deze ooit witte schoenen ideaal voor zijn.

Misschien had ik me geen zorgen moeten maken over schoeisel, slangen en mijn gevoel voor evenwicht, als ik uiteindelijk toch gedood zou worden door iemand die achter een witte deur met panelen op me zat te wachten. Daar stond tegenover dat ik er niet blindelings van uit wilde gaan dat die steeds terugkerende droom echt voorspelde wat er zou gebeuren, want het kon best zijn dat het gewoon het gevolg was van te vet en te gekruid eten.

Ver weg rolde een enorme, hemelse deur open, rammelend over de rails, en een briesje bracht de dag weer tot leven. Toen de donder in de verte was weggeëbd, verstilde de lucht niet opnieuw zoals eerder het geval was geweest, maar de wind bleef door de schaarse begroeiing jagen als een spookachtige troep prairiehonden.

Toen ik de top van de heuvel bereikte, wist ik dat mijn bestemming voor me lag. Hier zou ik de gevangengenomen Danny Jessup vinden.

In de verte lag de snelweg. Een vierbaans op- en afrit leidde naar de vlakte eronder. Aan het eind van de weg stond het vernielde casino en de zwartgeblakerde toren, waar de dood een gokje had gewaagd en zoals altijd had gewonnen.

21

Het ging om de stam van de Panamint, die behoorde tot de Shoshoni-Comanche-familie. Tegenwoordig krijgen we te horen dat ze gedurende hun hele geschiedenis – net als alle inheemse bewoners van dit land voordat Columbus en de Italiaanse keuken hun stempels op ons continent zetten – vreedzaam, zeer gelovig en onbaatzuchtig waren geweest met een niet aflatend respect voor de natuur.

De gokindustrie – die bestaat bij de gratie van zwakheid en verlies, zich niets aantrekt van ellende, materialistisch en onverzadigbaar hebzuchtig is en de natuur vervuild heeft met sommige van de lelijkste, opzichtigste bouwsels in de geschiedenis van de menselijke bouwkunst – was volgens de indiaanse leiders bij uitstek geschikt voor hen. De staat Californië was het daar roerend mee eens en schonk de inheemse Amerikanen binnen haar grenzen het monopolie op gokken in casino's.

Uit angst dat de Grote Geest alleen waarschijnlijk niet genoeg inspiratie zou bieden om hun nieuwe ondernemingen tot op de laatste cent uit te buiten, sloten de meeste stammen een contract met ervaren goksyndicaten om hun casino's te beheren. Wisselkantoren werden opgezet, gokspellen geïnstalleerd en bemand, de deuren werden geopend en onder de waakzame ogen van de gebruikelijke boeven begon het geld binnen te stromen. De gouden eeuw van indiaanse welvaart stond voor de deur, iedere inheemse Amerikaan zou binnen de kortste keren rijk worden. Maar de geldstroom richting de indiaanse bevolking was niet zo snel en omvangrijk als was verwacht.

Grappig hoe dat soort dingen kan gebeuren.

Binnen de gemeenschap namen gokverslaving, armoede als gevolg daarvan en de bijbehorende criminaliteit toe.

Dat was een stuk minder grappig.

Op de vlakte onder de heuveltop waarop ik stond, ongeveer anderhalve kilometer verderop, lag het Panamint Hotel en Casino op het grondgebied van de stam. Ooit was het even blits, even vol lichtreclames en even ordinair geweest als de rest van dat soort gelegenheden, maar die gloriedagen waren voorbij.

Het zestien verdiepingen hoge hotel had de charme van een gevangenistoren. Vijf jaar geleden had het nauwelijks schade opgelopen tijdens een aardbeving, maar de brand die daarna was uitgebroken had het de nekslag gegeven. De meeste ruiten waren aan diggelen gegaan tijdens de beving of waren door de hitte gesprongen toen de kamers in lichterlaaie stonden. Grote, lekkende tongen van rook hadden zwarte patronen op de muren achtergelaten. Het twee verdiepingen hoge casino, dat aan drie zijden om de toren lag, was bij een van de hoeken ingestort. De in gekleurd beton gegoten gevel, voorzien van mystieke indiaanse symbolen – waarvan het merendeel helemaal geen indiaanse symbolen was, maar newageversies van indiaans spiritualisme ingegeven door decorbouwers uit Hollywood – was bijna in zijn geheel van het gebouw losgerukt en lag in stukken op het omringende parkeerterrein. Er stonden nog steeds een paar onder het puin bedolven auto's te roesten.

Omdat ik bang was dat een wachtpost met een verrekijker de omgeving in de gaten zou houden, liep ik weer een stukje naar beneden, in de hoop dat niemand me had gezien.

Vlak na de ramp met het casino hadden veel mensen voorspeld dat het binnen een jaar wel weer opgebouwd zou zijn, gezien de hoeveelheid geld die erin omging. Vier jaar later moest het puinruimen nog steeds beginnen.

Aannemers werden ervan beschuldigd dat ze bij de bouw af en toe te kort door de bocht waren gegaan om de kosten te drukken. Inspecteurs van de districtsoverheid die toezicht hadden moeten houden werden beschuldigd van het aannemen van smeergeld en op hun beurt fungeerden zij weer als klokkenluiders met betrekking tot de corruptie binnen de leiding van de afdeling bouw- en woningtoezicht.

Zoveel beschuldigingen konden bewezen worden, dat er een stortvloed volgde van zowel legitieme als bespottelijke processen en met elkaar overhoop liggende public-relationsfirma's. Met als gevolg daarvan diverse faillissementen, twee zelfmoorden, een onbekend aantal scheidingen en één geslachtsoperatie.

Het merendeel van de Panamints die schatrijk waren geworden raakte hun vermogen kwijt aan schikkingen of betaalde zich nog steeds blauw aan advocaten. Het deel van de bevolking dat nooit rijk was geworden, maar wel verslaafd was geraakt aan gokken, kreeg te maken met het ongemak dat ze nu nog verder moesten reizen om het beetje dat ze hadden te verliezen.

Momenteel moet er bij de helft van de processen nog uitspraak worden gedaan en niemand weet of het casino als een feniks uit de as zal verrijzen. Zelfs het recht – sommigen zouden liever spreken van de plicht – om de ruïnes plat te gooien is door een rechter opgeschort in afwachting van het hoger beroep dat is aangespannen tegen een cruciale gerechtelijke uitspraak.

Ik bleef onder de top en liep in zuidelijke richting over de helling tot de rotsachtige bodem overging in glooiend terrein. Ten westen, ten zuiden en ten oosten van de vlakte waarop het vernielde hotel staat, bevindt zich een groot aantal heuvels dat er als een halvemaanvormige kraag omheen ligt, terwijl aan de noordkant het vlakke land en de drukke snelweg liggen. Tussen die heuvels volgde ik een serie smalle valleien die na een tijdje uitkwamen in een droge rivierbedding. De slingerweg die ik noodgedwongen moest volgen liep in oostelijke richting.

Als Danny's ontvoerders hun kamp hadden opgeslagen op een van de hogere verdiepingen van het hotel om op die manier de omgeving beter in de gaten te kunnen houden, moest ik van een kant komen waar ze niet op hadden gerekend. Ik wilde zo dicht mogelijk bij het gebouw zijn voordat ik me blootgaf.

Ik wist niet zeker hoe de naamloze vrouw wist dat ik in staat zou zijn hen te volgen, hoe ze wist dat ik me verplicht zou voelen om hen te volgen en waarom ze per se wilde dat ik hen zou volgen. Maar logisch nadenken had me tot de onvermijdelijke conclusie gebracht dat Danny haar het geheim van mijn gave had verklapt. Haar raadselachtige uitspraken over de telefoon en haar spottende houding leken bedoeld om mij bekentenissen te ontfutselen. Ze wilde bevestiging van dingen die ze allang wist.

Een jaar geleden had hij zijn moeder aan kanker verloren. Als zijn beste vriend was ik deelgenoot geweest van zijn verdriet... tot ik zelf in augustus dat zware verlies had geleden. Hij had niet veel vrienden. Zijn lichamelijke beperkingen, zijn uiterlijk en zijn scherpe tong werkten in dat opzicht belemmerend.

Toen ik introvert werd, mezelf helemaal overgaf aan mijn verdriet en uiteindelijk alles wat er in augustus gebeurd was op papier ging zetten, had ik hem geen troost meer kunnen bieden, althans niet zoveel als ik had moeten doen. Daarvoor had hij zich ook tot zijn adoptievader kunnen wenden. Maar dr. Jessup had zelf eveneens verdriet gehad en aangezien hij een vrij ambitieus man was geweest, had hij waarschijnlijk soelaas in zijn werk gezocht.

Er bestaan in principe twee soorten eenzaamheid. Als die eenzaamheid het gevolg is van de wens om alleen te zijn, dan is het een deur waarmee we de wereld buitensluiten. Maar als de wereld ons daarentegen buitensluit, is eenzaamheid een open deur die nooit gebruikt wordt.

Iemand was door de deur naar binnen gekomen op een moment dat Danny het meest kwetsbaar was. Ze had een rokerige, strelende stem.

22

Terwijl ik plat op mijn buik uit de rivierbedding het vlakke land op schoof, kronkelde ik snel tussen de negentig centimeter hoge saliestruiken door die me dekking boden. Ik had mijn vizier gericht op een muur die het terrein van het casino van de woestijn scheidde.

Het was precies het soort begroeiing waarin konijnen en diverse soorten knaagdieren beschutting zoeken tegen de zon en aan blaadjes knabbelen. En in het kielzog van konijnen en ratten zouden de slangen volgen die zich daarmee voedden. Gelukkig zijn slangen behoorlijk schuw. Niet zo schuw als een jong vogeltje, maar schuw genoeg. Om ze weg te jagen maakte ik zoveel mogelijk lawaai voordat ik uit de rivierbedding de salie in gleed en terwijl ik verder kroop, kreunde ik, spuugde zand, niesde en maakte gewoon meer dan genoeg lawaai om ervoor te zorgen dat het opgeschrikte wild er haastig vandoor ging.

Aangenomen dat mijn tegenstanders zich hoog in het hotel verschanst hadden en gezien het feit dat ik nog steeds een paar honderd meter van dat bouwwerk verwijderd was, zou de herrie die ik maakte hen niet opschrikken. Als ze toevallig mijn kant op keken, zouden ze op zoek zijn naar beweging. Maar het geritsel van de saliestruiken zou niet opvallen. De wind uit het noorden was aangewakkerd, waardoor alle planten en struiken bewogen. Droge takken en planten rolden over de grond en hier en daar zag je het zand opwaaien.

Zonder dat ik gebeten werd door een slang, gestoken door een schorpioen of geprikt door een spin, bereikte ik de rand van het hotelterrein. Ik stond op en leunde met mijn rug tegen de muur. Ik was bedekt met lichtgekleurd zand en het witte, poederachtige spul dat aan de onderkant van de saliebladen zat. Een vervelende bijkomstigheid van PMS is dat het me niet alleen te vaak in gevaar brengt, maar ook op de smerigste plekken. Ik heb constant stapels vuile was liggen.

Nadat ik mezelf had afgestoft, liep ik langs de muur van het casino die met een geleidelijke bocht naar het noorden liep. Aan deze kant waren de blootliggende betonblokken gewit. Aan de andere kant, waar de betalende bezoekers ertegenaan hadden gekeken, was de tweeëneenhalve meter hoge afzetting gestuct en roze geschilderd.

Na de aardbeving en de brand hadden officiële vertegenwoordigers van de stam om de driehonderd meter metalen borden neergezet die mogelijke indringers streng wezen op de mogelijke gevaren in de achterliggende gebouwen en het feit dat er wellicht giftige stoffen waren achtergebleven. De waarschuwingen waren verbleekt in de Mojave-zon, maar nog steeds leesbaar.

Langs de muur waren op het terrein van het casino op onregelmatige afstand plukjes palmen gezet. Omdat ze van oorsprong niet uit de Mojave kwamen en het irrigatiesysteem van de tuinen door de aardbeving uitgeschakeld was, waren ze doodgegaan. Een paar van de bladerkronen waren gevallen, andere hingen slap naar beneden en de rest stond rafelig en bruin recht overeind. Toch vond ik nog een groepje dat het zicht vanuit het hotel op een deel van de muur belemmerde.

Ik sprong omhoog, kreeg houvast, klauterde omhoog en liet me vallen in een hoop dode bladeren van de palmen. Niet zo soepel als ik het hier doe voorkomen en met genoeg gespartel om het onomstotelijke bewijs te leveren dat ik onmogelijk van apen kan afstammen. Ik ging achter de dikke stammen van de palmen op mijn hurken zitten.

Achter de geteisterde bomen lag een enorm zwembad, dat aangelegd was alsof het een natuurlijke rotsformatie was. Kunstmatige watervallen deden tevens dienst als glijbanen. Maar er was geen water te bekennen. Het leeggepompte zwembad lag half vol met afval dat erin was gewaaid.

Als de ontvoerders van Danny de wacht hielden, zouden ze zich waarschijnlijk op het westen concentreren, de richting waaruit ze zelf waren gekomen. Daarnaast bestond de kans dat ze de verbindingsweg tussen het casino en de snelweg in het noorden in de gaten hielden. Met hun drieën konden ze niet alle vier kanten van het hotel bewaken. Bovendien betwijfelde ik of ze allemaal in hun eentje op hun post zouden zitten. Op z'n hoogst zou hun waakzaamheid op twee mogelijke routes gericht zijn. Dus de kans was groot dat ik zonder gezien te worden van de palmen naar het hotel kon komen.

Ze zouden wel meer wapens hebben dan het jachtgeweer, maar ik was niet bang dat ze op me zouden schieten. Als ze me hadden willen doden, zou ik in het huis van dr. Jessup niet op een lading uit de Taser getrakteerd zijn. Dan had ik een kogel door mijn hoofd gekregen.

Later zouden ze me misschien met genoegen doden. Nu wilden ze iets anders. Wonderen. Mirakels. Koude rillingen. Fantastische onmogelijke dingen.

Dus... ga maar naar binnen, verken het terrein en probeer erachter te komen waar ze Danny gevangenhouden. Zodra ik precies wist hoe de vork in de steel zat en ik hem niet in mijn eentje kon bevrijden, moest ik Wyatt Porter bellen, ondanks het feit dat ik in dit geval instinctief wist dat het mijn dood zou betekenen als ik er de politie bij haalde.

Ik kwam achter de bomen vandaan en rende over het zogenaamde natuurstenen terras waar in tijden van weleer goed ingevette zonaanbidders op de dikke kussens van ligbedden hadden gedommeld tijdens hun jacht op kankercellen.

In plaats van tropische drankjes had een openluchtbar aan de rand van het zwembad enorme hoeveelheden vogelpoep in de aanbieding. Die waren geproduceerd door gevederde vrienden die ik niet kon zien maar wel kon horen. De zwerm zat op stok in de kruislings geplaatste stokken van het bamboehek waar het dak, een dikke laag plastic palmbladeren, op rustte. Toen ik er haastig langs liep, begonnen ze allemaal te fladderen en te krijsen om me weg te jagen.

Tegen de tijd dat ik om het zwembad heen was gelopen en bij de achteringang van het hotel was, hadden de onzichtbare vogels me in ieder geval op één ding attent gemaakt. Het mocht dan beschadigd, uitgebrand, verlaten, door wind en zand geteisterd zijn, maar ook al was het Panamint Hotel en Casino structureel nog redelijk intact, een Michelin-ster zat er niet meer in. Desondanks zou het best onderdak kunnen bieden aan diverse woestijndieren die het hotel een plezieriger onderkomen vonden dan hun gebruikelijke onderaardse holen. Afgezien van het gevaar dat gevormd werd door de geheimzinnige vrouw en haar beide moordlustige vrienden moest ik ook beducht zijn voor roofdieren die niet de beschikking hadden over mobiele telefoons.

De glazen schuifdeuren aan de achterkant van het hotel die tijdens de aardbeving aan diggelen gingen, waren vervangen door platen triplex die rampentoeristen buiten moesten houden. Aan die platen waren plastic hoezen vastgeniet met mededelingen van de straffe civiele maatregelen die genomen zouden worden tegen iedereen die op dit grondgebied werd aangetroffen.

De schroeven waarmee een van de platen triplex vast was gezet waren verwijderd en de plaat was aan de kant gelegd. Te zien aan de hoeveelheid zand en het plantenafval dat over de plaat was gewaaid was het triplex niet in de afgelopen vierentwintig uur verwijderd, maar al weken of maanden geleden.

Nadat het casino verwoest was, had de stam nog twee jaar betaald om het hotel zeven dagen per week gedurende de hele dag te laten bewaken. Maar toen de gerechtelijke procedures de pan uitrezen en de kans steeds groter werd dat het gebouw – tot hun grote schrik – overgedragen zou worden aan de schuldeisers, leek het niet langer zinnig om de kosten voor die patrouilles op te hoesten.

Hoewel ik zonder problemen naar binnen kon en het zoele windje inmiddels behoorlijk was aangewakkerd, hoewel er zwaar weer op komst leek en Danny in gevaar verkeerde, aarzelde ik toch even voordat ik over de drempel stapte. Ik ben niet zo kwetsbaar als Danny Jessup, in lichamelijk noch in geestelijk opzicht, maar de kruik gaat zo lang te water tot ze breekt.

Mijn twijfel werd niet veroorzaakt door de mensen of de andere levende gevaren die zich in het verwoeste hotel schuilhielden. Het was de gedachte aan de rusteloze doden die misschien nog steeds door deze beroete vertrekken rondspookten die me aan het weifelen bracht.

23

De achterdeuren van het hotel gaven toegang tot wat waarschijnlijk een tweede receptie was geweest en nu alleen verlicht door het bleke licht dat door het gat in de triplex afzetting viel.

Vlak voor me was mijn schaduw, een grijze geest, van de benen tot de nek te zien. Het hoofd verdween in het duister, dus het was net alsof er een onthoofde man rondliep.

Ik knipte de zaklantaarn aan en liet het licht over de muren glijden. De brand had hier niet gewoed, maar de rook had overal vlekken achtergelaten. Aanvankelijk verbaasde ik me over het feit dat er nog meubels stonden – banken, fauteuils – omdat ik had verwacht dat die wel weggehaald zouden zijn. Maar toen drong het tot me door dat hun smerige uiterlijk niet alleen het resultaat was van rook en het feit dat er vijf jaar lang niet naar omgekeken was, maar ook omdat ze doorweekt waren geweest door bluswater, waardoor de bekleding kletsnat was geworden en de geraamten helemaal kromgetrokken.

Zelfs na vijf jaar hing er nog een schroeilucht en het stonk naar verbrand metaal, gesmolten plastic en geroosterd isolatiemateriaal. De stank overheerste andere luchtjes die minder doordringend waren, maar ook nog veel minder aangenaam, dus het was verstandiger om daar maar niet over na te denken. In de laag vuil, as, stof en zand op de vloer stonden voetafdrukken, maar de unieke sporen van Danny waren er niet bij. Toen ik ze wat beter bekeek, zag ik dat geen van de sporen vers scheen te zijn. Tocht had de scherpe randjes er afgesleten, een proces dat later nog was voortgezet door verwaaide as en stof. De afdrukken waren weken en misschien wel maanden geleden gemaakt. De prooi waarop ik het had voorzien, was niet via deze weg naar binnen gekomen. Er waren wel een stel pootafdrukken die er vers uitzagen. Misschien hadden de Panamints van honderd jaar geleden – dichter bij de natuur en onbekend met het roulettewiel – die sporen met één oogopslag kunnen lezen.

Aangezien ik geen spoorzoekersbloed heb en bij mijn opleiding tot snelbuffetkok ook niets had geleerd dat mij bij dit probleem kon helpen, moest ik mijn verbeeldingskracht aanspreken in plaats van mijn kennis. Ik zag meteen een sabeltandtijger voor me, hoewel dat dier al tienduizend jaar uitgestorven is. Ik ging ervan uit dat ik, in het onwaarschijnlijke geval dat een enkel onsterflijk exemplaar tien millennia langer in leven was gebleven dan de rest van zijn soort, een confrontatie wel zou overleven. Per slot van rekening had ik dat ook met Terrible Chester klaargespeeld.

Links van deze receptie was een koffieshop geweest, met uitzicht op het zwembad. Een gedeeltelijk ingestort plafond, vlak achter de ingang naar het restaurant, zorgde voor een vreemd bouwsel van gipsplaten en balken.

Aan de rechterkant leidde een brede gang naar een duisternis die door een zaklantaarn niet helemaal opgeheven kon worden en stilte. Bronzen letters die op de muur boven de doorgang naar die gang waren aangebracht, beloofden TOILETTEN, VERGADERZALEN en de LADY LUCK BALLROOM.

Mensen zonder geluk waren in die ballroom gestorven. Een gigantische kroonluchter die niet aan een stalen balk had gehangen zoals op de bouwtekeningen was aangegeven, maar aan een houten balk, was op de menigte terechtgekomen en had de mensen eronder vermorzeld en doorstoken toen bij de eerste schok van de aardbeving een paar balken waren geknakt alsof het lucifershoutjes waren.

Ik liep door de rommel in de receptie, tussen de ingezakte banken en de omgevallen fauteuils door, en stapte door een derde uitgang in een andere brede gang die kennelijk naar de voorkant van het hotel voerde. Het spoor van de sabeltandtijger liep ook die kant op.

Een beetje laat dacht ik ineens aan de satelliettelefoon. Ik pakte het toestel uit mijn zak en zette de beltoon om in een trilsignaal. Als de vrouw die op zoek was naar wonderen me opnieuw opbelde en ik toevallig in de buurt was van de plek waar ze zich in het hotel verschanst had, wilde ik niet dat de telefoon mijn aanwezigheid zou verraden.

Ik was hier nooit geweest in de jaren dat dit nog een bloeiende onderneming was. Als ik de kans krijg, wanneer de doden geen beslag op me leggen, heb ik geen behoefte aan opwinding maar aan rust. Kaarten en dobbelstenen bieden mij niet de kans om het lot dat mijn gave me heeft opgelegd van me af te zetten.

Het feit dat ik onbekend was met het hotel en het casino zorgde er samen met de schade die door de aardbeving en de brand was aangericht voor dat ik geconfronteerd werd met een door mensenhanden vervaardigde jungle: gangen en kamers die als zodanig nauwelijks herkenbaar waren door het instorten van scheidingswanden, een wirwar van doorgangetjes en ruimtes, af en toe kaal en somber dan weer chaotisch en dreigend, en alleen zichtbaar in de afgetekende baan van het licht van de zaklantaarn.

Via een route die ik nooit terug zou kunnen vinden, liep ik het uitgebrande casino in.

Casino's hebben geen ramen en geen klokken. De spullenbazen willen dat hun klanten de tijd vergeten en nog één gokje wagen. En dan nog één. Een holle ruimte, groter dan een voetbalveld, en veel te lang om met mijn zaklantaarn de achterwand te vinden. Een van de hoeken van het casino was gedeeltelijk ingestort, maar voor de rest was het immense vertrek structureel intact.

Honderden kapotte speelautomaten lagen tegen de vlakte. Andere stonden naast elkaar, net als voor de aardbeving, half gesmolten maar in de houding, als rijen oorlogsmachines, robotsoldaten die midden in hun mars tot stilstand waren gekomen toen een salvo uit straalpistolen hun elektrische leidingen geroosterd had.

Van de meeste speeltafels en plaatsen van de toezichthouders waren alleen de zwartgeblakerde restanten over. Een paar verschroeide dobbeltafels stonden nog rechtop, bedolven onder zwarte brokken stucwerk die van het plafond waren gevallen.

Tussen de verbrande en in stukken gevallen rommel stonden verder nog twee beschadigde blackjack-tafels. Bij een daarvan stonden twee krukjes, alsof de duivel en zijn vriendin daar hadden zitten spelen toen de brand uitbrak en de vlammen hadden geboden hen daar niet bij te storen.

In plaats van de duivel zat een gezellig uitziende man die aan de voorkant wat kaal begon te worden op een van de krukken. Hij had in het donker gezeten tot de straal van mijn zaklantaarn op hem was gevallen. Zijn armen rustten op de gecapitonneerde rand van de halvemaanvormige tafel, alsof hij zat te wachten tot de croupier de kaarten had geschud. Hij wekte niet de indruk dat hij het soort man was die zijn medewerking zou verlenen aan moord en ontvoering. Hij was een jaar of vijftig en met zijn bleke gezicht, zijn volle mond en het kuiltje in zijn kin zou hij heel goed een bibliothecaris of een apotheker uit een klein stadje kunnen zijn. Toen ik naar hem toe liep en hij opkeek, wist ik nog niet precies wat ik aan hem had. Dat hij een geest was, zag ik pas toen hij verbaasd opkeek bij het besef dat ik hem kon zien. Wellicht dat hij op de dag van de ramp een schedelbasisfractuur had opgelopen door vallend puin. Of hij was levend verbrand.

Hij vertoonde zich niet aan mij in de lichamelijke toestand waarin hij was overleden en daar was ik dankbaar voor.

Ineens werd mijn aandacht getrokken doordat ik vanuit mijn ooghoeken iets zag bewegen. Vanuit het duister doken de rusteloze doden op.

24

Terwijl ze vlak voor me in het licht stapte, toonde een knap jong blondje in een blauw-met-gele cocktailjurk schaamteloos haar decolleté. Ze glimlachte, maar die lach verdween als sneeuw voor de zon.

Aan mijn rechterkant verscheen een oude vrouw met een lang gezicht en ogen waaruit de hoop allang verdwenen was. Ze stak haar arm uit en keek toen fronsend naar haar hand, trok die terug en liet haar hoofd zakken, alsof ze het idee had dat ik haar om de een of andere reden afstotend zou vinden.

Links van me dook een kleine, roodharige en vrolijk uitziende man op. Zijn bezorgde ogen waren in tegenspraak met zijn geamuseerde glimlach.

Ik draaide me om en zag anderen verschijnen in het licht van mijn zaklantaarn. Een cocktailserveerster in haar uniform van indiaanse prinses. Een casinobewaker, met een pistool op zijn heup. Een jonge zwarte man, uiterst chic gekleed, bleef onophoudelijk frutselen aan zijn zijden overhemd, zijn colbert en de jade hanger die hij om zijn nek had, alsof hij zich in de dood schaamde dat hij bij leven zo modebewust was geweest.

Met de speler aan de blackjacktafel meegerekend waren er zeven aan me verschenen. Ik kon onmogelijk weten of ze allemaal in het casino waren omgekomen of dat een paar van hen ergens anders in het hotel de dood hadden gevonden. Misschien waren ze de enige geesten die rondspookten in de Panamint en misschien ook niet. Honderdtweeëntachtig mensen waren hier om het leven gekomen. De meesten zouden direct na hun dood vertrokken zijn naar het hiernamaals. Voor mijn eigen bestwil hoopte ik dat in ieder geval wel.

Door de bank genomen vertonen geesten die al zo lang rondwaren in een zelf verkozen hel zich in een melancholieke of bezorgde stemming. Deze zeven bevestigden die regel. Ze worden tot mij aangetrokken door hun verlangen. Soms weet ik niet precies waarnaar ze verlangen, hoewel ik denk dat de meesten van hen op zoek zijn naar vastberadenheid, de moed om deze wereld los te laten en te ontdekken wat er daarna komt. Uit angst zijn ze niet in staat om te doen wat ze moeten doen. Angst en berouw, plus liefde voor de mensen die ze achterlaten.

Omdat ik ze kan zien, vorm ik een brug tussen leven en dood en ze hopen dat ik een deur voor hen kan openen die ze zelf niet open durven te doen. Omdat ik ben wie ik ben – een Californische jongen die precies lijkt op de surfers in *Beach Blanket Bingo* van een halve eeuw geleden, met niet half zo'n grote kuif en zelfs nog veel minder bedreigend dan Frankie Avalon – wek ik hun vertrouwen.

Ik ben bang dat ik ze nog minder te bieden heb dan ze geloven. De enige raad die ik hun kan bieden heeft dezelfde diepgang als de wijsheden van Ozzie volgens zijn zeggen hebben.

Dat ik bereid ben ze aan te raken en mijn armen om hen heen te slaan, schijnt ze te troosten en daar zijn ze me dankbaar voor. Op hun beurt omhelzen ze mij ook. En raken mijn gezicht aan. En kussen mijn handen.

Hun melancholie gaat me door merg en been. Ik raak uitgeput van hun verlangen en word verscheurd door medelijden. Soms lijkt het alsof ze deze wereld alleen maar dwars door mijn hart kunnen verlaten, waardoor dat geschonden en vol verdriet achterblijft.

Terwijl ik van de een naar de ander liep, vertelde ik ze stuk voor stuk wat ze, zoals ik instinctief wist, van mij wilden horen.

Ik zei: 'Deze wereld is voorgoed voorbij. Het enige wat jullie hier nog zullen vinden, zijn verlangen, ergernis en verdriet.'

En ik zei: 'Jullie weten dat een deel van jullie onsterflijk is en dat jullie leven een bedoeling had. Om die te achterhalen, moeten jullie je openstellen voor wat er hierna volgt.'

En vervolgens tegen een ander: 'Je denkt misschien dat je geen genade verdient, maar je zult genade vinden als je die angst van je af kunt zetten.'

Terwijl ik het zevental een voor een aansprak, verscheen een achtste geest. Een grote, vierkante kerel met diepliggende ogen, een grof gezicht en kortgeknipt haar dat rechtop stond als een harde borstel. Hij staarde me over de hoofden van de anderen aan met ogen die niet alleen de kleur maar ook de bitterheid van gal hadden.

Tegen de jonge man die maar eindeloos en kennelijk beschaamd aan zijn dure kleren zat te frunniken, zei ik: 'Echt slechte mensen krijgen de kans niet om hier rond te blijven hangen. Het feit dat je hier na je dood al zolang hebt gezeten, betekent dat je geen enkele vrees hoeft te hebben voor het hiernamaals.'

Terwijl ik me van de een in het kringetje doden om me heen tot de volgende wendde, sloop de nieuwkomer om de groep heen zodat hij mijn gezicht kon blijven zien. Hij scheen van alles wat ik zei steeds somberder te worden. 'Jullie denken dat ik jullie een hoop onzin op de mouw speld. Dat zou best kunnen, want ik heb de oversteek nooit gemaakt. Hoe kan ik weten wat ons aan gene zijde wacht?'

Hun ogen waren glanzende poelen van verlangen en ik hoopte dat ze begrepen dat ik in plaats van medelijden sympathie voor hen voelde.

'Ik vind de gratie en schoonheid van deze wereld betoverend. Maar alles ligt in puin. Ik wil dolgraag de uitvoering zien die wij nog niet hebben verknald. Jullie niet?'

Ten slotte zei ik: 'Het meisje van wie ik hou… volgens haar hebben we misschien wel drie levens in plaats van twee. Ze noemde dit eerste leven het opleidingskamp.' Ik zweeg. Ik kon niet anders. Heel even leek ik beter in hun hel te passen dan in deze wereld, omdat ik geen woord over mijn lippen kreeg. Uiteindelijk vervolgde ik toch: 'Ze zei dat we in een opleidingskamp zaten waar we zelf konden bepalen wat we wilden leren, of we iets leerden en of we succes hadden. Daarna gaan we verder naar een tweede leven, dat zij de diensttijd noemde.'

De roodharige man, wiens vrolijke glimlach in tegenspraak was met de bezorgde blik in zijn ogen, kwam naar me toe en legde zijn hand op mijn schouder.

'Ze heet Bronwen, maar ze wordt liever Stormy genoemd. In de diensttijd zouden we volgens Stormy fantastische avonturen beleven in een of andere kosmische campagne, een wonderbaarlijke onderneming. Onze beloning volgt in ons derde leven en dat zal eeuwig duren.'

Mijn stem stokte opnieuw. Ik kon hun blikken niet beantwoorden met het vertrouwen waar ze recht op hebben, dus ik deed mijn ogen dicht en zag in gedachten Stormy voor me. Ze gaf me weer nieuwe kracht, zoals ze altijd had gedaan. Met gesloten ogen zei ik: 'Ze is een meid die van wanten weet. Ze weet niet alleen wat ze wil, maar ook wat ze hoort te willen en dat maakt een heel verschil. Als jullie haar in de diensttijd tegenkomen, zullen jullie haar vast en zeker meteen herkennen. En dat niet alleen, maar jullie zullen ook van haar gaan houden.'

Toen ik na een nieuwe stilte mijn ogen weer opendeed en zoekend om mijn as draaide, zag ik bij het licht van mijn zaklantaarn dat vier van het oorspronkelijke zevental waren verdwenen: de jonge zwarte man, de cocktailserveerster, het knappe blondje en de roodharige man.

Ik weet niet of ze naar het hiernamaals zijn gegaan of gewoon naar een andere plek.

De grote man met het borstelhaar zag er nog bozer uit dan eerst. Hij had zijn schouders opgetrokken alsof hij gebukt ging onder een loden last van razernij en hij had zijn handen tot vuisten gebald. Hij liep met grote stappen de uitgebrande ruimte in en hoewel hij lichamelijk geen enkele invloed meer op deze wereld kon uitoefenen, wolkte de grijze as in glinsterende vormen om hem op en viel weer op de grond toen hij voorbij was. Afval dat nauwelijks iets woog – verschroeide speelkaarten, houtsplinters – trilde toen hij voorbijkwam. Een casinofiche ter waarde van vijf dollar stond ineens rechtop, wiebelde en viel weer om, terwijl door de hitte vergeelde dobbelstenen op de vloer rammelden.

Hij was een potentiële poltergeist en ik was blij dat hij de plaat poetste.

25

.

Een beschadigde branddeur hing open en scheef aan twee van de drie scharnieren. De roestvrij stalen drempel weerkaatste het licht van de zaklantaarn op die paar plekjes die niet bedekt waren met donkere korsten.

Als ik het me goed herinnerde, waren er in deze deuropening mensen vertrapt toen de meute gokkers zich als één man op de uitgangen stortte. Ik voelde geen walging bij die herinnering, ik werd alleen nog triester.

Achter de deur lagen de dertig brandtrappen die helemaal tot het noordeinde van de zestiende etage reikten. Verkleurd door rook en water en afbrokkelend door de uitslaande kalk zagen ze eruit alsof ze regelrecht afkomstig waren uit een antieke tempel van een lang vergeten godsdienst. Twee extra trappen verschaften toegang tot het dak.

Ik liep naar boven, maar halverwege de eerste overloop stond ik al stil en bleef met mijn hoofd schuin staan luisteren. Ik geloof niet dat ik was geschrokken van een geluid. Geen tik, geen klik, geen zucht bereikte me vanaf de verdiepingen boven me. Misschien was het een geur die me deed opkijken. Vergeleken bij de andere ruimtes in het verwoeste gebouw rook het trappenhuis niet zo sterk naar chemische middelen en er hing vrijwel geen schroeilucht. Deze koelere, kalkachtige lucht was schoon genoeg om een aroma te onderkennen dat even exotisch – maar heel anders – was als de stank van de naweeën van de brand.

De vage geur die ik niet kon thuisbrengen, was muskusachtig en deed me denken aan paddenstoelen. Maar het had ook iets van vers vlees, en dan bedoel ik niet de stank van bloed, maar die onmiskenbare lucht die je ruikt als de slager een vitrine met vers vlees opendoet.

Ik had geen flauw idee waarom, maar ineens zag ik in gedachten het dode gezicht van de man die ik uit het afwateringskanaal had gevist. De vlekkerige grauwe huid. Ogen die weggedraaid waren tot een blinde witte blik. Mijn nekharen gingen overeind staan alsof de elektriciteit van de naderende onweersbui al in de lucht hing.

Ik deed de zaklantaarn uit en bleef in het pikdonker staan. Zo donker dat je het gevoel kreeg dat je ieder moment besprongen kon worden door een monster.

Omdat de trappen aan weerskanten ingesloten waren door betonnen muren fungeerde de scherpe draai op iedere overloop als een effectief lichtscherm. Een wachtpost die een etage, hooguit twee etages, verder naar boven zat, zou het lichtschijnsel beneden hem misschien kunnen zien, maar het licht kon met al die hoeken onmogelijk tot de hoger gelegen verdiepingen doordringen.

Na een minuut, toen ik nog steeds niet het geritsel van kleren of het schrapen van een schoen over het beton had gehoord en niet door een schubbige tong in mijn gezicht was gelikt, liep ik voorzichtig achteruit het trappenhuis uit en stapte de drempel weer over. Pas toen ik terug was in het casino deed ik mijn zaklantaarn weer aan.

Een paar minuten later had ik het zuidelijke trappenhuis gevonden. Hier hing de deur nog wel in de scharnieren, maar stond net zo ver open als de andere deur. Terwijl ik mijn vingers over de lens van de lantaarn legde om de hoeveelheid licht in te dammen, stapte ik behoedzaam over de drempel.

De stilte leek, net als in het noordelijke trappenhuis, zwanger van verwachting, alsof ik niet de enige levende ziel was die stond te luisteren. En even later kreeg ik ook hier weer die subtiele en verontrustende lucht in de neus die me ervan had weerhouden aan het andere uiteinde van het gebouw naar boven te gaan. En opnieuw zag ik in gedachten het dode gezicht van de man die me had geëlektrificeerd: de uitpuilende, witte ogen, de wijd open mond en de ingeslikte tong.

Een onbehaaglijk gevoel en een geur, of ik me die nu verbeeldde of niet, waren voldoende om me te laten besluiten dat de brandtrappen bewaakt werden. Ik kon er geen gebruik van maken.

En toch vertelde mijn zesde zintuig me dat Danny ergens ver boven me gevangen werd gehouden. Hij (de magneet) zat te wachten en ik (het voorwerp dat werd aangetrokken) werd onder invloed van een of andere vreemde macht zo sterk naar boven getrokken dat ik wel moest gehoorzamen.

26

Naast de hoofdreceptie vond ik een ruimte met tien liften, vijf aan weerszijden. Acht dubbele deuren waren gesloten, hoewel ik zeker weet dat ik die wel open had kunnen wrikken. De deuren van de laatste twee liften aan de rechterkant stonden wijd open. Het eerste stel gaf toegang tot een cabine, waarvan de vloer iets lager hing dan die van de liftruimte. Achter het tweede stel gaapte slechts een leegte.

Ik boog voorover om in de schacht te kijken en liet het licht van de zaklantaarn naar beneden en naar boven schijnen, over geleidestangen en kabels. De vermiste cabine lag twee verdiepingen lager in de kelder. Aan de rechterkant liep een dienstladder langs de muur. Helemaal tot in de top van het gebouw.

Nadat ik mijn halve rugzak had uitgepakt op zoek naar de klemband die speleologen gebruiken voor een zaklantaarn, stopte ik de steel van de lantaarn in het strakke vakje en bevestigde hem met behulp van het klittenband om mijn rechteronderarm. De lantaarn zat als een telescoopvizier op mijn arm, zodat de straal over de rug van mijn hand viel en verder naar voren het donker doorboorde. Nu ik beide handen vrij had, kon ik een van de sporten vastpakken en van de drempel op de ladder zwaaien. Ik klom naar boven.

Nadat ik een stukje omhoog was geklommen, bleef ik even wachten om de geuren in de schacht op te snuiven. De lucht die me zowel in het noordelijke als in het zuidelijke trappenhuis had gewaarschuwd was hier niet te bekennen. Maar de schacht fungeerde wel als een echoput, zodat elk geluid versterkt werd. Als boven toevallig net de verkeerde deuren openstonden en iemand in de buurt van die liftruimte was, zou hij me horen aankomen. Dus moest ik zo geruisloos mogelijk naar boven en dat betekende weer dat ik niet zo snel moest klimmen dat ik zou gaan hijgen. En de zaklantaarn zou ook problemen op kunnen leveren. Terwijl ik me met mijn rechterhand aan de ladder vasthield, deed ik met de linker de lantaarn uit.

Het was echt zenuwslopend om in het pikdonker naar boven te klimmen. In de meest primitieve spelonken van mijn brein, ergens in de buurt van het bewustzijn dat ik een mens was of nog dieper, lag de verwachting opgeslagen dat je bij elke tocht naar boven het licht behoort te vinden. Om in een onafgebroken duisternis steeds hoger te klimmen bleek heel desoriënterend te werken.

Ik schatte dat de onderste verdieping zo'n vijfeneenhalve meter hoog was en rekende zo'n drieëneenhalve meter voor iedere etage. Naar mijn schatting zou ik per verdieping vierentwintig sporten moeten klimmen. Volgens die berekening had ik twee etages gehad toen er ineens een langdurig gerommel in de schacht klonk. Een aardbeving, schoot me door mijn hoofd en ik bleef verstijfd op de ladder staan en klemde me vast, wachtend op omlaagstortend puin en andere verwoestingen. Toen de schacht niet trilde en de kabels niet door de vibraties begonnen te zoemen drong het tot me door dat het gerommel een lange donderslag was geweest. Het geluid klonk nog steeds veraf, maar dichterbij dan eerder het geval was geweest.

Hand over hand en voet na voet klom ik weer verder en vroeg me af hoe ik Danny vanuit zijn hooggelegen gevangenis naar beneden zou moeten krijgen. Aangenomen dat ik hem zou kunnen bevrijden. Als er gewapende wachtposten bij de trappen stonden, konden we langs die twee wegen niet uit het hotel ontsnappen. En aangezien hij misvormd was en zijn lichamelijke toestand een vraagteken, kon hij ook niet via deze ladder afdalen.

Alles op zijn tijd. Ik moest hem eerst maar eens zien te vinden. En hem dan bevrijden. Als ik te ver vooruitdacht, zou dat verlammend kunnen werken, vooral als iedere oplossing die ik bedacht tot de onvermijdelijke conclusie leidde dat ik een of al onze tegenstanders uit de weg zou moeten ruimen. Het besluit om iemand te doden viel me niet gemakkelijk, zelfs niet als dat de enige manier zou zijn om te overleven en al was mijn prooi ook nog zo slecht.

Ik ben geen James Bond. Ik ben zelfs nog minder bloeddorstig dan Miss Moneypenny.

Ik moet op de vijfde verdieping zijn geweest toen ik weer bij een stel openstaande deuren kwam, de eerste sinds ik op de begane grond in de schacht was geklommen. Het gat was een soort donkergrijze rechthoek in een verder pikdonkere omgeving. De liftruimte achter de openstaande deuren zou toegang geven tot een gang op de vijfde verdieping. In die gang zou een aantal deuren openstaan, andere zouden ingeslagen zijn door de brandweerlieden en weer andere zouden verbrand zijn. Door de ramen in die kamers, die niet zoals op de begane grond dichtgetimmerd waren tegen indringers, viel licht in de hoofdgang en een staartje daarvan had de liftruimte bereikt.

Ik wist intuïtief dat ik nog niet hoog genoeg was. Het onderaardse gerommel van de donder in de verte klonk opnieuw toen ik tussen de zevende en de achtste verdieping was. En net voorbij de negende etage vroeg ik me ineens af hoeveel *bodachs* er vlak voor de ramp door het hotel gekrioeld hadden.

Een bodach is op de Britse eilanden een mythisch dier, een akelig wezen dat 's nachts door de schoorsteen omlaag komt om stoute kinderen mee te nemen. Behalve de rusteloze doden zie ik af en toe ook dreigende geesten die ik bodachs noem. Dat klopt niet, maar het beest moet toch een naam hebben en deze lijkt passend.

Een Engels jochie, de enige persoon van wie ik weet dat hij dezelfde gave had als ik, noemde ze zo in mijn bijzijn. Een paar minuten nadat hij dat woord had gebruikt, werd hij verpletterd door een op hol geslagen vrachtwagen. Ikzelf praat nooit over de bodachs als ze in de buurt zijn. Ik doe net alsof ik ze niet zie, ik reageer niet nieuwsgierig of angstig op hun aanwezigheid. Ik heb het vermoeden dat als ze wisten dat ik ze kon zien er ook voor mij een op hol geslagen vrachtwagen klaar zou staan.

Het zijn volkomen zwarte wezens zonder gezicht en zo dun dat ze door een kiertje naast een deur of door een sleutelgat naar binnen kunnen glippen. Ze zijn niet tastbaarder dan schaduwen. Je hoort ze niet bewegen, vaak sluipen ze als katten, maar dan wel katten die even groot zijn als een mens. Soms lopen ze min of meer rechtop en dan lijken ze half mens, half hond. Ik heb ze al eerder beschreven, in mijn eerste manuscript, dus ik wil er hier niet te veel woorden aan vuil maken.

Het zijn geen menselijke geesten en ze horen hier niet thuis. Ik vermoed dat hun natuurlijke omgeving een plaats is waar eeuwige duisternis heerst en veel geschreeuwd wordt. Hun aanwezigheid is altijd de voorbode van een gebeurtenis waarbij veel doden vallen, zoals de schietpartij van afgelopen augustus in het winkelcentrum. Een enkele moord, zoals die op dr. Jessup, lokt ze niet uit hun onbekende schuilplaats. Ze kicken alleen op natuurrampen en door mensenhanden veroorzaakt geweld op grote schaal.

In de uren voor de aardbeving en de brand moeten ze met honderden tegelijk door het casino en het hotel gekrioeld hebben, terwijl ze zich nerveus verheugden op de ellende, het verdriet en de doden die in het verschiet lagen, hun favoriete driegangenmaaltijd. De twee doden bij dit geval – dr. Jessup en de slangenman – hadden de interesse van de bodachs niet gewekt. Het feit dat ze nog steeds afwezig waren, deed me veronderstellen dat een mogelijke confrontatie niet in een bloedbad zou eindigen. Maar onder het klimmen bevolkte mijn overijverige verbeeldingskracht desondanks de pikdonkere liftschacht met bodachs die, alsof het kakkerlakken waren, snel en kronkelend over de wanden kropen.

27

Bij het volgende stel openstaande liftdeuren wist ik met een zekerheid die ik tot in mijn botten kon voelen dat ik langs de bewakers in de trappenhuizen was geklommen. Ik voelde zelfs dat
ik op het niveau was aanbeland waar de ontvoerders Danny vast-
hielden.

De spieren in mijn armen en benen brandden, niet omdat de
klim fysiek zo zwaar was geweest, maar omdat ik zo gespannen
naar boven was geklauterd. Zelfs mijn kaken deden pijn omdat
ik constant met mijn tanden had geknarst.

Ik gaf er de voorkeur aan om niet in volslagen duisternis van
de schacht naar de liftruimte te verhuizen. Toch durfde ik het
licht maar heel even aan te doen, om de eerste van de in de muur
aangebrachte hand- en voetsteunen te vinden waarmee ik van
de ladder naar de deuropening kon komen.

Ik knipte de zaklantaarn aan, nam snel de situatie in me op,
en deed het licht weer uit.

Mijn handen waren nat van het zweet, ook al had ik ze een
paar keer aan mijn spijkerbroek afgeveegd. Hoe graag ik me ook
bij Stormy in de diensttijd zou melden, ik heb geen stalen zenuwen. Ik stond gewoon van top tot teen te trillen.

Ik stak in de hinderlijke duisternis mijn hand uit en vond op
de tast de eerste van de in de muur uitgespaarde handgrepen,
die wel iets weg hadden van ingebouwde toiletrolhouders, maar
dan drie keer zo breed. Ik greep hem met mijn rechterhand vast,
aarzelde toen ik plotseling werd overvallen door een vlaag van
heimwee naar de bakplaat, de grill en de frituurbak, pakte de
greep vervolgens ook met links vast en stapte van de ladder.

Heel even hing ik aan mijn armen en mijn zwetende handen
terwijl ik met mijn tenen langs de wand zocht naar de voetsteu-

nen. Toen ik het gevoel kreeg dat ik ze nooit zou vinden, voelde ik houvast.

Ik had de ladder verlaten, maar nu kreeg ik het gevoel dat ik een stomme streek had uitgehaald. Het dak van de liftcabine bevond zich in de kelder, dertien etages lager. Dertien verdiepingen is een hele val als je om je heen kunt kijken, maar het idee om zo diep te vallen in een inktzwarte duisternis joeg me helemaal de stuipen op het lijf.

Ik droeg geen veiligheidsharnas en ik had ook geen stevige kabel om aan de handgreep vast te klikken. En evenmin een parachute. Het enige wat me overbleef, was freestyle. Ik had nog een paar andere dingen in mijn rugzak, zoals bijvoorbeeld tissues, een paar energierepen en twee pakjes met vochtige, naar citroen geurende doekjes. Toen ik de tas inpakte, leek mijn keuze heel verstandig. En als ik dertien verdiepingen naar beneden tuimelde en op het dak van de lift terechtkwam, zou ik in ieder geval in staat zijn om mijn neus te snuiten, nog een hapje te eten en mijn handen schoon te vegen, zodat de vernedering om te sterven met een snotneus en kleverige vingers me bespaard zou blijven.

Tegen de tijd dat ik zijdelings van de ladder naar de openstaande deuren was gescharreld en met een sprong over de drempel in de liftruimte landde, was ik me extra bewust van de dwingende kracht en de onweerstaanbare drang van mijn PMS, al was dat niet voor het eerst. Opgelucht dat ik geen gapende leegte meer achter me had, leunde ik tegen een muur en wachtte tot mijn klamme handen ophielden met zweten en mijn bonzende hart tot rust zou komen. Bovendien had ik een beetje kramp in mijn linkerbovenarm en bleef mijn arm strekken en buigen om dat te verhelpen.

Achter de in schaduwen gehulde liftruimte leek zich zowel aan de noord- als aan de zuidkant van de hoofdgang een waterig grijze lichtbron te bevinden. Geen stemmen. Te oordelen naar haar gedrag aan de telefoon was de geheimzinnige vrouw een kletskous. Ze hoorde zichzelf graag praten.

Toen ik voorzichtig naar de uitgang van de liftruimte liep en om de hoek gluurde, zag ik een lange, verlaten gang. Hier en daar stonden aan weerszijden deuren open, waardoor het licht uit de hotelkamers in de gang viel. Precies zoals ik had verwacht.

Het i-vormige hotel had aan de beide uiteinden van de hoofdgang twee kortere gangen, waaraan nog een paar kamers lagen. De bewaakte trappenhuizen die ik met opzet had gemeden, bevonden zich in die korte vleugels.

Links- of rechtsaf zou een vraag zijn geweest waar ieder ander mens over na had moeten denken, maar ik niet. Mijn zesde zintuig bezorgde me nu heel wat minder twijfels dan in de afwateringstunnels en stuurde me naar rechts, naar het zuiden.

Vanaf de funderingen tot de hoogste verdieping bestonden de vloeren van het hotel uit gewapend beton. De brand was niet fel genoeg geweest om ze krom te laten trekken, laat staan ze in te laten storten. Als gevolg daarvan hadden de vlammen zich een weg omhoog gebaand door het gebouw via elektrische en waterleidingen. Hooguit zestig procent van die interne weggetjes waren volledig brandvrij geweest en voorzien van de sprinklers die op de bouwtekeningen stonden. Daardoor was een willekeurig patroon van verwoesting ontstaan. Sommige etages waren letterlijk uitgebrand, terwijl andere het er veel beter afgebracht hadden.

De twaalfde verdieping had veel rook- en waterschade opgelopen, maar ik zag niets dat door vlammen aangetast was en nergens een schroeiplekje. Op de vloerbedekking lag een dikke laag roet en vuil. Behang was gevlekt en hing los. Een paar glazen kapjes waren van de plafondlampen omlaag gevallen en waakzaamheid was geboden met al die scherven.

Een Mojave-gier was kennelijk door een van de gebroken ruiten naar binnen gevlogen en had de weg naar buiten niet meer kunnen vinden. Tijdens de zenuwachtige zoektocht had het dier tegen een muur of een deurpost een vleugel gebroken. Nu lag het lugubere karkas, half weggerot voordat het door de hitte was uitgedroogd, met verfomfaaide en wijd uitgespreide vleugels midden in de hoofdgang. De twaalfde verdieping mocht dan in vergelijking met de andere verdiepingen van het hotel in redelijke staat zijn, je kreeg niet echt de neiging om meteen maar een kamer te reserveren voor je volgende vakantie.

Ik liep behoedzaam van open deur naar open deur en controleerde iedere kamer vanaf de drempel. Niet één ervan was bezet. Het meubilair dat door de aardbeving aan de wandel was gegaan lag in elke kamer op dezelfde plek op een hoop, waar het door de kracht van de beving terecht was gekomen. Alles was smerig, doorgezakt en niet de moeite waard om weggehaald te worden.

Achter de gesprongen ruiten of de ramen die niet bedekt waren met roet was de dreigende lucht een opeenhoping geworden van laaghangende onweerswolken. Alleen in het zuiden was nog een stukje helderblauw te zien en dat begon ook al te verdwijnen.

Ik maakte me niet druk over de gesloten deuren. Ik zou wel gewaarschuwd worden door het geknars van een verroeste deurknop of het gepiep van de verroeste scharnieren als een ervan open werd gedaan. En trouwens, ze waren niet wit en ze hadden ook geen panelen, zoals de dodelijke deuren uit mijn nachtmerrie.

Halverwege de liftruimte en de kruising met de volgende gang, kwam ik bij een gesloten deur waar ik niet langs kon lopen. Uit de verweerde metalen cijfers bleek dat dit kamer 1242 was. Alsof ik een marionet was die met behulp van onzichtbare touwtjes door een poppenspeler werd bestuurd ging mijn rechterhand naar de knop.

Ik kon mezelf net lang genoeg inhouden om mijn hoofd tegen de post te leggen en te luisteren. Niets.

Maar het is altijd verspilde moeite om aan een deur te luisteren. Je staat daar je oren in te spannen en als je zeker weet dat de kust veilig is, trek je de deur open. Vervolgens sta je neus aan neus met een vent die GEBOREN OM TE STERVEN op zijn voorhoofd heeft getatoeëerd en je een monsterlijk groot pistool in je snuffert duwt. Daar kun je bijna net zo zeker van zijn als van de drie wetten van de thermodynamica.

Toen ik de deur voorzichtig openduwde, stuitte ik niet op een getatoeëerde boef, wat betekende dat er binnen de kortste keren een eind zou komen aan de zwaartekracht en dat beren voortaan uit de bossen tevoorschijn zouden komen om op openbare toiletten te piesen.

Hier had de aardbeving van vijf jaar geleden net als in alle andere kamers het meubilair aan één kant bij elkaar geveegd, waardoor het bed samen met een stel stoelen boven op een ladekast terecht was gekomen. Er zouden speurhonden aan te pas moeten komen om vast te stellen dat er geen slachtoffers, dood of levend, onder de puinhoop waren achtergebleven.

Maar in dit geval was een van de stoelen van de stapel met rotzooi gepakt en midden in het na de aardbeving leeg achtergebleven gedeelte van de kamer neergezet. In de stoel, eraan vastgemaakt met ducttape, zat Danny Jessup.

28

Met de ogen dicht, doodsbleek en roerloos, zag Danny eruit alsof hij dood was. Alleen het kloppen van een ader in zijn slaap
en de gespannen kaakspieren toonden aan dat hij nog leefde en
in doodsangst verkeerde.

Hij lijkt op Robert Downey Jr., de acteur, maar dan zonder
de glamour van de heroïnejunk die hem in het huidige Hollywood tot een echte ster zou bestempelen. Maar achter dat gezicht houdt de gelijkenis met welke acteur ook op. Danny heeft
betere hersens dan alle filmsterren uit de afgelopen decennia.

Zijn linkerschouder is een tikje misvormd door overmatige
botgroei tijdens de genezing van een breuk. Aan die kant vertoont de arm een onnatuurlijke kronkeling tussen schouder en
pols, waardoor hij niet recht langs zijn lichaam hangt en de hand
naar buiten is gedraaid. Ook zijn linkerheup is misvormd. Het
rechterbeen is korter dan het linker. Het rechterscheenbeen is
als gevolg van een breuk verdikt en verbogen. Zijn rechterenkel
bevat zoveel onnodig botweefsel dat hij dat gewricht maar voor
veertig procent kan gebruiken.

Zoals hij daar vastgebonden in die hotelstoel zat, in zijn spijkerbroek en een zwart T-shirt met een gele bliksemschicht op
zijn borst, leek hij op een sprookjesfiguur. De knappe prins die
door de boze heks is betoverd. Het onwettige kind uit een verboden romance tussen een prinses en een trol.

Ik trok de deur achter me dicht voordat ik zacht zei: 'Zullen
we er maar vandoor gaan?'

Zijn blauwe ogen vlogen open en keken me verstomd van verbazing aan. Angst maakte plaats voor schaamte, maar hij leek
helemaal niet opgelucht.

'Odd,' fluisterde hij. 'Je had niet moeten komen.'

Terwijl ik mijn rugzak afdeed en open ritste, fluisterde ik terug: 'Wat moest ik anders doen? Er was niks leuks op tv.'

'Ik wist dat je zou komen, maar dat had je niet moeten doen, het is echt een hopeloze toestand.'

Ik pakte een vissersmes uit mijn rugzak en trok het lemmet uit het handvat. 'De eeuwige optimist.'

'Maak dat je wegkomt, nu het nog kan. Ze is nog geschifter dan een aan syfilis lijdende zelfmoordterrorist met gekkekoeienziekte.'

'Ik ken niemand anders die dat soort dingen zegt. Ik kan je hier niet laten zitten als je zulke mooie teksten kunt bedenken.'

Zijn enkels waren met een paar lagen tape aan de stoelpoten vastgezet. De tape was ook om zijn borst gewonden, zodat hij aan de rug van de stoel vastzat. Bovendien zaten zijn armen bij de polsen en de ellebogen vast aan de leuningen van de stoel. Ik begon haastig de lagen tape die om zijn linkerpols zaten door te snijden.

'Odd, hou op, luister nou. Zelfs als je genoeg tijd hebt om me los te maken, kan ik toch niet opstaan...'

'Als je been gebroken is of zo,' viel ik hem in de rede, 'kan ik je in ieder geval naar een plek dragen waar we ons kunnen verstoppen.'

'Nee, ik heb niets gebroken, dat is het niet,' zei hij dringend. 'Maar als ik opsta, zal het ontploffen.'

Hoewel ik inmiddels zijn linkerpols bevrijd had, zei ik: 'Ontploffen? Dat woord klinkt me nog vervelender in de oren dan "onthoofden".'

'Kijk maar naar de rug van de stoel.'

Ik liep om hem heen om er een blik op te werpen. Aangezien ik niet alleen een behoorlijk aantal films heb gezien, maar ook in het gewone leven een paar rare toestanden heb meegemaakt, herkende ik onmiddellijk de plastic springstof waarvan een kilo aan de rugleuning van de stoel was bevestigd met hetzelfde tape waarmee Danny was vastgezet.

Een accu, een hele hoop kleurige draden, een instrument dat leek op een klein model waterpas (waarvan het luchtbelletje aangaf dat het precies recht stond) en andere geheimzinnige spullen waaruit je kon opmaken dat degene die deze bom in elkaar had gezet behoorlijk handig was in dat soort karweitjes.

'Op het moment dat ik mijn kont van de stoel til,' zei Danny, 'is het boem. Als ik probeer te lopen met stoel en al en die waterpas geeft aan dat alles uit het lood raakt... boem.'

'Dan hebben we een probleem,' erkende ik.

29

Fluisterend, gedempt, met ingehouden adem, *sotto voce*, met *voce velata*, vervolgden we het gesprek op zachte toon, niet alleen omdat de syfilitische-aan-gekkekoeienziekte-lijdende-zelfmoordterroristische dame en haar vrienden ons zouden kunnen horen, maar ook omdat we volgens mij het bijgelovige idee hadden dat als we hardop een verkeerd woord lieten vallen de bom ook af zou gaan.

Terwijl ik de speleologenband van mijn arm lostrok en samen met de zaklantaarn opzijlegde, zei ik: 'Waar zitten ze?'

'Dat weet ik niet. Odd, je moet echt maken dat je wegkomt.'

'Laten ze je gedurende lange periodes alleen?'

'Ik denk dat ze om het uur komen controleren. Ze was hier ongeveer een kwartier geleden. Bel Wyatt Porter maar.'

'Dit valt niet onder zijn jurisdictie.'

'Dan belt hij sheriff Amory wel.'

'Als ik de politie erbij haal, zul jij sterven.'

'Wie wil je dan bellen? De vuilophaaldienst?'

'Ik weet gewoon dat je dan zult sterven. Zoals ik dat soort dingen weet. Kan dit ding tot ontploffing worden gebracht wanneer ze willen?'

'Ja. Ze heeft me een afstandsbediening laten zien. Ze zei dat het net zo gemakkelijk was als zappen.'

'Wie is ze?'

'Ze heet Datura. Ze heeft twee kerels bij zich. Ik weet niet hoe die heten. Er was ook nog een derde klootzak bij.'

'Ik heb zijn lichaam gevonden. Wat is er met hem gebeurd?'

'Dat heb ik niet gezien. Hij was... heel vreemd. Net als die andere twee.'

Terwijl ik de tape om zijn linkeronderarm begon door te snijden, vroeg ik: 'Wat is haar voornaam?'

'Datura. Haar achternaam ken ik niet. Odd, wat doe je nou? Ik kan toch niet opstaan.'

'Je kunt net zo goed klaar zijn om wel op te staan als er verandering in de toestand komt. Wie is ze?'

'Ze zal je vermoorden, Odd. Echt waar. Je moet maken dat je wegkomt.'

'Niet zonder jou,' zei ik, terwijl ik begon aan de tape om zijn rechterpols.

Danny schudde zijn hoofd. 'Ik wil niet dat je je leven voor mij geeft.'

'Voor wie moet ik het dan geven? Voor iemand die ik helemaal niet ken? Waar slaat dat nou op? Wie is ze?'

Hij kreunde in doffe ellende. 'Je zult me echt een complete kluns vinden.'

'Je bent geen kluns. Je bent een rare snijboon, net als ik, maar we zijn geen klunzen.'

'Jij bent geen rare snijboon,' zei hij.

Terwijl ik de rest van zijn rechterarm bevrijdde, zei ik: 'Áls ik werk, ben ik snelbuffetkok en toen ik een katoenen vest aan mijn garderobe toevoegde, was dat een veel te ingrijpende verandering voor mij. Ik zie dode mensen en ik praat met Elvis, dus je hoeft mij niet te vertellen dat ik geen rare snijboon ben. Wie is ze?'

'Beloof me dat je het niet aan pa zult vertellen.'

Hij had het niet over Simon Makepeace, zijn biologische vader. Hij bedoelde zijn stiefvader. Hij wist niet dat dr. Jessup dood was. En dit was niet het juiste moment om hem dat te vertellen. Hij zou er kapot van zijn. Ik moest ervoor zorgen dat hij geconcentreerd bleef en vol goede moed.

Maar hij zag toch iets in mijn ogen of mijn gezichtsuitdrukking dat hem deed fronsen. 'Wat is er?' zei hij.

'Ik zal hem niets vertellen,' beloofde ik en ik richtte mijn aandacht op de boeien waarmee zijn rechterenkel aan de stoelpoot vastzat.

'Zweer je dat?'

'Als ik hem dat ooit vertel, krijg je die kaart van dat van Venus afkomstig slijmerig beest van methaangas terug.'

'Heb je die nog steeds?'

'Ik zei toch dat ik een rare snijboon was. Wie is Datura?'

Danny slaakte een diepe zucht, hield zijn adem zo lang in dat ik het idee kreeg dat hij een poging deed om een Guinness Wereldrecord te vestigen en liet de lucht toen met één woord weer ontsnappen: 'Telefoonseks.'

Ik keek hem met knipperende ogen aan, heel even beduusd. 'Telefoonseks?'

Blozend en vol schaamte zei hij: 'Het zal wel een enorme verrassing voor je zijn, maar ik heb het nog nooit in het echt met een meisje gedaan.'

'Zelfs niet met Demi Moore?'

'Klootzak,' siste hij.

'Zou jíj die gelegenheid voorbij hebben laten gaan?'

'Nee,' gaf hij toe. 'Maar aangezien ik op mijn eenentwintigste nog steeds maagd ben, moet ik wel een kampioen onder de klunzen zijn.'

'Je hoeft van mij geen medailles te verwachten. Maar goed, hooguit honderd jaar geleden zouden ze kerels zoals jij en ik heren hebben genoemd. Gek hè, dat een eeuw zo'n verschil kan maken.'

'Jíj?' zei hij. 'Probeer mij nou niet wijs te maken dat jij ook lid van de club bent. Ik mag dan onervaren zijn, maar ik ben niet naïef.'

'Je mag geloven wat je wilt,' zei ik terwijl ik de tape om zijn linkerenkel doorsneed, 'maar ik ben zelfs erelid.'

Danny wist dat Stormy en ik al verkering met elkaar hadden gehad sinds we zestien waren en nog op de middelbare school zaten. Hij wist niet dat we nooit met elkaar gevrijd hadden. Ze was als kind door een adoptievader misbruikt en daardoor had ze zich een hele tijd bezoedeld gevoeld. Ze wilde wachten tot we getrouwd waren voordat we met elkaar naar bed gingen, omdat ze het gevoel had dat we door het uitstellen van onze bevrediging haar verleden zouden zuiveren. Ze was vastbesloten dat die akelige herinneringen aan het misbruik haar niet tot in ons bed zouden achtervolgen.

Stormy had gezegd dat het goed, heerlijk en zuiver moest voelen als wij met elkaar naar bed gingen. Ze had gewild dat het een gewijd gebeuren zou worden en ze zou haar zin hebben gekregen. Maar toen ging ze dood en we hebben dat verrukkelijke samenzijn nooit gekend. Eigenlijk gaf dat niets, want we hebben samen zoveel heerlijke dingen gedaan. We hebben een heel leven in vier jaar gepropt.

Maar dat soort bijzonderheden hoefde Danny Jessup niet te weten. Het zijn mijn kostbaarste herinneringen en die koester ik. Zonder op te kijken van zijn enkel herhaalde ik: 'Telefoonseks?'

Na een korte aarzeling zei hij: 'Ik wilde weten hoe het was om er met een meisje over te praten, je weet wel. Een meisje dat niet wist hoe ik eruitzag.'

Met gebogen hoofd deed ik er langer over om de tape te verwijderen dan strikt noodzakelijk was, om hem de tijd te geven.

'Ik heb zelf ook wat geld,' zei hij. Hij ontwerpt websites. 'En ik betaal mijn eigen telefoon. Vandaar dat pa al die telefoontjes naar 0900-nummers niet onder ogen kreeg.'

Nadat ik zijn enkels bevrijd had, concentreerde ik me op het wegpoetsen van de lijmresten door het lemmet van mijn mes aan mijn spijkerbroek af te vegen. Ik kon de boeien om zijn borst niet doorsnijden, omdat daarmee ook de bom vastzat en in evenwicht werd gehouden.

'Een paar minuten lang,' vervolgde hij, 'was het hartstikke spannend. Maar het begon al heel gauw walgelijk te worden. Goor.' Zijn stem trilde. 'Je zult me wel heel pervers vinden.'

'Ik vind je menselijk. Dat is iets dat ik op prijs stel in mijn vrienden.'

Hij slaakte een diepe zucht en vervolgde: 'Eerst leek het walgelijk en toen stom. Dus vroeg ik aan het meisje of we niet gewoon konden praten, niet over seks, maar over andere dingen, het maakte niet uit waarover. En ze zei ja hoor, dat was prima.'

Voor telefoonseks moet je per minuut betalen. Danny had een urenlange lezing kunnen afsteken over de kwaliteit van diverse wasmiddelen en dan zou ze nog hebben gedaan alsof ze het waanzinnig boeiend vond.

'We hebben een halfuur zitten kletsen, gewoon over dingen die we leuk vonden of juist niet. Je weet wel, over boeken, films, eten. Het was echt geweldig, Odd. Ik kan je niet vertellen hoe fantastisch het was, hoe wárm ik daar vanbinnen van werd. Het was gewoon... het was zo leuk.'

Ik had nooit gedacht dat het woordje 'leuk' mijn hart zou kunnen breken, maar daar kwam het bijna op neer.

'Bij dat bepaalde nummer kon je afspreken met een meisje dat je leuk vond. Ik bedoel voor een volgend gesprek.'

'En dat was Datura.'

'Ja. De tweede keer dat ik met haar praatte, kwam ik erachter dat ze ontzettend geïnteresseerd is in paranormale dingen, geesten en zo.'

Ik klapte het mes dicht en stopte het weer in mijn rugzak.

'Ze heeft wel duizend boeken over dat onderwerp gelezen en een heleboel spookhuizen bezocht. Ze heeft belangstelling voor alle paranormale verschijnselen.'

Ik liep om zijn stoel heen en knielde op de grond.

'Wat doe je?' vroeg hij zenuwachtig.

'Niets. Rustig maar. Ik zit gewoon de toestand te bestuderen. Vertel me maar iets meer over Datura.'

'Dit is het moeilijkste deel, Odd.'

'Dat begrijp ik. Het geeft niet.'

Hij ging nog gedempter praten. 'Nou ja... de derde keer dat ik haar belde, hebben we vrijwel nergens anders over gepraat dan over bovennatuurlijke dingen... van de Bermuda Driehoek via mensen die spontaan ontbranden tot de geesten die zogenaamd in het Witte Huis rondspoken. Ik weet niet... ik weet niet waarom ik zo graag indruk op haar wilde maken.'

Ik ben geen expert op het gebied van bommen maken. Ik had in mijn leven nog maar één andere bom gezien... afgelopen augustus, tijdens hetzelfde voorval waarbij al die mensen in het winkelcentrum werden neergeschoten.

'Ik bedoel maar,' zei Danny, 'ze was gewoon een meisje dat voor geld schunnige taal uitslaat tegen mannen. Maar het was heel belangrijk voor me dat ze me aardig zou vinden en misschien zelfs wel een beetje gaaf. Dus toen heb ik haar verteld dat ik een vriend had die geesten kon zien.'

Ik sloot mijn ogen.

'Aanvankelijk heb ik je naam niet genoemd en in het begin geloofde ze er ook niets van. Maar de verhalen die ik over je vertelde, waren zo gedetailleerd en zo ongewoon, dat ze zich langzaam maar zeker realiseerde dat ze waar waren.'

De bom in het winkelcentrum was een vrachtwagen geweest, volgeladen met honderden kilo's explosieven. De ontsteking was een simpel mechanisme geweest.

'Ik begon echt van onze gesprekken te genieten. En ze werden steeds liever. Dat leek tenminste zo. Ze begon me in haar vrije tijd te bellen, zodat ik niets meer hoefde te betalen.'

Ik deed mijn ogen open en staarde naar het pakket aan de rug van Danny's stoel. Dit was veel geavanceerder dan de vrachtwagenbom bij het winkelcentrum. Het was een uitdaging aan mijn adres.

'We praatten niet altijd over jou,' zei Danny. 'Ik begrijp nu pas hoe slim ze was. Ze wilde niet te duidelijk zijn.'

Terwijl ik goed oplette dat ik de waterpas niet bewoog, liet ik mijn vinger eerst over een rode kruldraad glijden en daarna over een gladdere gele. En daarna over de groene.

'Maar na een poosje,' vervolgde Danny, 'had ik haar niets meer over jou te vertellen... behalve dan wat er vorig jaar in het winkelcentrum is gebeurd. Dat heeft in de nationale pers zoveel opschudding verwekt, het stond in alle kranten en het was overal op tv, dat ze toen wist wie je was.'

Een zwarte draad, een blauwe draad, een witte draad en weer een rode... Maar mijn zesde zintuig liet het afweten, of ik er nu strak naar zat te kijken of ze aanraakte.

'Het spijt me, Odd. Ontzettend. Ik heb je verraden.'

'Maar niet voor geld,' zei ik. 'Voor liefde. Dat is iets heel anders.'

'Ik voel geen liefde voor haar.'

'Nou, goed dan. Niet voor liefde. Voor de hoop op liefde.'

Gefrustreerd door de onverklaarbare bedrading van de bom liep ik weer om de stoel heen.

Danny wreef over zijn rechterpols waar de tape zo strak omheen had gezeten dat er felle rode striemen in zijn huid stonden.

'Voor de hóóp op liefde,' herhaalde ik. 'Een echte vriend wil daarvoor toch wel iets door de vingers zien?'

De tranen sprongen hem in de ogen.

'Luister,' zei ik. 'Jij en ik zijn echt niet voorbestemd om het loodje te leggen in een ordinair casinohotel. Als het noodlot wil dat we in een hotel het hoekje omgaan, dan huren we ergens een suite in een vijfsterrenhotel. Voel je je weer wat beter?'

Hij knikte.

Ik verstopte mijn rugzak tussen het door de aardbeving overhoop gesmeten meubilair, waar niemand de tas waarschijnlijk zou vinden, en zei: 'Ik weet waarom ze je uitgerekend hiernaartoe gebracht hebben. Als zij om de een of andere reden denkt dat ik geesten kan oproepen, dan zal ze er wel van uitgaan dat er in deze tent een stel zal rondhangen. Maar waarom door de tunnels van het afwateringssysteem?'

'Ze is zo psychopathisch als de pest, Odd. Dat is me over de telefoon nooit duidelijk geworden, of misschien wilde ik het niet horen toen ik... toen ik met haar flirtte. Verdomme. Het is gewoon zielig. Maar goed, ze is een krankzinnige, verknipte trut vol waanideeën, echt een knettergekke keiharde tante. Ze wilde me via een ongebruikelijke route naar het Panamint brengen, iets dat je paranormale magnetisme serieus op de proef zou stellen en haar het bewijs zou leveren dat het echt was. En er is meer met haar aan de hand...'

Uit zijn aarzelende houding maakte ik op dat hij me niets vrolijks te vertellen had, bijvoorbeeld dat Datura zich bij een gospelkoor had aangesloten of mijn lievelingscake had gebakken.

'Ze wil dat je haar geesten laat zien. Ze denkt dat jij die kan oproepen en ze kan laten praten. Dat heb ik nooit tegen haar gezegd, dat wil ze gewoon geloven. En ze wil nog iets anders ook. Waarom weet ik niet...' Hij dacht even na en schudde zijn hoofd, 'maar ik krijg het gevoel dat ze je wil vermoorden.'

'Ik schijn een heleboel mensen tegen de haren in te strijken. Danny, gisteravond heeft iemand een geweerschot gelost in de steeg achter het Blue Moon Café.'

'Een van die kerels van haar. De vent van wie jij het lijk hebt gevonden.'

'Op wie schoot hij?'

'Op mij. Toen we uit het busje stapten, letten ze even niet op. Ik probeerde naar de straat te rennen. Het geweerschot was als waarschuwing bedoeld.'

Hij veegde met een hand over zijn ogen. Drie van de vingers

die hij vroeger gebroken had, waren groter dan normaal en vergroeid door de abnormale botaanwas.

'Ik had niet moeten blijven staan,' zei hij, 'ik had gewoon door moeten rennen. Dan hadden ze me alleen nog maar een kogel in mijn rug kunnen schieten. En dan hadden we nu niet hier gezeten.'

Ik liep naar hem toe en gaf hem een por op de gele bliksemschicht op de voorkant van zijn zwarte t-shirt. 'Hou op met die onzin. Als je zo doorgaat, verzuip je straks in zelfmedelijden. Zo ben je helemaal niet, Danny.'

'Wat een puinhoop,' zei hij hoofdschuddend.

'Zelfmedelijden is niets voor jou en daar heb je ook nooit last van gehad. Denk erom, we zijn twee taaie en maagdelijke rare snijbonen.'

Hij kon zijn lachen niet inhouden, ook al was het een bibberig lachje waarbij de tranen hem opnieuw in de ogen schoten. 'Ik heb nog steeds mijn kaart van de Martiaanse hersen etende duizendpoot.'

'Wat zijn we toch een stel sentimentele dwazen, hè?'

'Die opmerking over Demi Moore was echt grappig,' zei hij.

'Dat weet ik. Hoor eens, ik loop even naar buiten om rond te kijken. Als ik weg ben, mag je er nog eens over nadenken of je die stoel wel wilt omgooien om die bom tot ontploffing te brengen.'

Het feit dat hij zijn blik afwendde, betekende dat hij inderdaad aan die zelfopoffering had gedacht.

'Misschien denk je dat mijn handen niet langer gebonden zijn als jij gehakt van jezelf maakt en dat ik dan Wyatt Porter kan optrommelen om me te helpen, maar dan heb je het toch goed mis,' verzekerde ik hem. 'Dan zou ik me helemaal verplicht voelen om persoonlijk met die drie af te rekenen. Ik zou hier pas weggaan als ik dat voor elkaar had. Begrepen, Danny?'

'Wat een puinhoop.'

'En trouwens, je moet in leven blijven voor je vader. Vind je ook niet?'

Hij zuchtte en knikte. 'Ja.'

'Je moet voor je vader in leven blijven. Dat is nu jouw opdracht.'

'Hij is een lieve man,' zei Danny.

Ik pakte de zaklantaarn weer op en zei: 'Als Datura je komt controleren voordat ik weer terug ben, zal ze zien dat je armen en benen vrij zijn. Maar dat geeft niet. Vertel haar maar gewoon dat ik hier ben.'

'Wat ga je nu doen?'

Ik haalde mijn schouders op. 'Je kent me toch. Dat zie ik vanzelf wel.'

30

Nadat ik kamer 1242 was uitgelopen en de deur achter me had dichtgetrokken, keek ik links en rechts de gang af. Nog steeds geen mens te zien. Stilte.

Datura.

Dat klonk als een naam die ze zichzelf had gegeven. Waarschijnlijk had ze bij haar geboorte Mary of Heather of een andere doodgewone naam meegekregen en was ze zich later Datura gaan noemen. Het was een exotisch woord met een bepaalde betekenis die ze toen wel leuk bij zichzelf vond passen.

In gedachten stelde ik me mijn brein voor als een plas donker water in het maanlicht en haar naam als een blad. Ik verbeeldde me dat het blad op het water neerstreek en even bleef drijven. Toen het doorweekt was, begon het te zinken. Stromingen in het water lieten het ronddraaien door de plas en steeds dieper zinken.

Datura.

Binnen een paar seconden voelde ik hoe ik naar het noorden werd getrokken, naar en langs de liftruimte waarin ik eerder via de ladder was aangekomen. Als de vrouw me op deze etage opwachtte, zat ze in een kamer die op flinke afstand van 1242 lag.

Misschien had ze Danny niet bij zich gehouden, omdat zij eveneens de neiging tot zelfdestructie had opgemerkt en daarom haar bedenkingen had gekregen over het feit dat hij vastgebonden zat aan een bom die hij zelf tot ontploffing kon brengen.

Hoewel ik ook had kunnen toestaan dat mijn pms me rechtstreeks naar Datura toebracht, had ik geen haast om haar te vinden. Ze was Medusa, maar met een stem in plaats van ogen die een man in steen kon veranderen en voorlopig was ik nog tevreden met het feit dat ik een man van vermoeid, pijnlijk en feilbaar vlees en bloed was.

In het ideale geval zou ik een manier moeten vinden om Datura en de twee mannen die ze bij zich had uit te schakelen en beslag te leggen op de afstandsbediening waarmee de explosieven tot ontploffing konden worden gebracht. Als die niet langer een bedreiging vormden, zou ik Chief Porter kunnen bellen. Maar de kans dat ik drie gevaarlijke mensen zou kunnen overweldigen, met name als alle drie vuurwapens hadden, was niet veel groter dan de kans dat de dode gokkers in het uitgebrande casino hun leven terug konden winnen met behulp van de door het vuur vergeelde dobbelstenen.

Als ik niet bereid was mijn sterke voorgevoel dat Danny absoluut het leven zou laten als ik de politie belde te negeren, dan zou ik de ontvoerders alleen kunnen uitschakelen door de bom uit te schakelen. Maar ik zou nog liever een ratelslang een tongzoen geven, dan aan dat ingewikkelde ontstekingsmechanisme te gaan zitten prutsen. Desondanks moest ik wel rekening houden met de mogelijkheid dat ik dat door de omstandigheden gedwongen wel degelijk zou moeten gaan doen. En als ik Danny had bevrijd moesten we nog steeds uit het Panamint zien te komen.

Hij was al niet echt lenig en omdat hij uitgeput was van de lange voettocht vanuit Pico Mundo zou hij niet in staat zijn zich snel te bewegen. Op een goeie dag en in tiptop conditie was mijn vriend met de broze botten nog niet voldoende vast ter been om een trap af te rennen. En om op de benedenverdieping van dit hotel te komen moest hij tweeëntwintig trappen af lopen. Vervolgens zou hij zich een weg moeten banen door openbare ruimtes die bezaaid lagen met verraderlijk puin. En dat terwijl we door drie moordlustige psychopaten achtervolgd werden. Doe er een paar domme, goedgelovige en schaars geklede dames bij, plus een paar nog dommere kerels die er wel lekker uitzien, voeg er de eis aan toe dat iemand een bak levende wormen leegeet en we konden zo de zender op met een nieuwe reality-show.

Ik doorzocht snel een paar kamers aan de zuidkant van de hoofdgang, op zoek naar een plek waar Danny zich zou kunnen verstoppen in het onwaarschijnlijke geval dat ik in staat zou zijn om hem uit de buurt te krijgen van die explosieven. Als ik me over hem geen zorgen hoefde te maken terwijl de bewapende boeven ons op de hielen zaten en hij niet meteen weer in de kraag gevat zou kunnen worden, zou ik meer kans hebben om af te rekenen met de vijand. Als Danny ergens veilig verstopt zat, zou ik zelfs misschien het gevoel krijgen dat de omstandigheden voldoende gewijzigd waren om Chief Porter te alarmeren.

Helaas is de ene hotelkamer vrijwel identiek aan de andere en ze boden weinig problemen voor iemand die vastberaden van plan was ze te doorzoeken. Datura en haar boeven zouden er net zo snel doorheen gaan als ik en ze zouden precies dezelfde plekken vinden waar iemand zich kon verbergen als ik. Ik overwoog heel even om een hoop door de aardbeving omver geblazen meubels opnieuw op te stapelen om op die manier een holte te creëren waar Danny zich kon verstoppen. Maar een onstabiele berg stoelen, bedden en nachtkastjes zou ongetwijfeld met veel kabaal instorten als ik probeerde ze anders op te stellen en ongewenste aandacht opleveren voordat ik klaar was.

In de vierde kamer keek ik even uit het raam en zag dat het land donkerder was geworden, overschaduwd door een vloot slagschepen van staalgrijze wolken die inmiddels driekwart van de lucht in beslag hadden genomen. Af en toe werd het landschap verlicht door een flits alsof er een projectiel werd afgeschoten en een kanonnade dreunde door de dag. De bui was nog steeds veraf, maar kwam snel dichterbij.

Ik moest ineens denken aan het griezelige geluid van de donder dat een tijdje geleden door de liftschacht had weergalmd en ik draaide het raam de rug toe.

De gang lag er nog steeds verlaten bij. Ik liep haastig in noordelijke richting, langs kamer 1242, en keerde terug naar de liftruimte.

Negen van de tien dubbele roestvrijstalen liftdeuren waren dicht. Uit veiligheidsoverwegingen, om mensen te kunnen bevrijden, zouden ze op zo'n manier ontworpen zijn dat ze met de hand geopend konden worden in het geval dat niet alleen de stroomtoevoer maar ook de noodaggregaten waren uitgevallen.

Maar ze hadden vijf jaar dicht gezeten. Door de rook zou het mechanisme van de deuren waarschijnlijk verroest en vastgelopen zijn.

Ik begon aan de rechterkant. Het eerste stel deuren stond op een kier. Ik wrikte mijn vingers in de spleet van tweeëneenhalve centimeter en probeerde de deuren open te schuiven. De rechter bewoog een klein stukje. Aanvankelijk bleef de ander muurvast zitten, maar toen schoof hij ineens opzij met een knarsend geluid dat niet ver kan hebben gedragen.

Zelfs in het schemerige grauwe licht hoefde ik de deuren maar tien centimeter open te wrikken om te zien dat er geen cabine achter stond. Die bevond zich op een andere verdieping. Zestien verdiepingen, tien liften. Het was wiskundig heel goed mogelijk dat ze geen van alle op de twaalfde verdieping tot stilstand waren gekomen. Achter alle negen dubbele schuifdeuren kon best een lege schacht schuilgaan. Misschien waren de liften wel zo geprogrammeerd dat ze bij stroomuitval met behulp van noodaccu's terugkeerden naar de begane grond. Als dat het geval was, dan kon ik alleen maar hopen dat dit mechanisme had gefaald, net als sommige van de andere veiligheidsmaatregelen in het hotel. Toen ik de deuren losliet, schoven ze vanzelf terug in de positie waarin ik ze had aangetroffen.

Het tweede stel deuren zat strakker dicht dan het eerste. Maar langs de sluitranden zat een richel die het mogelijk maakte ze in het geval van nood open te trekken. Huiverend over hun glijers schoven ze open met een gekraak dat me zenuwachtig maakte.

Geen cabine.

Deze deuren bleven openstaan toen ik ze losliet. Om geen aanwijzingen achter te laten van mijn zoektocht duwde ik ze weer dicht, wat opnieuw met gehuiver en gekraak gepaard ging. En in de laag vuil op het roestvrij staal waren duidelijke afdrukken van mijn handen achtergebleven. Ik viste een tissue uit mijn zak en veegde daar licht mee over de afdrukken om ze uit te wissen en toch geen al te schone plek achter te laten die misschien argwaan zou kunnen wekken.

Het derde paar deuren was niet in beweging te krijgen.

Achter het vierde stel, dat zonder herrie te maken openging, vond ik een wachtende cabine. Ik duwde de deuren helemaal open, aarzelde en stapte toen in de lift. De cabine stortte niet meteen in de diepte, zoals ik eigenlijk half en half had verwacht. Mijn gewicht veroorzaakte een licht protest, maar de lift zakte geen millimeter onder de drempel van de liftruimte. Hoewel de deuren gedeeltelijk uit zichzelf dichtgingen, moest ik toch duwen om ze volledig gesloten te krijgen. Weer handafdrukken, weer dat papieren zakdoekje. Ik veegde mijn vuile handen af aan mijn spijkerbroek. Weer wasgoed.

Hoewel ik wist wat me vervolgens te doen stond, was dat zoiets ingrijpends dat ik een minuut of twee in de liftruimte bleef staan op zoek naar een alternatief. Maar dat was er niet.

Dit was zo'n moment waarop ik wenste dat ik beter mijn best had gedaan om mijn diepgewortelde aversie tegen vuurwapens te overwinnen. Maar daar staat tegenover dat als je op mensen schiet die zelf ook een pistool hebben, ze meestal de neiging hebben om terug te schieten. En dat veroorzaakt altijd complicaties. Als jij niet als eerste schiet en raak mikt, is het misschien maar beter om helemaal geen vuurwapens te hebben. In dat soort akelige omstandigheden hebben mensen die zwaar bewapend zijn toch de neiging om zich superieur te voelen ten opzichte van mensen bij wie dat niet het geval is. Ze worden verwaand en als ze zich verwaand voelen, onderschatten ze hun tegenstanders. Een ongewapend man zal noodzakelijkerwijs sneller denken – en bewuster, dierlijker en gevaarlijker zijn – dan de schutter die erop vertrouwt dat zijn wapen voor hem zal denken. Vandaar dat het soms een voordeel is om ongewapend te zijn.

Maar nu ik erover nadenk, is een dergelijke redenatie ronduit belachelijk. Zelfs destijds wist ik al dat het stom geklets was, maar ik hield me er toch aan vast, want ik moest mezelf zover zien te krijgen dat ik die liftruimte verliet om in actie te komen.

Datura.

Het blad in het door de maan verlichte water en dat haar intiemste wezen deelde met de vijver, terwijl het steeds dieper wegzonk op een lome stroming die maar bleef trekken, trekken en trekken…

Ik liep vanuit de liftruimte de gang in. Rechtsaf, naar het noorden.

Een of andere keiharde, gewelddadig aangelegde miep die telefoonseks levert en zo geschift is als een gekke koe, krijgt het in haar verwarde hoofd om Danny te ontvoeren, zodat ze hem kan gebruiken om mij te dwingen mijn zorgvuldig bewaarde geheimen prijs te geven. Maar waarom moest dr. Jessup dan sterven en nog wel op zo'n brute manier? Alleen maar omdat hij toevallig in de buurt was?

De miep van de telefoonseks, die verknipte tante, heeft drie kerels – inmiddels twee – die kennelijk bereid zijn om elke misdaad te plegen die noodzakelijk is om haar te bezorgen wat ze wil. Het is niet nodig om banken te beroven, geldauto's te overvallen of illegale drugs te verkopen. Ze heeft het niet op geld voorzien, ze is belust op waargebeurde spookverhalen, kouwe rillingen over haar rug, dus er is geen buit om met de andere leden van haar bende te delen. Hun reden om lijf en leden plus hun vrijheid voor haar te riskeren lijkt aanvankelijk raadselachtig en misschien zelfs wel mysterieus. Maar natuurlijk denken zelfs niet moordlustig aangelegde kerels vaak met dat kleine koppie in plaats van met het grote waar hersens in zitten. En de annalen van de misdaad puilen uit van de gevallen waarin stompzinnige kerels onder de invloed van slechte vrouwen de meest afschuwelijke en idiote dingen hebben gedaan, puur en alleen voor seks.

Als Datura er even zwoel uitzag als ze over de telefoon klonk, zou ze geen enkel probleem hebben om bepaalde mannen naar haar hand te zetten. Haar soort kerel zou meer testosteron dan witte bloedlichaampjes in de aderen hebben, geen onderscheid kunnen maken tussen goed en kwaad, van opwinding houden, genieten van elke gruweldaad die hij pleegde en niet in staat zijn om aan morgen te denken.

Bij het samenstellen van haar entourage zou ze geen gebrek aan kandidaten hebben gehad. Het nieuws lijkt tegenwoordig bol te staan van dat soort kille kerels. Dr. Wilbur Jessup was niet alleen vermoord omdat hij hun toevallig voor de voeten liep, maar ook omdat deze mensen het léúk hadden gevonden om hem te doden. Het was ontspanning geweest, een geintje. De puurste vorm van rebellie.

In de liftruimte had het me moeite gekost om te geloven dat

ze zo'n ploeg had kunnen samenstellen. Maar terwijl ik de hoog-uit dertig meter door de hotelgang aflegde, kwam ik tot de con-clusie dat het onvermijdelijk was geweest. En als ik met dit soort mensen te maken kreeg, zou ik de voordelen die mijn gave me bood volledig moeten uitbuiten.

Deur na deur, open of dicht, bleek geen enkele aantrekkings-kracht op me uit te oefenen, tot ik ten slotte stil bleef staan bij 1203, waarvan de deur op een kier stond.

31

Het meeste meubilair was uit kamer 1203 weggehaald. Alleen een paar nachtkastjes, een ronde houten tafel en vier houten spijltjesstoelen met armleuningen waren achtergebleven. En er was schoongemaakt. Hoewel het vertrek er nog lang niet onberispelijk uitzag, was het toch iets bewoonbaarder dan alles wat ik tot nog toe van het hotel had gezien.

Door de dreigende onweersbui was het buiten donker geworden, maar dikke kaarsen in rode en gele glazen potjes zorgden voor licht. In iedere hoek van de kamer stonden er zes zorgvuldig opgesteld. En op de tafel stonden nog zes kaarsen.

Het flikkerende en onzekere kaarslicht zou onder andere omstandigheden misschien vrolijk zijn geweest. Hier leek het vreugdeloos. Dreigend. Occult.

Het waren geurkaarsen die een aroma verspreidden dat de bittere stank van al lang geleden neergeslagen rook maskeerde. Een lucht die eerder zoet leek dan aan bloemen deed denken. Ik had nog nooit iets dergelijks geroken.

Witte lakens waren om de kussens van de houten stoelen geslagen en vastgespeld om voor schone zitplaatsen te zorgen.

De nachtkastjes stonden aan weerszijden van het grote raam. Op elk ervan stond een grote zwarte vaas en beide vazen bevatten twee of drie dozijn rode rozen die niet geurden of het tegen de kaarsen moesten afleggen.

Ze hield van dramatiek en glamour en ze zorgde ervoor dat het haar zelfs in de rimboe niet aan luxe ontbrak. Als een Europese prinses die in de eeuw van het kolonialisme een bezoek aan Afrika bracht en voor een picknick in de wildernis een Perzisch tapijt liet uitrollen.

Toen ik de kamer binnenkwam, stond een vrouw in een strakke zwarte broek met een hoog opgesneden taille en een zwarte blouse uit het raam te kijken. Een meter vijfenzestig. Dik, glanzend blond haar dat zo licht was dat het bijna wit leek. Kort geknipt maar niet in een mannelijke coupe.

'Ik ben hier bijna drie uur voor zonsondergang,' zei ik.

Ze maakte geen sprongetje van schrik en draaide zich ook niet om. Terwijl ze naar de naderende onweersbui bleef kijken, zei ze: 'Dan ben je dus toch geen complete teleurstelling.'

In levenden lijve klonk haar stem net zo betoverend, net zo erotisch als over de telefoon.

'Odd Thomas, weet jij wie de grootste geestenbezweerder uit de historie was, die geesten kon oproepen en daar beter gebruik van wist te maken dan wie ook?'

Ik nam een gok. 'Jij?'

'Mozes,' zei ze. 'Hij kende de geheime namen van God, waarmee hij de farao kon overwinnen en de zee kon klieven.'

'Mozes, de geestenbezweerder. Je moet wel op een heel rare zondagsschool gezeten hebben.'

'Rode kaarsen in rode glazen,' zei ze.

'Je kampeert wel met stijl,' erkende ik.

'Wat brengen die... rode kaarsen in rode glazen?'

'Licht?' zei ik.

'Victorie,' corrigeerde ze. 'En gele kaarsen in gele glazen... wat brengen die?'

'Dan moet het dit keer het juiste antwoord zijn. Licht?'

'Geld.'

Door met haar rug naar me toe te blijven staan probeerde ze me met raadselachtigheid en pure wilskracht naar het raam te lokken. Maar ik was vastbesloten dat spelletje niet mee te spelen en zei: 'Victorie en geld. Dus dat is mijn probleem. Ik heb altijd witte kaarsen.'

'Witte kaarsen in heldere glazen brengen rust en vrede,' zei ze. 'Die gebruik ik nooit.'

Hoewel ik niet van plan was om haar haar zin te geven en naast haar voor het raam te gaan staan, liep ik wel naar de tafel die tussen ons in stond. Afgezien van de kaarsen lagen er nog een paar dingen op, onder andere iets dat op een afstandsbediening leek.

'Ik slaap altijd met zout tussen mijn matras en mijn laken,' zei ze. 'En boven mijn bed hangt een toefje vijfvingerkruid.'

'Ik slaap tegenwoordig nauwelijks,' zei ik, 'maar ik heb gehoord dat dat normaal is als je ouder wordt.'

Eindelijk draaide ze zich om en keek me aan.

Adembenemend. Volgens een middeleeuws volksgeloof is een succubus een demon in de vorm van een bijzonder aantrekkelijke jonge vrouw die geslachtsgemeenschap heeft met mannen om ze van hun ziel te beroven. Datura's gezicht en lichaam waren bij uitstek geschikt voor de doeleinden van een dergelijke demon. Haar houding en gedrag pasten bij een vrouw die erop rekende dat haar uiterlijk iedereen zou boeien. Ik kon haar bewonderen zoals ik een perfect geproportioneerd bronzen standbeeld van een willekeurig wezen zou bewonderen, of het nu een vrouw, een wolf of een rennend paard is, maar dan wel een standbeeld dat niet in staat is om passie op te roepen en het hart te beroeren. Bij beeldhouwkunst is dat precies wat het verschil maakt tussen ambacht en kunst. In een vrouw is het gewoon het verschil tussen simpele erotische aantrekkingskracht en schoonheid die een man kan betoveren en hem nederig maakt. Schoonheid die je hart raakt is vaak niet volmaakt, roept gedachten aan gratie en vriendelijkheid op en wekt eerder tederheid op dan lust. Haar strakke blauwe ogen waren zo direct en intens dat er eigenlijk de belofte van extase en volmaakte bevrediging van uit zou moeten gaan, maar de blik was veel te scherp om opwindend te zijn. In plaats van de figuurlijke pijl door het hart was het eerder een vlijmscherp mes dat de hardheid van het aan stukken te snijden materiaal testte.

'Die kaarsen ruiken lekker,' zei ik om te bewijzen dat ik geen droge mond had en ook niet zo verstijfd dat ik geen woord meer uit kon brengen.

'Ze zijn Cleo-May.'

'Wie is dat?'

'Weet je echt zo weinig van dit soort dingen af, Odd Thomas, of ben je veel meer dan de simpele ziel die je pretendeert te zijn?'

'Ik weet er echt niets van af,' verzekerde ik haar. 'En dat geldt niet alleen voor vijfvingerkruid of Cleo-May. Er zijn nog veel meer dingen waar ik totaal niets van afweet, hele onderdelen van de kennis die de mens zich heeft verworven. Daar ben ik niet trots op, maar het is wel waar.'

Ze had een glas rode wijn in haar hand. Terwijl ze het aan haar volle lippen zette en langzaam een slok nam die ze over haar tong liet rollen voor ze hem doorslikte, bleef ze me over de tafel strak aankijken.

'De kaarsen zijn op geur gebracht met Cleo-May,' zei ze. 'De geur van Cleo-May dwingt mannen om haar die de kaarsen heeft aangestoken lief te hebben en te gehoorzamen.' Ze wees naar een fles wijn en een extra glas op de tafel. 'Wil je ook iets te drinken?'

'Dat is heel gastvrij van je. Maar ik denk dat ik beter helder van geest kan blijven.'

Als de glimlach van de *Mona Lisa* op die van Datura had geleken, zou niemand ooit van dat schilderij gehoord hebben. 'Ja, dat lijkt me heel verstandig.'

'Is dat de afstandsbediening waarmee je die explosieven tot ontploffing kunt brengen?'

Alleen haar verstarde glimlach verraadde hoe verrast ze was. 'Was het een leuk weerzien tussen jou en Danny?'

'Er zitten twee knoppen op die afstandsbediening.'

'De zwarte is om de boel op te blazen. De witte om de bom te ontmantelen.'

Het apparaat lag dichter bij haar dan bij mij. Als ik nu naar de tafel toe stoof, zou zij de afstandsbediening het eerst te pakken hebben.

Ik ben niet het soort man dat vrouwen slaat. Maar in haar geval was ik bereid een uitzondering te maken. Ik hield me alleen in uit vrees dat ik nog voordat ik kon uithalen een mes in mijn buik zou krijgen. En ik was ook bang dat ze uit pure recalcitrantie de zwarte knop in zou drukken.

'Heeft Danny je veel over mij verteld?' vroeg ze.

Ik besloot om in te spelen op haar ijdelheid en zei: 'Hoe komt een vrouw die zoveel in haar voordeel heeft ertoe om telefoonseks te gaan verkopen?'

'Ik heb een paar pornofilms gemaakt,' zei ze. 'Dat verdient goed. Maar bij die zwendel gaan vrouwen niet lang mee. Dus toen ik een vent ontmoette die een internetpornozaak had en een telefoonseksorganisatie waarmee je echt geld als water kon verdienen ben ik met hem getrouwd. Daarna ging hij dood. En de zaak is nu van mij.'

'Je bent met hem getrouwd, hij ging dood en jij was rijk.'

'Dat soort dingen overkomt me gewoon. Dat is altijd al zo geweest.'

'Je bent eigenares van de zaak, maar je neemt nog steeds telefoontjes aan?'

Dit keer leek haar glimlach meer gemeend. 'Het zijn zulke zielige jochies. Het is gewoon lollig om ze met een paar woordjes helemaal binnenstebuiten te keren. Ze beseffen niet eens dat ze volslagen vernederd worden. Je zet ze voor schut en daar betalen ze ook nog eens voor.'

Achter haar had de onweersbui nog steeds zijn tanden niet laten zien en fladderde als glanzende sluiers die door lichtgevende vleugels werden afgeworpen. Maar de donderslag die erop volgde, was een felle zweepslag die nog een tijdje doorrommelde, geen engelenstemmen maar de stem van een beest.

'Iemand heeft kennelijk een rattenslang gedood,' zei ze, 'en in een boom gehangen.'

Gezien de onbegrijpelijke taal die ze al had uitgeslagen, vond ik dat ik mezelf redelijk staande had gehouden in ons gesprek, maar nu stond ik met mijn mond vol tanden. 'Rattenslang? In een boom?'

Ze wees naar de donker wordende hemel. 'Het ophangen van een dode rattenslang is toch een geheid middel om regen te maken?'

'Dat zou best kunnen. Ik heb geen flauw idee. Dat is volkomen nieuw voor me.'

'Leugenaar.' Ze nam een slokje wijn. 'Maar goed, ik heb dus al een paar jaar geld. Dat geeft me de vrijheid om me op spirituele zaken te concentreren.'

'Ik wil je niet beledigen, maar ik kan me nauwelijks voorstellen dat jij meedoet aan bidstondes.'

'Psychisch magnetisme is iets nieuws voor me.'

Ik haalde mijn schouders op. 'Het is gewoon een dure uitdrukking voor intuïtie.'

'Het is veel meer dan dat. Danny heeft me er alles over verteld. En je hebt er een overtuigende demonstratie van gegeven. Je kunt geesten oproepen.'

'Nee. Ik niet. Daarvoor moet je bij Mozes zijn.'

'Je ziet geesten.'

Ik besloot dat ik er niets mee op zou schieten als ik me van de domme hield. Dan zou ze alleen maar kwaad worden. 'Ik roep ze niet op. Ze komen naar mij toe. En ik wou dat ze dat niet deden.'

'Op deze plek moeten ook geesten zitten.'

'Ja, dat klopt,' gaf ik toe.

'Ik wil ze zien.'

'Dat gaat niet.'

'Dan vermoord ik Danny.'

'Ik kan ze echt niet oproepen, dat zweer ik.'

'Ik wil ze zien,' vervolgde ze met een nog killere stem.

'Ik ben geen medium.'

'Leugenaar.'

'Ze wikkelen zich niet in ectoplasma om ook zichtbaar te worden voor andere mensen. Alleen ik kan ze zien.'

'Omdat jij zo bijzonder bent, zeker?'

'Helaas wel.'

'Ik wil met ze praten.'

'De doden praten niet.'

Ze pakte de afstandsbediening op. 'Ik breng die kleine klootzak om zeep. Echt waar.'

Ik wist dat ik een risico nam, maar ik zei: 'Ja, dat geloof ik onmiddellijk. Of ik nu doe wat je wilt of niet. Je zult niet willen riskeren dat je voor de moord op dr. Jessup de gevangenis indraait.'

Ze legde de afstandsbediening weer neer en leunde tegen de vensterbank, poserend met haar heup iets schuin en haar borsten vooruit. 'Denk je dat ik ook van plan ben om jou te doden?'

'Natuurlijk.'

'Waarom ben je dan hier?'

'Om tijd te rekken.'

'Ik heb je gewaarschuwd dat je alleen moest komen.'

'De cavalerie is echt niet onderweg,' verzekerde ik haar.

'Maar… waarom wil je dan tijd rekken?'

'Omdat het lot misschien een onverwachte wending neemt. Omdat ik misschien een kans krijg die ik aan kan grijpen.'

Ze had net zoveel gevoel voor humor als een brok beton, maar dit vond ze grappig. 'Dacht je echt dat ik wel eens een steekje laat vallen?'

'Het was niet bepaald slim om dr. Jessup te vermoorden.'

'Doe niet zo stom. De jongens willen ook hun lolletje hebben,' zei ze, alsof de moord op de radioloog een onvermijdelijk aspect had dat ik zou moeten begrijpen. 'Dat hoort bij de afspraak.'

Alsof het zo moest zijn, kwamen de 'jongens' precies op dat moment binnen. Toen ik ze hoorde aankomen, draaide ik me om.

De eerste zag eruit als een in een laboratorium in elkaar gezette hybride, half mens half machine en kennelijk gedeeltelijk afkomstig van een locomotief. Groot en massief, zo'n gespierd type dat alleen maar sloom lijkt, maar dat je waarschijnlijk sneller in zou halen dan een op hol geslagen trein.

Een grof en wreed gezicht. Net zo'n strakke blik als Datura, maar niet zo gemakkelijk te doorgronden. Zijn ogen waren niet alleen behoedzaam, maar ook raadselachtiger dan ik ooit had gezien. Ik had het rare gevoel dat achter die ogen een brein school met een landschap dat zo anders was dan dat van het normale menselijke brein, dat het net zo gemakkelijk had kunnen toebehoren aan een wezen van een andere planeet.

Gezien zijn lichaamskracht leek het geweer eigenlijk overbodig. Hij liep ermee naar het raam en hield het met twee handen vast terwijl hij naar de woestijn staarde.

De tweede man was vlezig, maar niet zo overdreven gespierd als de eerste. Hoewel hij nog jong was, zag hij er losbandig uit, met de pafferige ogen en de rood dooraderde wangen van een herrieschopper die niets liever deed dan zuipen en knokken. Ongetwijfeld was hij in beide dingen even goed.

Hij keek me aan, maar niet zo brutaal als de menselijke locomotief had gedaan. Hij wendde zijn blik af alsof hij een beetje zenuwachtig van me werd, hoewel dat onwaarschijnlijk leek. Hij zou nog geen spier vertrekken als een woeste stier in volle vaart op hem af kwam. Hoewel hij voor zover ik kon zien niet gewapend was, zou hij best een pistool in een holster onder zijn lichtgewicht zomercolbertje kunnen hebben.

Hij trok een stoel achteruit, ging aan de tafel zitten en schonk een beetje van de wijn die ik had afgeslagen in een glas.

Beide mannen waren net als de vrouw in het zwart gekleed. Ik vermoedde dat hun kledij niet toevallig overeenstemde, maar dat Datura van zwart hield en ze zich kleedden zoals zij wenste.

Ze moesten de trappenhuizen bewaakt hebben. Ze had ze niet per telefoon opgeroepen of een sms-je gestuurd, maar toch hadden ze op de een of andere manier geweten dat ik langs hen heen was geglipt en bij haar was.

'Dit,' zei ze, wijzend naar de bruut bij het raam, 'is Cheval Andre.'

Hij keek me niet aan. Hij zei niet *aangenaam*.

Terwijl de herrieschopper een derde van zijn glas wijn in één teug achteroversloeg, zei Datura: 'Dit is Cheval Robert.'

Robert wierp een boze blik op de kaarsen die op tafel stonden.

'Andre en Robert Cheval,' zei ik. 'Broers?'

'Je weet best dat Cheval hun achternaam niet is,' zei ze. '"Cheval" betekent "paard", zoals je heel goed weet.'

'Paard Andre en Paard Robert,' zei ik. 'Dame, ik moet toch echt bekennen dat dit, ondanks het vreemde leven dat ik leid, toch een beetje al te raar voor me wordt.'

'Als jij me geesten laat zien en al die andere dingen die ik wil zien, bedenk ik me misschien en laat je niet door hen doden. Zou je niet graag mijn Cheval Odd willen zijn?'

'Goh, ik neem aan dat veel jonge kerels dat voorstel met beide handen zouden aangrijpen, maar ik weet niet wat ik als paard zou moeten doen, wat het schuift en of een ziektekostenverzekering inbegrepen is...'

'Je weet heel goed dat het de taak van Andre en Robert is om mij te gehoorzamen en alles te doen wat ik zeg. Bij wijze van beloning geef ik ze wat ze nodig hebben, wanneer ze het nodig hebben. En af en toe, zoals bij dr. Jessup, geef ik ze wat ze graag wíllen hebben.'

De twee mannen wierpen haar een hongerige blik toe, die maar voor een deel uit lust scheen te bestaan. Ik voelde instinctief dat ze nog een andere behoefte hadden die niets met seks van doen had, een behoefte die zij alleen kon bevredigen, een behoefte zo grotesk dat ik hoopte dat ik nooit zou weten wat die precies behelsde.

Ze glimlachte. 'Die jongens hebben zoveel nodig.'

Een getande bliksemschicht waarop een draak trots zou zijn geweest flitste dwars door de zwarte wolken, scherp en fel, meteen gevolgd door een tweede. Een knetterende donderslag. De lucht kwam in beroering en schudde een miljoen zilveren schilfertjes regen af en vervolgens nog miljoenen meer.

32

De stortbui leek al het licht dat nog door de donkere wolken wist te dringen uit de lucht te spoelen en de middag werd somber en triest, alsof de regen niet alleen een weersverschijnsel was, maar ook een moreel oordeel over het land. En nu het buiten donkerder werd, leken de kaarsen meer licht te geven. Rode en oranje schimmen kropen over de muren en schudden hun manen op het plafond.

Cheval Andre zette zijn geweer op de grond en bleef met zijn gezicht naar het onweer staan, met zijn beide grote handen plat tegen de ruit alsof hij kracht putte uit het slechte weer.

Cheval Robert bleef aan de tafel zitten en staarde naar de kaarsen. Over zijn gezicht speelde een voortdurend veranderende tatoeage van victorie en geld.

Toen Datura nog een stoel bij de tafel achteruittrok en zei dat ik moest gaan zitten, vond ik het niet nodig om tegen te stribbelen. Ik had al gezegd dat het mijn bedoeling was om tijd te rekken en te wachten tot het noodlot mij gunstig gestemd was. Alsof ik al een van haar brave paarden was, ging ik gehoorzaam zitten.

Ze drentelde door de kamer, dronk wijn, bleef keer op keer staan om aan de rozen te ruiken en rekte zich regelmatig uit als een kat, vol en lenig en zich heel wel bewust van haar uiterlijk. Maar of ze nu bewoog of stilstond, met het hoofd achterover en starend naar de stralenkransen van kaarslicht op het plafond, ze bleef me op honende toon tarten.

'Er is een vrouw in San Francisco die opstijgt als ze reciteert. Alleen streng geselecteerde personen worden uitgenodigd om haar tijdens de zonnewende of op Allerheiligen te zien. Maar ik weet zeker dat je daar al bent geweest en weet wie ik bedoel.'

'Ik heb haar nooit ontmoet,' verzekerde ik haar.

'Er is een schitterend huis in Savannah, dat door een bijzondere jonge vrouw is geërfd van haar oom, die haar ook een dagboek naliet waarin hij beschreef hoe hij negentien kinderen had vermoord en in zijn kelder had begraven. Hij wist dat zij het zou begrijpen en de politie niet op de hoogte zou stellen van zijn misdaden, ook al was hij dood. Maar daar ben je ongetwijfeld meer dan eens op bezoek geweest.'

'Ik ga nooit op reis,' zei ik.

'Ik ben al diverse keren uitgenodigd. Als de planeten in de juiste stand staan en de gasten zijn van het goede kaliber, dan kun je de stemmen van de doden horen uit hun graven in de muren en de vloer. Eenzame kinderen die smeken om te blijven leven, alsof ze niet weten dat ze dood zijn, en huilen om bevrijd te worden. Dat is een meeslepende gewaarwording, zoals jij ook wel weet.'

Andre bleef staan en Robert bleef zitten, de eerste met de blik op het onweer en de tweede met de blik op de kaarsen, wellicht gebiologeerd door de unieke stem van Datura. Ze hadden geen van beiden een woord gezegd. Een ongebruikelijk zwijgzaam stel mannen, dat griezelig genoeg ook geen vin verroerde.

Ze kwam naar mijn stoel toe, boog zich voorover en trok een hanger tussen haar weelderige borsten uit, een steen in de vorm van een druppel. Hij was rood en zou best een robijn kunnen zijn, ter grootte van een perzikpit.

'Hier heb ik er dertig in gevangen,' zei ze.

'Daar had je het via de telefoon al over. Dertig... dertig weet ik veel in een amulet.'

'Je weet best wat ik heb gezegd. Dertig *ti bon anges.*'

'Ik neem aan dat het je een hele tijd heeft gekost om er dertig bij elkaar te krijgen.'

'Je kunt ze zien zitten,' zei ze, terwijl ze de steen vlak voor mijn ogen hield. 'Andere mensen niet, maar jij wel, dat weet ik zeker.'

'Het zijn snoezige dingetjes,' zei ik.

'Dat vertoon van onwetendheid zou voor de meeste mensen heel overtuigend zijn, maar mij hou je niet voor de gek. Met dertig ben ik onoverwinnelijk.'

'Ja, dat heb je me al verteld. Dat moet een heel geruststellend gevoel zijn.'

'Ik heb nog één ti bon ange nodig en dat moet een heel speciale zijn. Die van jou.'

'Ik voel me vereerd.'

'Zoals je weet, zijn er twee manieren waarop ik me die kan toe-eigenen,' zei ze, terwijl ze de steen weer tussen haar borsten propte. Ze schonk opnieuw een glas wijn in. 'Ik kan hem je afnemen via een waterritueel. Dat is de pijnloze manier.'

'Ik ben blij dat te horen.'

'Of Andre en Robert kunnen je dwingen de steen door te slikken. Dan kan ik je als een vis opensnijden en hem uit je warme maag plukken terwijl je ligt te sterven.'

Als haar beide paarden hadden gehoord wat ze van plan was, keken ze daar niet van op. Ze bleven roerloos zitten, als een stel opgekrulde slangen die elk moment toe konden slaan.

Terwijl ze het glas wijn oppakte en naar de rozen liep, zei ze: 'Als je me geesten laat zien, zal ik je je ti bon ange op de pijnloze manier afnemen. Maar als je je van de domme blijft houden, dan zal dit een bijzonder nare dag voor je worden. Dan zul je met een mate van ellende worden geconfronteerd die slechts weinig mensen ooit ervaren.'

33

De wereld is stapelgek geworden. Die opvatting had je misschien twintig jaar geleden aan kunnen vechten, maar als je dat in onze tijd doet, bewijs je alleen maar dat jij ook in een waan leeft.

In een waanzinswereld komen figuren als Datura bovendrijven, de crème de la crème van de krankzinnigen. Ze danken hun opkomst niet aan hun verdiensten, maar aan hun wilskracht.

Als maatschappelijke groeperingen aandringen op het afwijzen van een eeuwenoude waarheid, dan zullen degenen die zich daarbij aansluiten betekenis gaan hechten aan hun eigen waarheden. Alleen hebben die zelden iets met waarheid van doen, het is meestal alleen een verzameling persoonlijke voorkeuren en vooroordelen. Hoe minder diepgang een dergelijk geloofsstelsel heeft, des te hartstochtelijker wordt het door de aanhangers ervan beleden. De hardste schreeuwers en de grootste fanatici zijn degenen met een in elkaar geflanst geloof dat gefundeerd is op de twijfelachtigste gronden.

Volgens mijn bescheiden mening was het in beslag nemen van iemands ti bon ange – wat dat ook mocht wezen – door hem te dwingen een edelsteen in te slikken, om hem vervolgens van zijn ingewanden te ontdoen en de steen weer uit zijn maag te halen het bewijs dat je een fanatiekeling bent, geestelijk labiel, niet langer handelt volgens de klassieke westerse filosofie en ongeschikt voor deelname aan de Miss America-verkiezingen.

Natuurlijk was het mijn maag die bedreigd werd door de sexy fileerster, dus je zou kunnen stellen dat die analyse van mij enigszins bevooroordeeld is. Het is altijd gemakkelijk om iemand van vooroordelen te beschuldigen als het de ander is die onder het fileermes komt.

Datura had haar waarheid gevonden in een potpourri van occultisme. Met haar schoonheid, haar enorme heerszuchtigheid en haar meedogenloosheid trok ze anderen aan, zoals Andre en Robert, die geloof hechtten aan haar rare, magische denkbeelden, maar in de eerste plaats in Datura zelf geloofden.

Terwijl ik toekeek hoe de vrouw rusteloos door de kamer drentelde, vroeg ik me af hoeveel van haar werknemers – bij de internet-pornoshop en bij het telefoonseksbedrijf – langzaam maar zeker plaats hadden moeten maken voor ware gelovigen. Andere werknemers, zonder geloof, waren misschien bekeerd.

En ik vroeg me ook af hoeveel mannen ze kon optrommelen die, net als deze twee, bereid waren om in haar naam te moorden. Ik vermoedde dat ze, hoe vreemd ook, niet de enigen waren.

Hoe zouden de vrouwelijke equivalenten van Andre en Robert zijn? Geen meiden bij wie je je kinderen zou willen achterlaten als ze aan het hoofd stonden van een crèche.

Als ik de kans zou krijgen om te ontsnappen, het pakje met explosieven onschadelijk te maken, Danny uit dit gebouw weg te halen en de politie op het spoor van Datura te zetten, zou ik gehaat worden door de fanatici die haar aanbaden. Als het maar om een klein kringetje ging, zou dat waarschijnlijk snel uiteenvallen. Die zouden wel weer een ander geloof vinden of terugvallen op hun natuurlijke nihilisme en al snel hun interesse voor mij verliezen.

Maar als de bedrijven waarmee ze geld als water verdiende de dekmantel waren van een sekte, dan zou het niet voldoende zijn als ik alleen maar naar een ander appartement verhuisde en mijn naam in Odd Smith veranderde.

Alsof ze bezield werd door de bliksemschichten die langs de hemel flitsten, rukte Datura een handvol langstelige rode rozen uit een van de vazen en gebruikte die om haar woorden te onderstrepen door ze door de lucht te zwiepen terwijl ze over haar bovennatuurlijke ervaringen praatte.

'In Parijs, in de *sous-sol* van een gebouw dat na de capitulatie van Frankrijk door de Duitse bezetters als hoofdbureau van politie werd gebruikt heeft een officier van de Gestapo, een zekere Gessel, een groot aantal jonge vrouwen verkracht als hij ze verhoorde. Hij heeft ze ook gegeseld en een paar van hen voor zijn plezier vermoord.'

Bloedrode bloemblaadjes vlogen in het rond toen ze de wreedheid van Gessel benadrukte.

'Een van zijn wanhopigste slachtoffers vocht terug. Ze beet hem in zijn hals en scheurde zijn halsslagader open. Gessel stierf daar in zijn eigen abattoir, waar hij tot op de dag van vandaag rondspookt.'

Een complete verfomfaaide bloem brak van de stengel en landde op mijn schoot. Geschrokken veegde ik hem op de vloer alsof het een tarantula was.

'Op uitnodiging van de huidige eigenaar van dat gebouw,' zei Datura, 'heb ik een bezoek gebracht aan dat *sous-sol*, wat eigenlijk een gewone kelder is, twee verdiepingen onder straatniveau. Als een vrouw zich daar uitkleedt en zichzelf aanbiedt... Ik kon Gessels handen over mijn hele lichaam voelen – gretig, brutaal, dwingend. Hij drong bij me binnen. Maar ik kon hem niet zien. Terwijl ik de belofte had gekregen dat ik hem zou zien, een levensgrote geestverschijning.'

In een plotselinge opwelling van woede smeet ze de rozen op de grond en verpletterde een van de bloemen onder haar hak.

'Ik wilde Gessel zíén. Ik kon hem voelen. Krachtig. Veeleisend. Zijn niet aflatende woede. Maar ik kon hem niet zíén. Dat laatste en beste bewijs, het zien, wordt me onthouden.'

Snel ademend en met een blos op haar gezicht, niet omdat de heftige gebaren te inspannend waren, maar omdat ze opgewonden was van kwaadheid, liep ze naar Robert toe, die tegenover mij aan de tafel zat, en stak hem haar rechterhand toe.

Hij bracht haar handpalm naar zijn mond. Heel even dacht ik dat hij haar hand kuste, een vreemd, zachtaardig moment voor zo'n stel barbaren. Maar het zachte zuigende geluid dat hij produceerde, was in tegenspraak met zijn tedere gedrag.

Bij het raam draaide Andre de onweersbui die hem tot dan toe had gebiologeerd de rug toe. Het flakkerende kaarslicht speelde over zijn gezicht, maar deed niets om de harde trekken te verzachten. Als een berg die in beweging kwam, liep hij naar de tafel toe en bleef naast Roberts stoel staan.

Toen Datura de drie langstelige rozen zo stijf had vastgepakt, hadden de doorns zich in haar handpalm geboord. Ze had geen spoor van pijn getoond toen ze met de bloemen stond te zwaaien, maar nu bloedde ze.

Robert zou zich aan haar wonden verlustigd hebben tot de bloedsmaak was verdwenen. Een gekreun van intens genoegen ontsnapte hem.

Het was weliswaar een verontrustend voorval, maar toch betwijfelde ik of dit de 'behoefte' was waarover ze het had gehad. Dat zou wel iets veel ergers zijn.

Met een uitdrukking van pervers noblesse oblige op haar gezicht ontnam de godin Robert verder genot en bood Andre zijn communie aan.

Ik probeerde mijn aandacht op het raam en het schouwspel van het onweer te concentreren, maar ik kon mijn ogen niet afwenden van het bloedstollende tafereel aan de andere kant van de tafel.

De reus bracht zijn mond naar haar holle hand. Hij stond te likken als een jong poesje, vast niet omdat hij zijn honger wilde stillen, maar omdat hij hunkerde naar iets anders dan bloed, iets onbekends, iets zondigs. En terwijl Cheval Andre de gunsten van zijn meesteres ontving, keek Cheval Robert gespannen toe, met een van verlangen vertrokken gezicht.

Vanaf het moment dat ik kamer 1203 was binnengekomen, was de geur van Cleo-May zo zoet geworden dat het me tegen begon te staan. Nu werd het zo erg dat ik er misselijk van werd. Terwijl ik vocht tegen de neiging om over te geven, drong zich een idee aan me op dat niet letterlijk genomen moet worden. Maar al was het een metafoor, het was er niet minder verontrustend om.

Tijdens dit ritueel van bloedsoverdracht leek Datura niet langer een vrouw, maar een lid van een of ander tweeslachtig ras dat de kenmerken van beide geslachten in zich draagt. Ze had iets insectachtigs gekregen. Ik verwachtte dat als ze tegen het licht van de bliksem afgetekend zou staan haar lichaam op mij de indruk zou maken van een nageaapte menselijke gestalte waarin zich een trillend, veelpotig wezen had verstopt.

Toen ze haar hand terugtrok, liet Andre hem met tegenzin los. Maar toen ze hem de rug toekeerde, liep hij gehoorzaam terug naar het raam, zette zijn beide handen weer plat tegen de ruit en staarde naar het onweer. Robert concentreerde zich weer op de kaarsen. Op zijn gezicht stond niets te lezen, maar in zijn ogen schitterden de weerspiegelde vlammen.

Datura richtte haar aandacht op mij. Heel even stond ze me aan te kijken alsof ze niet meer wist wie ik was. Toen glimlachte ze, pakte haar wijnglas op en kwam naar me toe.

Als het tot me was doorgedrongen dat ze van plan was op mijn schoot te gaan zitten, was ik meteen uit mijn stoel opgesprongen toen ze om de tafel liep. Maar tegen de tijd dat haar bedoelingen duidelijk werden, had ze zich al geïnstalleerd.

Haar warme adem die over mijn gezicht vlinderde, rook naar wijn.

'Heb je al een kans gezien die je kon aangrijpen?'

'Nog niet.'

'Ik wil dat je met me mee drinkt,' zei ze en hield het wijnglas tegen mijn lippen.

34

Ze had de wijn in de hand waarmee ze zich aan de doorns had geprikt, de hand waaraan beide mannen hadden gezogen. Ik werd weer misselijk en trok mijn hoofd terug zodat ik de koele rand van het glas niet meer tegen mijn lippen voelde.

'Drink met me mee,' zei ze nog eens en haar rokerige stem klonk zelfs onder deze omstandigheden nog verleidelijk.

'Ik wil niets drinken,' zei ik tegen haar.

'Dat wil je wel, schattebout. Je weet alleen niet dat je het wilt. Je begrijpt jezelf nog niet.'

Ze drukte het glas opnieuw tegen mijn lippen en ik wendde mijn hoofd af.

'Arme Odd Thomas,' zei ze. 'Wat ben je toch bang om gecorrumpeerd te worden. Vind je mij een smerig wezen?'

Als ik haar al te openlijk beledigde, zou dat misschien slecht zijn voor Danny. Nu ze me hierheen had gelokt, had hij eigenlijk geen nut meer voor haar. Ze kon me voor iedere belediging straffen door de zwarte knop op de afstandsbediening in te drukken.

'Ik word gewoon heel snel verkouden,' zei ik lamlendig.

'Maar ik ben niet verkouden.'

'Dat weet je nooit. Je kunt best ongemerkt iets onder de leden hebben.'

'Ik gebruik zonnehoedsiroop. Dat zou jij ook moeten doen. Dan word je nooit meer verkouden.'

'Ik geloof niet in homeopathische middeltjes,' zei ik.

Ze liet haar linkerarm om mijn nek glijden. 'Je bent gehersenspoeld door de farmaceutische industrie, schattebout.'

'Ja, waarschijnlijk wel.'

'Grote farmaceutische bedrijven, oliemaatschappijen, tabaksproducenten, mediaconcerns... Ze hebben zich aan iedereen op-gedrongen en vergiftigen ons. Je hebt geen door mensenhanden vervaardigde medicijnen nodig. De natuur heeft voor alles een geneesmiddel.'

'*Brugmansia* is bijzonder effectief,' zei ik. 'Ik zou nu wel een *Brugmansia*-blaadje kunnen gebruiken. Of een bloem. Of een van de wortels.'

'Die plant ken ik niet.'

Onder het bouquet van cabernet sauvignon rook haar adem nog naar iets anders, een scherpe geur die bijna bitter aandeed en die ik niet thuis kon brengen. Ik herinnerde me ineens dat ik ergens gelezen had dat het zweet en de adem van erkende psychopaten een subtiele maar duidelijk te onderscheiden chemische geur hebben vanwege bepaalde lichamelijke omstandig-heden waarmee hun geestelijke afwijking gepaard ging. Mis-schien rook haar adem naar krankzinnigheid.

'Een lepeltje witte mosterdzaadjes,' zei ze, 'beschermt je te-gen alle problemen.'

'Ik wou dat ik nu een lepel vol had.'

'En als je de wortels van de *Bryophyllum* eet, word je rijk.'

'Dat klinkt beter dan hard werken.'

Ze drukte opnieuw het glas tegen mijn lippen en toen ik pro-beerde mijn hoofd terug te trekken, hield ze dat tegen met de arm die ze om mijn nek had gelegd. Maar toen ik mijn hoofd opzij draaide, trok ze het glas terug en verraste me door te gie-chelen. 'Ik weet dat je een *mundunugu* bent, maar je geeft echt een schitterende imitatie van een grijze muis.'

Een plotselinge windvlaag liet de regen tegen de ruiten strie-men.

Ze schurkte met haar billen tegen mijn schoot, lachte en gaf me een kus op mijn voorhoofd.

'Het is dom geen homeopathische middelen te gebruiken, Odd Thomas. Je eet toch geen vlees, hè?'

'Ik ben snelbuffetkok.'

'Ja, ik weet wel dat je het klaarmaakt,' zei ze, 'maar vertel me alsjeblieft dat je het niet eet.'

'Ik eet zelfs cheeseburgers met spek.'

'Dat is echt zo ontzéttend slecht voor je.'

'En patat,' voegde ik eraan toe.

'Pure zelfmoord.'

Ze nam een slok wijn uit het glas en spuugde het in mijn gezicht. 'Wat ben je nu opgeschoten met dat tegenstribbelen, schattebout? Datura krijgt altijd haar zin. Ik kan je breken.'

Als mijn moeder dat niet kon, dan jij zeker niet, dacht ik bij mezelf, terwijl ik mijn gezicht met mijn linkerhand schoonveegde.

'Andre en Robert kunnen je vasthouden,' zei ze, 'terwijl ik je neus dichtknijp. Als je je mond dan opendoet om adem te halen, giet ik de wijn in je keel. Dan sla ik het glas tegen je tanden kapot en mag je op de scherven kauwen. Vind je dat een beter idee?'

Voordat ze het wijnglas opnieuw tegen mijn lippen drukte, zei ik: 'Wou jij de doden zien?'

Ongetwijfeld zouden sommige mannen een opwindende blauwe vlam in haar ogen zien oplaaien, maar die zagen abusievelijk vraatzucht aan voor passie. Ze had de blik van een koele, hongerige krokodil.

Ze keek me onderzoekend aan en zei: 'Je hebt tegen me gezegd dat jij de enige was die hen kon zien.'

'Ik ben zuinig op mijn geheimen.'

'Dus je kunt ze toch wel oproepen.'

'Ja,' jokte ik.

'Ik wist dat je dat kon. Ik wist het.'

'De doden zijn hier, precies zoals je dacht.'

Ze keek om zich heen. Het glanzende kaarslicht deed de schaduwen huiveren.

'Niet in deze kamer,' zei ik.

'Waar dan?'

'Beneden. Ik heb er eerder een heel stel gezien in het casino.'

Ze gleed van mijn schoot af. 'Roep ze dan hier maar op.'

'Ze bepalen zelf waar ze willen spoken.'

'Maar jij hebt de macht om ze op te roepen.'

'Zo werkt het niet. Er zijn wel uitzonderingen, maar meestal blijven ze rondhangen op de plek waar ze doodgingen... of waar ze bij leven het gelukkigst zijn geweest.'

Ze zette haar wijnglas op de tafel en zei: 'Wat heb je voor truc in de zin?'

'Ik heb geen zin.'

Haar ogen werden spleetjes. 'Wat bedoel je daarmee?'

Terwijl ik opstond, zei ik: 'Gessel, die agent van de Gestapo... vertoont die zich wel eens op een andere plek dan in de kelder van dat gebouw in Parijs? Ergens anders dan de plek waar hij de geest gaf?'

Daar dacht ze even over na. 'Goed dan. We gaan naar het casino.'

35

Om het verlaten hotel gemakkelijker te kunnen doorzoeken hadden ze lantaarns meegebracht die op gasflesjes werkten. Die lampen waren heel wat effectiever tegen de duisternis dan zaklantaarns.

Andre liet het geweer bij het raam in kamer 1203 op de grond achter, wat mij ervan overtuigde dat zowel hij als Robert een pistool onder hun zwarte colbert droegen.

De afstandsbediening bleef op de tafel liggen. Als mijn stunt als geestenbezweerder in het casino Datura niet beviel, zou ze in ieder geval niet in staat zijn om Danny meteen om zeep te helpen. Dan moest ze eerst terug naar deze kamer om het apparaat te halen dat de explosieven tot ontploffing kon brengen.

Toen we op het punt stonden de kamer uit te lopen, besefte ze plotseling dat ze al sinds de vorige dag geen banaan meer had gegeten. Dat was een nalatigheid waar ze zich kennelijk zorgen over maakte. Maar in de aangrenzende badkamer stonden koelboxen vol eten en drinken en ze kwam terug met een prima Chiquita.

Terwijl ze de vrucht pelde, legde ze uit dat de bananenboom – 'maar dat weet je wel, Odd Thomas' – de boom met de verboden vruchten in de Hof van Eden was.

'Ik dacht dat het om de appelboom ging.'

'Hou je maar van de domme, als je dat leuk vindt,' zei ze.

Hoewel ze dus overtuigd was dat ik het hele verhaal al kende, vertelde ze me ook dat de Slang (met een hoofdletter S) het eeuwige leven heeft omdat hij twee keer per dag de vrucht van de bananenboom eet. En iedere slang (met een kleine s) zal duizend jaar leven als hij of zij zich aan deze eenvoudige eetgewoonte houdt.

'Maar jij bent geen slang,' zei ik.

'Toen ik negentien was,' onthulde ze, 'heb ik een *wanga* gemaakt om de geest van een slang zo te betoveren dat die in mijn lichaam is gevaren. Zoals je ongetwijfeld kunt zien, zit die nu om mijn ribben gekronkeld, waar hij voor eeuwig zal blijven.'

'Nou ja, in ieder geval gedurende duizend jaar.'

Haar theologie was een soort lappendeken die deels uit voodoobegrippen bestond, maar alleen God wist wat er verder aan te pas was gekomen. In vergelijking daarbij leek het geraaskal van Jim Jones in Guyana, van David Koresh in Waco en van de leider van de kometensekte die in de buurt van San Diego en masse zelfmoord had gepleegd op de zinnige woorden van gelovige mannen.

Hoewel ik verwachtte dat Datura van het eten van de banaan een erotische voorstelling zou maken werkte ze de vrucht met een soort koppige vastberadenheid naar binnen. Ze kauwde zonder dat het haar scheen te smaken en ze trok een paar keer een vies gezicht als ze slikte. Volgens mijn schatting was ze een jaar of vijf-, zesentwintig. Misschien hield ze zich al een jaar of zeven aan die verplichting van twee bananen per dag. Aangezien ze dan inmiddels meer dan vijfduizend bananen geconsumeerd had, was het te begrijpen dat ze ze niet echt lekker meer vond, vooral als ze het rekensommetje had gemaakt met betrekking tot haar resterende verplichting. Met nog 974 jaar voor de boeg (als slang met een kleine s) zou ze in de toekomst nog ongeveer 710.000 bananen naar binnen moeten werken.

Ik vind het echt veel gemakkelijker om katholiek te zijn. Vooral als je niet iedere week naar de kerk gaat.

Datura was in veel opzichten dwaas en zelfs meelijwekkend, maar domheid en onwetendheid maakten haar niet minder gevaarlijk. In de loop der geschiedenis hebben dwazen en hun volgelingen, die zich opzettelijk onwetend voordeden en vervuld waren van eigendunk en machtswellust, miljoenen mensen vermoord.

Toen ze haar banaan ophad en de geest van de slang die om haar ribben gekronkeld zat tevreden had gesteld, waren we klaar om naar het casino te gaan.

Ik schrok van een raar gevoel in mijn lies en ik had mijn hand al in mijn zak gepropt voordat ik besefte dat het alleen Terri Stambaughs satelliettelefoon was geweest.

'Wat heb je daar?' vroeg Datura die alles had gezien.

Er restte me niets anders dan de waarheid te zeggen. 'Alleen maar mijn telefoon. Die had ik op trillen gezet en dat verraste me.'

'Trilt hij nog steeds?'

'Ja.' Ik hield het toestel in de palm van mijn hand en we bleven er even naar staren tot degene die belde de verbinding verbroken had. 'Nu niet meer.'

'Ik was je telefoon helemaal vergeten,' zei ze. 'Maar het lijkt me beter om je die af te pakken.'

Ik had geen andere keus dan haar het toestel te overhandigen. Ze liep ermee naar de badkamer en sloeg het twee keer uit volle macht tegen een hard oppervlak.

Toen ze terugkwam, glimlachte ze en zei: 'We zaten een keer in de bioscoop toen er zo'n klungel was die twee keer tijdens de film een gesprek aannam. Na afloop zijn we hem achterna gegaan en Andre heeft zijn beide benen gebroken met een honkbalknuppel.'

Dat bewees dat zelfs de slechtste mensen wel eens sociaal verantwoorde impulsen hebben.

'Laten we maar gaan,' zei ze.

Ik was kamer 1203 binnengekomen met een zaklantaarn. Bij mijn vertrek had ik die nog steeds – aan mijn riem – en niemand maakte er bezwaar tegen.

Robert ging met een gaslantaarn voor ons uit naar het dichtstbijzijnde trappenhuis en liep als eerste van onze optocht naar beneden. Andre sloot de rij met de tweede lantaarn. Tussen die twee grote, sombere mannen in liepen Datura en ik de brede trap af, niet achter elkaar, in ganzenpas, maar naast elkaar. Dat wilde ze per se.

Terwijl we de eerste trap af liepen naar de overloop op de elfde etage hoorde ik een aanhoudend, dreigend gesis. Ik had mezelf al bijna wijsgemaakt dat het de stem was van de slang die zij volgens haar in haar binnenste meedroeg, tot ik me realiseerde dat ik het geluid hoorde van het brandende gas in de kous van de lampen.

Op de tweede trap pakte ze mijn hand. Ik had het liefst mijn hand huiverend teruggetrokken, maar ik achtte haar best in staat om Andre bij wijze van straf voor die belediging opdracht te geven mijn hand bij de pols af te hakken. Maar het was niet alleen uit angst dat ik goed vond dat ze me aanraakte. Ze pakte mijn hand niet op een brutale manier, maar aarzelend en haast verlegen en daarna hield ze hem stevig vast, als een kind dat zich verheugt op een spookachtig avontuur.

Ik had er nooit geld op durven te zetten dat deze verknipte en verdorven vrouw ook maar een schim van het onschuldige kind in zich had dat ze ooit moest zijn geweest. Maar toch wekte de onderdanige manier waarop ze haar hand in de mijne stopte en de huivering die door haar heen ging bij het vooruitzicht van wat ons te wachten stond de suggestie van een kinderlijke kwetsbaarheid.

In het spookachtige licht, dat haar als een haast bovenaardse stralenkrans omringde, keek ze me aan met ogen vol verwondering. Dit was niet haar gewone Medusa-blik, de karakteristieke kille honger en berekening ontbraken. En in haar glimlach was ook geen spoor van spot of dreiging te ontdekken, alleen het natuurlijke en gezonde gevoel van opwinding dat we met ons tweetjes op het punt stonden iets heel gevaarlijks te gaan doen.

Ik prentte mezelf in dat het in dit geval gevaarlijk was om mededogen te tonen. Het zou maar al te gemakkelijk zijn om te fantaseren over de jeugdtrauma's die haar wellicht hadden veranderd in het morele monster dat ze was geworden en mezelf er vervolgens van te overtuigen dat die trauma's uit de weg konden worden geruimd – en de gevolgen ervan teruggedraaid – met een overdaad aan vriendelijkheid. Het was best mogelijk dat er helemaal geen trauma's waren geweest. Ze kon best zo geboren zijn, zonder het gen van sympathie en andere essentiële eigenschappen. In dat geval zou ze elke vorm van vriendelijkheid als zwakte interpreteren. En voor roofdieren is elk teken van zwakte het sein om aan te vallen. Trouwens, zelfs al was ze door traumatische ervaringen zo geworden, dan was dat nog geen excuus voor wat ze dr. Jessup had aangedaan.

Ik moest ineens denken aan een bioloog die, nadat hij het

menselijk ras was gaan haten en er geen enkel heil meer in zag, op pad ging om een documentaire te maken over de morele superioriteit van dieren, met name van beren. Hij zag in hen niet alleen een harmonieuze relatie met de natuur die de mensheid nooit zou bereiken, maar ook een speelsheid waartoe de mens niet in staat was, een waardigheid, een meeleven met andere dieren en zelfs een mystieke karaktertrek die hij ontroerend vond en die hem nederig maakte. Hij werd opgevreten door een beer.

Lang voordat ik mezelf net zo'n rad voor ogen had kunnen draaien als de opgepeuzelde bioloog, in feite al voordat we goed en wel drie trappen waren afgelopen, zorgde Datura er zelf voor dat ik weer met een schok met twee voeten op de grond stond, door weer een van haar charmante anekdotes te vertellen. Ze hield zoveel van haar eigen stemgeluid, dat ze niet toestond dat de goede indruk die ze met haar glimlach en haar zwijgen had gemaakt een lang leven beschoren was.

'Als je in Port-au-Prince de bescherming geniet van een gerespecteerde juju-deskundige, is het mogelijk om een ceremonie bij te wonen van een van de verboden geheime genootschappen die door de meeste voodookenners gemeden worden. In mijn geval ging het om de Couchon Gris, de "Grijze Zwijnen". Iedereen op het eiland is doodsbang voor hen en in de wat landelijker gebieden heersen ze in de nacht.'

Ik vermoedde dat de Grijze Zwijnen weinig gemeen zouden hebben met het Leger des Heils, om maar een voorbeeld te geven.

'Van tijd tot tijd brengen de Couchon Gris een mensenoffer en eten van het vlees. Bezoekers mogen alleen toekijken. Het offer wordt gebracht op een massieve zwarte steen die in twee dikke kettingen hangt die op hun beurt weer zijn vastgemaakt aan een dikke ijzeren staaf. De staaf zit ingebouwd in de muren, vlak onder het plafond.'

Haar hand verstrakte in de mijne toen ze terugdacht aan dat afschuwelijke voorval.

'Het offer wordt gedood met een mes in het hart en op datzelfde moment beginnen de kettingen te zingen. De *gros bon ange* verlaat deze wereld meteen, maar de ti bon ange kan door de restricties van de ceremonie alleen op en neer vliegen door de kettingen.'

Mijn hand werd klam.

Ik wist zeker dat ze het verschil zou voelen.

De vage, verontrustende geur die ik eerder had geroken toen ik in het trappenhuis stond te piekeren of ik naar boven zou lopen drong weer in mijn neus. Een muskusachtige lucht die deed denken aan paddenstoelen en vreemd genoeg toch naar rauw vlees rook. Net als daarvoor zag ik ineens in gedachten het gezicht van de man die ik in de afwateringstunnel uit het water had gehaald.

'Als je heel goed naar die zingende kettingen luistert,' vervolgde Datura, 'dan besef je dat het niet alleen maar het geluid is van draaiende schakels die langs elkaar schuren. Er is een stem te horen in die kettingen, een jammerklacht vol angst en wanhoop, een indringend pleidooi zonder woorden.'

Zonder woorden en indringend stak ik een pleidooi af dat ze haar mond zou houden.

'Die gekwelde stem blijft te horen zolang de Couchon Gris blijven proeven van het vlees op het altaar. Als ze daarmee stoppen, houden de kettingen onmiddellijk op met zingen omdat de ti bon ange verdwijnt en in gelijke mate opgenomen wordt door degenen die het vlees van het offer gegeten hebben.'

We waren nog maar drie trappen verwijderd van de begane grond en ik wilde er niets meer over horen. Maar toch had ik het gevoel dat als dit verhaal waar was – en daarvan was ik eigenlijk overtuigd – het slachtoffer het recht had om bij naam genoemd te worden en dat er niet aan gerefereerd mocht worden alsof hij of zij alleen maar een vetgemest kalf was.

'Wie was het?' vroeg ik met een ijle stem.

'Wie was wat?'

'Het slachtoffer. Wie was dat die nacht?'

'Een Haïtiaans meisje. Van een jaar of achttien. Helemaal niet zo mooi. Een heel gewoon kind. Iemand zei dat ze naaister was geweest.'

Mijn rechterhand werd zo slap dat ik niets meer vast kon houden en met een gevoel van opluchting liet ik Datura los.

Ze schonk me een geamuseerd glimlachje, deze vrouw die er volgens vrijwel ieders maatstaven volmaakt uitzag en die zo mooi was – ijskoningin of niet – dat iedereen haar zou nakijken. En ik dacht aan een citaat van Shakespeare: *O, wat mag de mens verhullen, die aan de buitenkant een engel gelijkt!*

Little Ozzie, mijn literaire leermeester die het zo vreselijk vindt dat ik de klassieken niet beter ken, zou er trots op zijn geweest dat me een regel van de onsterflijke bard te binnen was geschoten, een compleet citaat nog wel en bovendien toepasselijk. Hij zou me overigens ook een preek hebben gegeven over mijn domme en hardnekkige aversie tegen vuurwapens, gezien het feit dat ik het gezelschap had gekozen van mensen die bij wijze van vakantiepret liever naar een mensenoffer gingen kijken dan naar een toneelstuk op Broadway.

Terwijl we de laatste trap af liepen, zei Datura: 'Het was een fascinerende ervaring. De stem in die kettingen klonk net als de stem van dat naaistertje toen ze nog niet dood op die zwarte steen lag.'

'Had ze ook een naam?'

'Wie?'

'Dat naaistertje.'

'Hoezo?'

'Had ze een naam?' vroeg ik nog een keer.

'Vast wel. Een van die rare Haïtiaanse namen. Ik heb hem nooit gehoord. Het punt is dat haar ti bon ange in geen enkel opzicht materialiseerde. Ik wil het zíén. Maar er was niets te zien. In dat opzicht was het echt teleurstellend. Ik wil het zíén.'

Iedere keer als ze 'ik wil het zíén' zei, klonk ze als een pruilend kind.

'Jij zult me toch niet teleurstellen, hè Odd Thomas?'

'Nee.'

We arriveerden op de begane grond en Robert bleef voor ons uit lopen, waarbij hij zijn lantaarn hoger hield dan hij op de trap had gedaan. Onderweg naar het casino bleef ik goed opletten waar precies rommel lag en hoe de uitgebrande vertrekken waren ingedeeld waarbij ik mijn best deed om alles in mijn hoofd te prenten.

36

In het vensterloze casino zat de gezellig uitziende man die aan
de voorkant al wat kaal begon te worden nog steeds aan een van
de twee overgebleven blackjack-tafels, waar ik hem eerder ook
al had gezien en waar hij vijf jaar lang had zitten wachten tot
hij nieuwe kaarten zou krijgen.

Hij glimlachte en knikte me toe, maar fronste toen hij naar
Datura en haar jongens keek.

Op mijn verzoek zetten Andre en Robert de gaslantaarns op
de vloer, ongeveer zes meter uit elkaar. Op mijn verzoek werden ze nog een paar keer verplaatst – die ene een centimeter of
dertig naar voren, die ander vijftien centimeter naar links – alsof de juiste plek van de lampen essentieel was voor een of ander ritueel dat ik wilde uitvoeren. Dat was alleen maar bedoeld
om indruk te maken op Datura en haar ervan te overtuigen dat
er een bepaald *proces* gaande was, zodat ze geduldig zou blijven.

Langs de verder weg gelegen muren bleef het donker in het
vertrek, maar in het midden was voldoende licht voor wat ik van
plan was.

'Vierenzestig mensen zijn in het casino omgekomen,' vertelde Datura me. 'De hitte was op bepaalde plekken zo intens dat
zelfs botten verbrand zijn.'

De geduldige blackjack-speler was nog steeds de enige geest
die ik zag. De anderen zouden na verloop van tijd wel komen
opdraven, het hele stel dat nog aan deze zijde van de dood bleef
rondhangen.

'Kijk eens naar die gesmolten fruitautomaten, schattebout.
Casino's adverteren vaak dat het er warm aan toe gaat in hun
speelhal en dit keer hadden ze groot gelijk.'

Van de acht geesten die ik hier eerder had gezien, was er maar één die me misschien van dienst kon zijn.

'Ze hebben de overblijfselen van een of andere oude dame gevonden. De aardbeving had een hele rij fruitautomaten omver gegooid en haar daarmee bedolven.'

Ik wilde al die gruwelijke details van Datura niet horen. Maar inmiddels wist ik dat ik haar er op geen enkele manier van zou kunnen weerhouden om ze op te dissen. In geuren en kleuren.

'Haar lijk zat zo vol met gesmolten metaal en plastic dat de lijkschouwer het er niet allemaal uit heeft kunnen krijgen.'

Dwars door de in de loop der tijd wat afgenomen brandlucht en de stank van zwavel en nog tientallen andere giftige afvalstoffen rook ik weer die paddenstoelachtige geur vermengd met die van rauw vlees. Heel licht maar het was geen verbeelding. Bij iedere ademtocht werd de geur sterker of nam af.

'De lijkschouwer vond dat die ouwe trut maar gecremeerd moest worden, want dat was immers toch al half gebeurd en het was bovendien de enige manier om haar van dat gesmolten apparaat los te krijgen.'

Vanuit de schaduwen kwam de oudere dame met het lange gezicht en de wazige blik tevoorschijn. Misschien was zij degene geweest die onder de rij 'eenarmige bandieten' had vastgezeten.

'Maar haar familie wilde geen crematie. Zij wilden een gewone begrafenis.'

Vanuit mijn ooghoeken zag ik iets bewegen. Ik draaide me om en ontdekte de cocktailserveerster in haar uniform van indiaanse prinses. Het speet me dat ik haar weerzag. Ik had gedacht – en gehoopt – dat ze naar het hiernamaals zou vertrekken.

'Dus in de doodskist lag ook een stuk van de fruitautomaat waar die oude taart aan vastgesmolten zat. Heb je ooit zoiets mafs gehoord?'

Daar kwam de geüniformeerde bewaker aan, een beetje in de stijl van John Wayne, met zijn hand op het pistool op zijn heup.

'Zijn er al een paar hier?' vroeg Datura.

'Ja. Vier.'

'Ik zie niks.'

'Op dit moment vertonen ze zich alleen aan mij.'

'Laat mij dan ook iets zien.'

'Er moet er nog één bij komen. Ik moet wachten tot ze allemaal bij elkaar zijn.'

'Waarom?'

'Dat hoort nou eenmaal zo.'

'Probeer me niet bij de neus te nemen,' waarschuwde ze.

'Je krijgt echt je zin,' verzekerde ik haar.

Hoewel Datura's gebruikelijke zelfbeheersing plaats had gemaakt voor een duidelijk waarneembare opwinding, een soort beven van verwachting, toonden Andre en Robert even veel enthousiasme als een stel rotsblokken. Ze stonden allebei naast hun lantaarns te wachten.

Andre staarde naar het duister achter het lamplicht. Hij maakte niet de indruk dat hij naar iets in dit universum keek. Zijn gezicht was ontspannen en hij knipperde nauwelijks met zijn ogen. Tot dusver had hij alleen emotie getoond toen hij aan de hand had gesabbeld die ze aan de doornen had opengehaald en zelfs toen had hij er geen blijk van gegeven dat hij meer gevoelens had dan de stronk van een gemiddelde eik.

Maar terwijl Andre voorgoed verankerd leek in stille waters, toonde Robert bij tijd en wijle door een vluchtige trek op zijn gezicht of een stiekeme blik, dat zijn innerlijke baren een tikje woeliger waren. Nu was zijn aandacht volledig gevestigd op zijn handen, terwijl hij de nagels van zijn linkerhand gebruikte om het vuil onder die van de rechterhand weg te halen, langzaam en zorgvuldig, alsof hij uren aan dat werkje wilde besteden.

Aanvankelijk had ik aangenomen dat ze allebei te stompzinnig waren voor woorden, maar op die mening was ik toch enigszins teruggekomen. Ik weigerde te geloven dat hun innerlijke leven bol stond van intellectuele belevingen en filosofische overwegingen, maar ik had het vermoeden dat ze in geestelijk opzicht meer te bieden hadden dan ze voorgaven. Misschien waren ze al zo lang bij Datura en hadden ze inmiddels genoeg spokenjachten meegemaakt dat ze niet meer opgewonden raakten bij het vooruitzicht van paranormale ervaringen. Zelfs de meest opwindende onderneming kan saai worden als je het maar vaak genoeg doet. En na jarenlang geluisterd te hebben naar haar bijna onophoudelijk gekwek, kon je er begrip voor opbrengen dat zij hun toevlucht hadden genomen tot stilte en een innerlijke vesting van stilte hadden opgebouwd, waarin ze zich konden terugtrekken om haar onophoudelijke geraaskal over zich heen te laten gaan.

'Goed, je wacht dus op een vijfde geest,' zei ze, terwijl ze aan mijn T-shirt plukte. 'Maar vertel me eens iets over degene die hier al zijn. Waar zijn ze? Wie zijn ze?'

Om haar koest te houden en me geen al te grote zorgen te maken dat de dode man die ik het liefst van alles wilde zien niet zou komen opdagen, beschreef ik de speler aan de blackjacktafel, zijn vriendelijke gezicht met de volle mond en het kuiltje in zijn kin.

'Dus hij vertoont zich zoals hij was voor de brand?' vroeg ze. 'Ja.'

'Als je hem voor mij oproept, wil ik hem op beide manieren zien… Zoals hij was toen hij nog leefde en wat de brand met hem heeft gedaan.'

'Prima,' gaf ik toe, want ze zou toch nooit willen geloven dat ik niet bij machte was dat soort onthullingen af te dwingen.

'Allemaal. Ik wil zien wat er met hen is gebeurd. Hun wonden, hoe ze geleden hebben.'

'Prima.'

'Wie is er verder nog.'

Ik wees een voor een aan waar ze stonden: de bejaarde vrouw, de bewaker en de cocktailserveerster.

Datura was alleen geïnteresseerd in de serveerster. 'Je zei dat ze een brunette was. Klopt dat… of heeft ze zwart haar?'

Ik keek wat aandachtiger naar de geestverschijning die als reactie op mijn belangstelling wat dichter bij me kwam staan en zei: 'Zwart. Ravenzwart haar.'

'Grijze ogen?'

'Ja.'

'Dan weet ik wie het is. Ik heb verhalen over haar gehoord,' zei Datura zo gretig dat ik me onbehaaglijk voelde.

De jonge serveerster, die nu alleen nog maar oog had voor Datura, kwam nog dichterbij en bleef op hooguit een meter afstand van ons staan.

Terwijl ze met samengeknepen ogen probeerde de geestverschijning te zien, maar er net langs keek, vroeg Datura: 'Waarom blijft ze ronddolen?'

'Dat weet ik niet. De doden spreken niet met mij. Als ik ze beveel om zich ook aan jou te vertonen, kun jij hen misschien zover krijgen dat ze gaan praten.'

Ik tuurde naar de schaduwen in het casino, op zoek naar de verscholen gestalte van de grote, brede man met het borstelhaar. Nog steeds geen spoor van hem te zien en hij was mijn enige hoop.

Datura had het nog steeds over de serveerster, toen ze vroeg: 'Vraag eens of ze… Maryann Morris heette.'

Verbaasd kwam de serveerster nog een stapje dichterbij en legde haar hand op Datura's arm, een gebaar dat onopgemerkt bleef want alleen ik kan de aanraking van dode mensen voelen.

'Dit moet Maryann zijn,' zei ik. 'Ze reageerde op die naam.'

'Waar is ze?'

'Vlak voor je, binnen handbereik.'

Op de manier van een tam huisdier dat plotseling terugkeert naar een wildere status sperden Datura's tere neusvleugels zich open. Ze kreeg een woeste blik van opwinding in de ogen en alsof ze bloed rook, trok ze haar lippen op om haar intens witte tanden te ontbloten.

'Ik weet waarom Maryann niet naar het hiernamaals kan,' zei Datura. 'Bij het verslag van de ramp in de krant stond ook een verhaal over haar. Ze had twee zusjes, die hier allebei ook werkten.'

'Ze knikt,' zei ik tegen Datura en wenste meteen dat ik deze ontmoeting niet tot stand had gebracht.

'Ik durf te wedden dat Maryann niet weet wat er met haar zusjes is gebeurd, of ze nog leven of dood zijn gegaan. Ze wil niet naar het hiernamaals voordat ze weet wat er met hen is gebeurd.'

De ongeruste uitdrukking op het gezicht van de geestverschijning, waarop ook iets van hoop stond te lezen, bewees dat Datura instinctief de reden had begrepen waarom Maryann hier nog steeds ronddoolde. Omdat ik haar niet wilde aanmoedigen, vertelde ik haar niet dat ze goed had gegokt.

Maar daar zat ze ook helemaal niet op te wachten. 'Een van de zusjes werkte die avond als serveerster in de ballroom.'

De Lady Luck Ballroom. Waar het plafond het had begeven. Met het verpletterende en vlijmscherpe gewicht van de enorme kroonluchter.

'De andere zus werkte als gastvrouw in het hoofdrestaurant,' vervolgde Datura. 'Maryann had haar invloed gebruikt om ze allebei een baan te bezorgen.'

Als dat waar was, zou de serveerster zich misschien verantwoordelijk voelen voor het feit dat haar zusjes op het moment van de aardbeving in de Panamint waren. Als ze hoorde dat zij het overleefd hadden, zou ze zich waarschijnlijk vrij voelen om de boeien af te werpen die haar aan deze wereld, deze ruïne ketenden. En zelfs als haar zusjes waren gestorven zou die trieste waarheid haar wel uit haar zelfverkozen hel verlossen. Misschien dat ze zich daardoor nog schuldiger zou voelen, maar dat zou al snel plaats moeten maken voor de hoop dat ze in het hiernamaals met haar beminden herenigd zou worden.

Ik zag niet de kille berekening in de ogen van Datura, noch de kinderlijk verheugde blik die ze heel even had laten stralen toen we van de twaalfde verdieping naar beneden liepen. In plaats daarvan zag ik een verbittering, een valsheid die een nieuwe dierlijke trek op haar gezicht nog benadrukten en ik werd weer net zo misselijk als toen ze dat wijnglas met haar bebloede hand tegen mijn lippen had gedrukt.

'De rusteloze doden zijn kwetsbaar,' waarschuwde ik haar. 'Ze hebben het recht de waarheid van ons te horen, niets anders dan de waarheid, maar we moeten er wel voor zorgen dat we vriendelijk voor hen zijn en alleen dingen zeggen en doen die hen aanmoedigen naar het hiernamaals te gaan.'

Terwijl ik mezelf dat hoorde zeggen, besefte ik al hoe zinloos het was om er bij Datura op aan te dringen dat ze meegevoel toonde.

Datura richtte zich rechtstreeks tot de geest die ze niet kon zien en zei: 'Je zus Bonnie leeft nog.'

Hoop deed het gezicht van Maryann Morris glanzen en ik zag dat ze erop rekende dat ze iets fijns te horen kreeg.

'Haar ruggengraat brak in tweeën toen ze een kroonluchter

van anderhalve ton boven op zich kreeg. Ze werd volkomen verpletterd. Haar ogen zaten zo vol glas dat er niets meer mee te beginnen was...'

'Wat doe je nou? Hou daarmee op,' smeekte ik.

'Nu is Bonnie vanaf haar nek tot haar tenen verlamd en blind. Ze verblijft op kosten van de overheid in een goedkoop verpleegtehuis waar ze waarschijnlijk zal overlijden aan doorligwonden die niet goed verzorgd worden.'

Ik wilde haar de mond snoeren, zelfs al zou ik haar een klap moeten geven, en misschien was het wel zo dat ik haar de mond wilde snoeren omdat ik dan een excuus zou hebben om haar een klap te verkopen.

Alsof ze aanvoelden wat ik wilde, staarden Andre en Robert me aan en wachtten vol spanning wat ik zou doen.

Hoewel de kans om haar tegen de grond te slaan het pak slaag dat ik van de boeven zou krijgen volledig waard was, dwong ik mezelf eraan te denken dat ik hier was voor Danny. De serveerster was dood, maar mijn vriend met de broze botten had nog een kans om in leven te blijven. Zijn redding was het enige waarop ik me moest concentreren.

Terwijl ze bleef praten tegen de geest die ze niet kon zien, zei Datura: 'Je andere zus, Nora, had brandwonden over tachtig procent van haar lichaam, maar zij bleef ook in leven. Drie vingers aan haar linkerhand zijn volledig weggebrand. Hetzelfde gold voor haar haar en een groot deel van haar gezicht, Maryann. Een oor. Haar lippen. Haar neus. Helemaal verzengd. Foetsie.'

De serveerster werd zo verscheurd door verdriet dat ik het niet meer kon verdragen om haar aan te kijken, vooral omdat het mijn macht te boven ging om haar voor deze gemene aanval in bescherming te nemen.

Terwijl ze snel en hijgend ademhaalde, had Datura haar hart opengezet voor de wolf die ze in zich droeg. Woorden waren haar tanden, wreedheid haar klauwen.

'Jullie Nora heeft al zesendertig operaties ondergaan en daar blijft het niet bij. Ze zal nog meer huidtransplantaties en plastische chirurgie moeten ondergaan. Allemaal heel pijnlijk en vermoeiend. En ze ziet er nog steeds monsterlijk uit.'

'Dat verzin je maar,' viel ik haar in de rede.

'Om de dooie donder niet. Ze is echt mónsterlijk. Ze gaat maar zelden uit en als ze wel buiten komt, draagt ze een hoed en heeft ze een sjaal over haar walgelijke gezicht gedrapeerd om kinderen niet aan het schrikken te maken.'

Al die agressieve vrolijkheid bij het uitdelen van emotionele pijn, al die onverklaarbare bitterheid bewezen dat Datura's volmaakte gezicht niet alleen in tegenspraak met haar aard was, maar zelfs een masker. Hoe langer ze de serveerster bleef aanvallen, des te doorzichtiger dat masker werd, zodat je langzaam maar zeker een idee kreeg van de kwaadaardigheid die daaronder schuilging en die zo walgelijk was dat als het masker plotseling weggerukt zou worden er een gezicht tevoorschijn zou komen waarbij dat van Lon Chaney in *Phantom of the Opera* een lief en vriendelijk lammetje zou lijken.

'Vergeleken daarbij ben jij er maar gemakkelijk afgekomen, Maryann. Jij voelt geen pijn meer. Jij kunt van hieruit naar het hiernamaals gaan wanneer je dat verdomme verkiest. Maar omdat je zusjes toevallig op het verkeerde moment op de verkeerde plek waren, zullen zij nog jaren moeten lijden. Gedurende de rest van hun leven.'

Onder de druk van het misplaatste schuldgevoel dat Datura haar probeerde op te dringen zou deze gekwelde geest nog zeker tien jaar en misschien wel een eeuw aan deze uitgebrande ruïnes, aan dit troosteloze stuk land geketend blijven. En dat alleen maar om die arme ziel zo van haar stuk te brengen dat ze zich zou manifesteren.

'Heb ik je nou nijdig gemaakt, Maryann? Haat je me omdat ik je heb verteld wat een hulpeloze misbaksels je zussen zijn geworden?'

'Dit is walgelijk,' zei ik tegen Datura. 'Het is verachtelijk en je schiet er niets mee op. Het heeft geen enkele zin.'

'Ik weet heus wel wat ik doe, schattebout. Ik weet altijd preciés wat ik doe.'

'Ze is heel anders dan jij,' hield ik vol. 'Zij haat niet, dus je kunt haar ook niet boos maken.'

'Iederéén haat,' zei ze en ze wierp me een waarschuwende blik toe die het bloed in mijn aderen deed stollen. 'De hele wereld draait om haat. Zeker als het om meisjes als Maryann gaat. Zij haten het best van allemaal.'

'Wat weet jij nou van meisjes zoals zij?' vroeg ik spottend en boos. En ik gaf meteen zelf het antwoord: 'Niets. Jij weet helemaal niets van dat soort vrouwen.'

Andre deed vanaf zijn lantaarn een stap naar me toe en Robert keek me woedend aan.

Datura ging gewoon door en zei: 'Ik heb je foto in de krant zien staan, Maryann. O ja, ik heb de zaak grondig onderzocht voordat ik hiernaartoe kwam. Ik ken de gezichten van zoveel mensen die hier om het leven zijn gekomen, omdat als ik hen ontmoet... wannéér ik hen ontmoet dankzij mijn nieuwe vriendje hier, mijn eigen buitenbeentje, dan wil ik ook dat die ontmoetingen beklíjven.'

De lange, brede, als uit steen gehouwen man met het borstelhaar en de gifgroene ogen was inmiddels ook verschenen, maar ik was zo afgeleid door Datura's ongekende getreiter van de serveerster dat me niet was opgevallen dat de geest wat later was verschenen. Nu zag ik hem omdat hij ineens vlak bij ons omhoogtorende.

'Ik heb je foto gezien, Maryann,' herhaalde Datura. 'Je was een knap meisje maar geen schoonheid. Knap genoeg om door mannen gebruikt te worden, maar niet knap genoeg om in staat te zijn hén te gebruiken om je zin te krijgen.'

De achtste geest van het casino die inmiddels hooguit drie meter van ons af stond, leek even boos te zijn als toen ik hem voor het eerst had gezien. Kaken op elkaar geklemd. Gebalde vuisten.

'Aantrekkelijk zijn is niet genoeg,' vervolgde Datura. 'Aantrekkelijkheid verdwijnt snel. Als je in leven was gebleven, zou je leven een aaneenschakeling zijn geweest van borrels uitdelen en teleurstellingen.'

Borstelkop kwam nog iets dichterbij en stond nu anderhalve meter achter de verslagen geest van Maryann Morris.

'Je had hoge verwachtingen toen je aan deze baan begon,' zei Datura. 'Maar het was een doodlopende weg en je wist al heel gauw dat je mislukt was. Vrouwen zoals jij zoeken graag steun bij hun zussen en bij hun vriendinnen en richten hun leven daarop in. Maar jij... Jij bent zelfs ten opzichte van je zussen in gebreke gebleven, hè?'

Een van de gaslantaarns vlamde hoog op, zakte weg en vlamde opnieuw op, waardoor het leek alsof schaduwen wegvlogen, terugkaatsten en opnieuw wegvlogen.

Andre en Robert wierpen sombere en peinzende blikken op de lamp, keken elkaar aan en lieten daarna verbaasd hun ogen door het vertrek dwalen.

37

'In gebreke gebleven tegenover je zussen,' herhaalde Datura. 'Je verlamde, blinde en mismaakte zussen. En als dat niet zo is, als ik hier onzin sta te verkopen, laat me je dan maar eens zíén, Maryann. Vertoon jezelf aan mij, bied me het hoofd, laat me maar eens zien wat het vuur met jou heeft gedaan. Kom op, jaag me maar weg.'

Het zou mij natuurlijk nooit gelukt zijn om deze geesten op te roepen in een dusdanig gematerialiseerde staat dat Datura ze kon zien, daarom had ik mijn hoop gevestigd op Borstelkop. Met zijn aanleg voor poltergeist kon hij wellicht voor een spektakel zorgen dat mijn bewakers niet alleen zou boeien, maar hen ook zo volledig in beslag zou nemen dat ik ervandoor zou kunnen gaan.

Het probleem was dat ik niet precies wist hoe ik zijn sluimerende woede zou kunnen aanwakkeren tot de razernij die nodig was om de poltergeistfenomenen te activeren. Nu begon het erop te lijken dat Datura druk bezig was om dat probleem voor mij op te lossen.

'Je zusjes hebben zich nooit op jou kunnen verlaten,' sarde ze. 'Niet voor de aardbeving, niet tijdens de aardbeving en niet na de aardbeving. Helemaal nooit.'

Hoewel de serveerster alleen maar haar handen voor haar gezicht sloeg en de giftige beschuldigingen over zich heen liet komen, stond Borstelkop Datura kwaad aan te kijken, met een gezicht dat langzaam maar zeker begon te koken van woede.

Hun voortijdige dood en het feit dat ze geen van beiden in staat waren geweest om naar het hiernamaals te gaan had voor een band tussen hem en Maryann Morris gezorgd, maar ik zou niet weten of hij echt alleen steeds bozer werd door de beledigingen aan het adres van de serveerster. Ik geloof niet dat deze dolende geesten enige gemeenschapszin hebben. Ze zien elkaar wel, maar in principe zijn ze alleen. Het leek waarschijnlijker dat Datura deze man met haar valsheid tegen zijn haren in streek en opwond, waardoor zijn al bestaande woede nog groter werd.

'De vijfde geest is ook gearriveerd,' zei ik tegen haar. 'De omstandigheden zijn nu perfect.'

'Doe het dan,' zei ze scherp. 'Roep ze dan nu op, hier op deze plek. Laat me ze zíén.'

God moet het me maar vergeven, maar om mezelf en Danny te redden zei ik: 'Wat je aan het doen was, helpt echt. Ze... ik weet het niet... maar ze schijnen er heel emotioneel van te worden.'

'Ik heb toch tegen je gezegd dat ik altijd precies weet wat ik doe. Je hoeft nooit aan mij te twijfelen, schattebout.'

'Blijf haar maar onder vuur nemen en met mijn hulp zul je binnen een paar minuten niet alleen Maryann zien, maar het hele stel.'

Ze begon de serveerster weer van alles naar het hoofd te slingeren, in een taal die nog veel grover was dan ze tot dusver had gebruikt en de vlammen in beide gaslantaarns laaiden beurtelings op en zakten weer weg, alsof ze het ritme aanhielden van de bliksemschichten die misschien op hetzelfde moment buiten door de lucht zwiepten.

Borstelkop ijsbeerde, draaide zich om, ijsbeerde, liep rondjes als een gekooid beest dat het niet langer achter tralies uithield en ramde zijn vuisten zo hard tegen elkaar dat hij zijn eigen knokkels had kunnen breken als hij een tastbaar wezen was geweest. Maar als geest was er zelfs geen geluid te horen. Hij had die vuisten ook tegen mij kunnen gebruiken, maar dat had geen enkel effect gehad. Een geest kan een levend mens nooit pijn doen door hem of haar aan te raken. Deze wereld behoort ons toe, niet hen.

Maar als een aardse ziel voldoende vernederingen heeft ondergaan, als de boosheid, de jaloezie, de wrok en het hardnekkige rebelse gedrag die hij bij leven heeft vertoond in de dagen dat hij ronddoolt in de leemte tussen twee werelden uitgroeien tot de zwartste spirituele kwaadaardigheid, dan kan hij de kracht van zijn demonische woede op levenloze voorwerpen botvieren.

Datura hield stug vol en zei tegen de serveerster die ze niet kon zien en ook nooit zou zien: 'Zal ik je nog eens iets vertellen, Maryann? Ik wed dat in dat sjofele verzorgingstehuis in de nacht een of andere smerige vent de slaapkamer van je zus, van Bonnie, binnensluipt en haar verkracht.'

De woede van Borstelkop was inmiddels in razernij veranderd en hij gooide zijn hoofd in de nek en schreeuwde het uit. Maar het geluid zat net als hij gevangen tussen hier en het hiernamaals.

'Ze is hulpeloos,' zei Datura met een stem die even giftig was als de inhoud van de gifklieren van een ratelslang. 'Bonnie durft het vast aan niemand te vertellen, omdat de verkrachter nooit iets zegt en ze niet weet hoe hij heet. En ze kan hem ook niet zien, dus ze is bang dat ze haar niet zullen geloven.'

Borstelkop stond met twee vuisten in de lucht te rammen, alsof hij een poging deed zich een weg terug te klauwen door de sluier die hem van de wereld der levenden scheidde.

'Dus Bonnie moet alles ondergaan wat hij met haar doet, maar als dat gebeurt, denkt ze altijd aan jou. Aan jou, omdat het jouw schuld is dat ze in het hotel was tijdens de aardbeving die haar leven heeft verwoest. En dan ligt ze te piekeren over het feit dat jij, haar eigen zusje, er nooit bent om haar te helpen en dat ze ook nooit op je heeft kunnen rekenen.'

Terwijl ze zichzelf hoorde praten genoot Datura duidelijk van haar eigen venijnigheid en een beter gehoor zou ze nooit vinden. Na iedere, akelige opmerking leek ze zelf verrast dat ze nog steeds gemener kon worden. De opgehoopte kwaadaardigheid onder het masker van schoonheid was inmiddels bijna volledig aan de oppervlakte verschenen. Haar rood aangelopen en vertrokken gezicht was niet langer iets waar een puber van droomde, maar deed denken aan psychiatrische instellingen en gesloten inrichtingen voor misdadige gekken.

Ik spande mijn spieren, omdat ik instinctief aanvoelde dat we ieder moment geconfronteerd zouden worden met een overstelpende woedeuitbarsting van de geest.

Geïnspireerd en bezield door Datura bleef Borstelkop spastisch rondspartelen, alsof hij gegeseld werd door honderd zwepen of gemarteld met de ene na de andere stroomstoot. Hij spreidde zijn armen en handen als een begeesterde prediker van een expressieve sekte die een gemeente aanspoorde boetvaardig te zijn. Zijn grote handen schoten concentrische ringen van kracht af. Ik kon ze zien, maar voor mijn gastvrouw en haar mannen zouden alleen de gevolgen zichtbaar zijn.

Geratel, geklik, gekraak en gepiep klonken op uit de stapels kapotte fruitautomaten en de krukken bij de beide blackjack-tafels begonnen te dansen zonder van hun plaats te komen. Hier en daar schoten kleine trechtertjes van as omhoog van de grond.

'Wat gebeurt er allemaal?' vroeg Datura.

'Ze kunnen nu elk moment verschijnen,' zei ik tegen haar, hoewel alle geesten behalve Borstelkop waren verdwenen. 'Het hele stel. Dan zul je eindelijk iets zien.'

Een poltergeist is even onpersoonlijk als een wervelwind. Ze kunnen zich nergens op richten en geen berekende effecten sorteren. Ze zijn een blinde, rondtollende kracht en kunnen mensen alleen indirect letsel toebrengen. Maar als je een schedelbasisfractuur oploopt door woedend rondgeslingerd puin is het resultaat niet minder ernstig dan wanneer je door een weloverwogen dreun met een knuppel wordt getroffen.

Brokstukken van uit gips bestaande plafondversieringen stegen op uit de dobbeltafel waarin ze tijdens de aardbeving terecht waren gekomen en vlogen naar ons toe.

Ik sprong opzij, Datura dook weg en de projectielen vlogen langs en over ons heen om met een dreun terecht te komen tegen de pilaren en de wanden achter ons.

Borstelkop schoot met zijn handen bliksemschichten af en toen hij opnieuw zijn mond opende voor zo'n geluidloze schreeuw rolden er concentrische energieringen uit.

De trechters vol as, roet en verroeste houtsplinters werden groter in aantal en formaat, terwijl stukjes en brokjes gips van het plafond los trilden, terwijl eveneens van boven loshangende draden en elektrische leidingen naar beneden zwiepten, terwijl een gehavende blackjack-tafel door de ruimte stuiterde, voortgeblazen door een wind die wij niet konden voelen, terwijl een door de vlammen aangetast roulettewiel voorbijtolde in een waas van verliezende nummers, terwijl een paar metalen krukken voorbij stapten alsof ze op zoek waren naar de dode gokker die ze ooit nodig had gehad en terwijl uit het duister een griezelig gekrijs opklonk dat snel in volume en hoogte toenam.

In deze als een razende escalerende chaos trof een brok gips van een kilo of zes Robert op de borst, waardoor hij achterover viel en op de grond terechtkwam.

Terwijl de boef tegen de vlakte ging, dook het mysterieuze krijsende ding op uit de donkere diepten van het casino. Het bleek een half gesmolten, levensgroot bronzen standbeeld van een indiaans opperhoofd te paard te zijn, dat met een schrikbarende snelheid om zijn eigen as draaide, waardoor de sokkel knerpend over de betonnen vloer waarvan vrijwel alle vloerbedekking was verbrand tolde, puin opzij smeet en wolken witte en oranje vonken opwierp.

Terwijl Robert omviel en Datura en Andre als aan de grond genageld naar het aanstormende, ronddraaiende, krijsende brons staarden, maakte ik gebruik van de gelegenheid door naar de dichtstbijzijnde gaslantaarn te springen, hem op te grijpen en in de richting van de tweede lamp te smijten.

Ondanks het feit dat ik nooit ga bowlen was het toch een voltreffer. De ene lantaarn kwam met een klap tegen de andere terecht, het licht laaide heel even op en toen stonden we in het duister dat alleen werd doorbroken door de vonken die afspatten van de rondtollende ruiter te paard.

38

Zodra een poltergeist die zo krachtig is als Borstelkop zich heeft overgegeven aan een heftige uitspatting van opgekropte woede zal zo'n geest meestal ongecontroleerd door blijven razen tot hij zichzelf heeft uitgeput. Ongeveer in de trant van de gebruikelijke rapper die met als los zand aan elkaar hangend geraaskal uit de bol gaat tijdens de jaarlijkse Vibe Awards. In dit geval zou de razende geest me misschien nog een minuut lang dekking blijven geven, of zelfs nog twee of drie minuten.

In het donker en begeleid door het gerammel, gekletter, gebonk en gekrijs scharrelde ik gebukt rond, bang dat ik anders buiten westen gemept of onthoofd zou worden door rondvliegend puin. Ik had mijn ogen ook tot spleetjes geknepen, omdat er zoveel scherven en splinters van diverse soort door de lucht vlogen dat ik eigenlijk wenste dat ik mijn oogarts bij me had.

Zo goed en zo kwaad als het ging in die intense duisternis probeerde ik een rechte lijn te volgen. Mijn doel was een galerij met ontmantelde winkeltjes achter het casino waar we vanuit het noordelijke trappenhuis van het hotel doorheen gekomen waren. Onderweg kwam ik stapels rotzooi tegen, waar ik omheen schuifelde of overheen stapte om in beweging te kunnen blijven. Ik liep op de tast, met beide handen voor me uit, maar lette goed op dat ik niet over puinhopen klauterde die vergeven waren van spijkers en scherpe metalen randen.

Ik spuugde as uit, stukjes puin die ik niet thuis kon brengen en plukte wollige draadjes van een of ander zacht spul weg die in mijn oren kriebelden. Ik niesde, zonder me zorgen te maken dat iemand me bij al die herrie van de poltergeist aan de hand van dat geluid terug zou kunnen vinden.

Maar al veel te gauw werd ik bang dat ik uit de koers was geraakt, dat het niet mogelijk was om je te oriënteren in het pik-donker. En binnen de kortste keren was ik ervan overtuigd dat ik in het duister tegen een voluptueuze gestalte op zou botsen die dan prompt zou zeggen: *Hola, als dat mijn nieuwe vriendje niet is, mijn eigen buitenbeentje.*

Bij die gedachte bleef ik prompt staan.

Ik haakte de zaklantaarn los van mijn riem. Maar ik aarzelde om het apparaat te gebruiken, ook al was het maar net lang ge-noeg om een blik te werpen op mijn omgeving en mezelf te her-oriënteren. Datura en haar hunkerende jongens hadden waar-schijnlijk niet volledig vertrouwd op de gaslampen. Het zat er dik in dat ze een zaklantaarn en misschien zelfs wel drie bij zich hadden. En als dat niet zo was, dan zou Andre het vast goed vinden dat ze zijn haar in brand stak om hem als een wande-lende toorts te gebruiken.

Als Borstelkop uitgeraasd was, als de drie kleine kleutertjes zich niet langer tegen de grond hoefden te drukken en de moed opbrachten om hun hoofd op te tillen, zouden ze verwachten mij in hun onmiddellijke omgeving aan te treffen. Met behulp van zaklantaarns zouden ze er in dit duister een minuut of twee, misschien iets langer, over doen om tot de conclusie te komen dat ik levend noch dood tussen de door de poltergeist rondge-keilde rotzooi lag.

Als ik mijn lantaarn nu gebruikte, zouden ze het licht mis-schien zien en weten dat ik al op de vlucht was. Ik wilde hun aandacht niet eerder trekken dan strikt noodzakelijk was. Ik had iedere kostbare minuut van mijn voorsprong nodig.

Ik voelde een hand tegen mijn gezicht.

Ik gilde als een bang klein meisje, maar er kwam geen geluid uit mijn keel en dus zette ik mezelf niet voor schut.

Vingers drukten zacht op mijn lippen, alsof ze me wilden waarschuwen voor de gil die ik had proberen te slaken. Een ten-gere hand, de hand van een vrouw.

Er waren dit keer maar drie vrouwen in het casino geweest. Twee van hen waren al vijf jaar dood.

De zogenaamde godin, die weliswaar onoverwinnelijk was dankzij het feit dat ze dertig dingessen in een amulet had en die zelfs voorbestemd was om duizend jaar te blijven leven dankzij het feit dat ze onderdak had geboden aan een aan bananen verslingerde slang, kon niet in het donker zien. Ze had geen zesde zintuig. Zonder zaklantaarn had ze me nooit kunnen vinden.

De hand gleed van mijn lippen, naar mijn kin en toen naar mijn wang. Daarna raakte ze mijn linkerschouder aan, streek met haar vingers langs mijn arm en pakte mijn hand vast.

Omdat ik graag wil dat de doden warm aanvoelen, is dat wellicht ook het geval en deze hand in de mijne voelde ook onbeschrijflijk veel schoner aan dan de goed gemanicuurde hand van de erfgename van de telefoonsekslijnen. Schoon en eerlijk, sterk maar toch zacht. Ik wilde gewoon dat dit Maryann Morris was, de serveerster. En na een aarzeling van hooguit tien seconden in het overstelpende duister schonk ik haar mijn vertrouwen en stond haar toe als mijn loodsvisje op te treden.

Terwijl Borstelkop zijn met veel lawaai gepaard gaande frustraties in het donker achter ons bleef ventileren, liepen wij haastig door, veel sneller dan mij in mijn eentje was gelukt. Nu stapten we om obstakels heen in plaats van erover te klimmen, zonder ook maar een moment bang te zijn om te vallen. De geest kon zonder licht net zo goed zien als met licht.

Minder dan een minuut later, nadat we een paar keer − zo te voelen terecht − van richting waren veranderd, bleef ze stilstaan. Ze liet mijn linkerhand los en raakte de rechter, met mijn zaklantaarn, aan. Toen ik het licht aanknipte zag ik dat we de winkelgalerij al achter ons hadden gelaten en dat we aan het eind van een gang stonden, bij de deur naar het noordelijke trappenhuis. Mijn gids was inderdaad Maryann geweest, toepasselijk gekleed als indiaanse prinses.

Iedere seconde was belangrijk, maar ik kon haar niet achterlaten zonder een poging te doen de schade die Datura had veroorzaakt te herstellen.

'De duisternis die door deze wereld waart, heeft je zusjes verminkt. Daar kun jij niets aan doen. Maar als zij uiteindelijk hier vertrekken, wil je hen dan niet met open armen verwelkomen… in het hiernamaals?'

Ze keek me aan. Ze had prachtige grijze ogen.

'Ga naar huis, Maryann Morris. Daar wacht je liefde, je moet er alleen naartoe gaan.'

Ze keek achterom naar de weg die we afgelegd hadden en wierp me toen een bezorgde blik toe.

'Als je daar komt, vraag dan naar mijn Stormy. Daar zul je geen spijt van krijgen. Als Stormy gelijk heeft en het volgend leven is de diensttijd, dan is er niemand met wie je beter grote avonturen kunt beleven dan met haar.'

Ze week achteruit.

'Ga naar huis,' fluisterde ik.

Ze draaide zich om en liep weg.

'Laat het los. Ga naar huis. Laat dit leven los... en leef verder.'

Terwijl ze in het duister oploste, keek ze nog een keer om en glimlachte. Toen was ze niet meer in de gang.

Ik geloofde vast dat ze dit keer door de sluier was gestapt.

Ik rukte de deur van het trappenhuis open, stoof erdoor en rende als de bliksem naar boven.

39

Cleo-May-kaarsen, die me moesten dwingen de charmante jonge vrouw die het aanlegde met rondspokende agenten van de Gestapo lief te hebben en te gehoorzamen, overgoten de wanden achtereenvolgens met een rode en gele gloed. Desondanks was op deze door onweersbuien versomberde dag de heerschappij van het licht en die van het duister in kamer 1203 evenredig verdeeld. Van een onbekende plek kwam een vlaagje tocht dat gelijkenis vertoonde met een zenuwachtig keffertje, dat nu eens links- en dan weer rechtsom draaiend achter zijn eigen staart aan rende, zodat elk oplaaiend vlammetje meteen een golvende schaduw opriep en iedere donkere wolk meteen gevolgd werd door trillende lichtgolven.

Het geweer lag op de vloer bij het raam waar Andre het had achtergelaten. Het wapen was zwaarder dan ik had verwacht. Nadat ik het opgepakt had, liet ik het bijna meteen weer uit mijn handen vallen. Dit was niet een van die geweren met een lange loop die je gebruikt om op wilde kalkoenen te jagen, of op gnoes, of op weet ik veel waarvoor je die jachtgeweren gebruikt. Dit was een model met een korte loop en een pistoolgreep dat heel geschikt was om huis en haard te verdedigen of een drankwinkel te overvallen.

De politie gebruikt dit soort wapens ook. Twee jaar geleden bevonden Wyatt Porter en ik ons in een hachelijke situatie, veroorzaakt door drie eigenaren van een clandestien *yaba*-laboratorium en hun tamme krokodil, waarbij ik heel goed een been en misschien ook wel mijn testikels had kunnen verliezen als de commissaris zijn 12-gauge geweer met pistoolgreep niet zo nuttig aangewend had.

Hoewel ik nog nooit een dergelijk geweer had afgevuurd –

om eerlijk te zijn had ik nog maar één keer eerder in mijn leven een vuurwapen gebruikt – had ik gezien dat de commissaris het gebruikte. Maar dat komt natuurlijk op hetzelfde neer als de uitspraak dat je een kampioen scherpschutter en een expert op het gebied van de ethiek van politieprocedures wordt als je alle Dirty Harry-films van Clint Eastwood hebt gezien.

Als ik dat geweer hier liet liggen, zouden de hunkerende jongens het tegen mij gebruiken. Als ik door die twee bakbeesten in een hoek was gedreven en niet op z'n minst zou proberen dat geweer tegen hen te gebruiken, dan zou ik zelfmoord plegen, als je naging dat wat ze als ontbijt naar binnen zouden werken waarschijnlijk meer woog dan ik.

Vandaar dat ik de kamer binnen stormde, naar het geweer rende, het van de grond op greep, een gezicht trok omdat het zo dodelijk aanvoelde, mezelf inprentte dat ik nog te jong was voor luierbroekjes voor volwassenen en bij het raam bleef staan om het aan een snel onderzoek te onderwerpen bij het schokkerige licht van een aantal bliksemschichten. Een slede. Een kamer met drie kogels. Plus nog een in de loop. Ja, het had een trekker.

Ik had het gevoel dat ik het in geval van nood wel zou durven gebruiken, al moet ik toegeven dat mijn zelfvertrouwen grotendeels voortkwam uit het feit dat ik onlangs de premie van mijn ziektekostenverzekering nog had betaald.

Ik speurde de grond, de tafel en de vensterbank af, maar ik zag geen extra munitie. Ik pakte wel de afstandsbediening van de tafel en lette goed op dat ik het zwarte knopje niet indrukte.

Omdat ik ervan uitging dat de heisa die Borstelkop had veroorzaakt inmiddels wel bijna voorbij zou zijn, had ik nog maar een paar minuten voordat Datura en haar jongens de naweeën van de poltergeistverwarring van zich af hadden gezet en weer in actie zouden komen.

Ik morste kostbare seconden door naar de badkamer te lopen en te kijken of ze Terri's satelliettelefoon inderdaad grondig vernield had. Ik zag alleen maar een paar deukjes, maar het toestel was niet kapot dus ik stopte het in mijn zak. Naast de wastafel stond een doos met patronen. Ik stopte er vier in mijn zak.

Daarna liep ik de kamer uit, wierp in de gang even een blik op het noordelijke trappenhuis en rende toen de andere kant op, naar kamer 1242.

Waarschijnlijk omdat Datura Danny geen victorie of geld gunde, had ze geen kaarsen in rode en gele glazen potjes bij hem neergezet. Nu een heel leger zwarte wolken in een verrassingsaanval de lucht had bezet, was zijn kamer een naar roet ruikend hol dat alleen met tussenpozen verlicht werd door de flitsen op het slagveld van Moeder Natuur, begeleid door een snel getrippel dat onwillekeurig deed denken aan een horde rennende ratten.

'Odd,' fluisterde hij toen ik binnenkwam. 'Goddank. Ik was ervan overtuigd dat je dood was.'

Terwijl ik de zaklantaarn aanknipte en aan hem overhandigde, zei ik op dezelfde fluistertoon: 'Waarom heb je me niet verteld dat ze volslagen krankzinnig is?'

'Luister je dan nooit naar me? Ik heb toch tegen je gezegd dat ze nog geschifter was dan een aan syfilis lijdende zelfmoordterrorist met gekkekoeienziekte!'

'Ja. Maar dat is net zo'n understatement als de bewering dat Hitler een schilder was die aan politiek deed.'

Het getrippel van rattenpootjes bleek de regen te zijn die door een van de drie gebroken ruiten naar binnen sloeg en tegen een hoop meubilair kletterde. Ik zette het geweer tegen de muur en liet hem de afstandsbediening zien, die hij meteen herkende.

'Is ze dood?' vroeg hij.

'Daar zou ik maar niet op rekenen.'

'En hoe zit het met Depri en Droef?'

Ik hoefde niet te vragen wie hij bedoelde. 'Een van hen heeft een fikse klap gehad, maar ik geloof niet dat hij echt gewond is.'

'Dus ze komen eraan?'

'Reken maar.'

'Dan moeten we ervandoor.'

'Nu meteen,' verzekerde ik hem en had al bijna de witte knop op de afstandsbediening ingedrukt. Maar op het allerlaatste moment, met mijn duim in de aanslag, vroeg ik mezelf af wie me ook alweer had verteld dat de zwarte knop de spring-

stof tot ontploffing zou brengen en de witte de bom zou ontmantelen.

Datura.

40

Datura, die dikke maatjes was met Grijze Zwijnen van Haïti en toekeek hoe naaistertjes geofferd en opgegeten werden, had tegen me gezegd dat de zwarte knop de ontploffing teweeg zou brengen en dat de witte de bom onschadelijk maakte.

Wat mij betreft, had ze niet bepaald bewezen dat ze een betrouwbare en waarheidsgetrouwe bron van informatie was. Maar het allerbelangrijkste was dat die immer behulpzame krankzinnige tante me uit eigen beweging had verteld waar die knoppen toe dienden toen ik had gevraagd of het toevallig de afstandsbediening van de bom was die daar op tafel lag. Ik kon geen enkele zinnige reden bedenken waarom ze dat had gedaan.

Wacht even. Herstel. Bij nader inzien kon ik wel een reden bedenken en die was even sluw als wreed. Als ik puur toevallig ooit die afstandsbediening in handen zou krijgen, dan wilde ze zeker weten dat ik Danny zou opblazen in plaats van hem te redden.

'Wat is er?' vroeg hij.

'Geef me die zaklantaarn eens.'

Ik liep om zijn stoel heen, ging op mijn hurken zitten en bestudeerde de bom. Sinds het moment dat ik dit apparaat voor het eerst had gezien had mijn onderbewustzijn voldoende tijd gehad om te piekeren over die wirwar van gekleurde draden... en daar was ik geen bal mee opgeschoten.

Dat moet je niet meteen als een minpunt van mijn onderbewustzijn beschouwen. Het had tegelijkertijd nog een aantal andere belangrijke opdrachten gekregen, zoals het opstellen van een lijst van alle enge ziektes die ik misschien had opgelopen toen Datura die wijn in mijn gezicht spuugde.

Net als eerder probeerde ik mijn zesde zintuig in werking te stellen door een van mijn vingertoppen over de draden te laten glijden. Na 3.75 seconde moest ik toegeven dat dit een wanhoopsdaad was, die ik alleen maar met de dood zou moeten bekopen.

'Odd?'

'Ja, ik ben er nog. Hé, Danny, laten we een woordassociatiespelletje doen.'

'Nú?'

'Straks zijn we misschien dood, en wanneer zouden we het dan moeten spelen? Toe nou maar, het helpt me bij het denken. Ik zeg iets en jij antwoordt met het eerste wat in je hoofd opkomt.'

'Dit is belachelijk.'

'Kom op. Zwart en wit.'

'Pianotoetsen.'

'Nog een keer. Zwart en wit.'

'Dag en nacht.'

'Zwart en wit.'

'Peper en zout.'

'Zwart en wit.'

'Goed en slecht.'

'Goed,' zei ik.

'Dank je.'

'Nee. Dat is het volgende woord waarvoor je een associatie moet vinden. Goed.'

'Ellende.'

'Goed,' herhaalde ik.

'Zo.'

'Goed.'

'God.'

'Slecht,' zei ik.

'Datura,' antwoordde hij prompt.

'Waarheid.'

'Goed.'

Ik overviel hem met 'Datura'.

'Leugenaar,' zei hij meteen.

'Onze intuïtie heeft ons tot dezelfde conclusie gebracht,' zei ik tegen hem.

'Welke conclusie?'

'Dat wit de bom tot ontploffing brengt,' antwoordde ik terwijl ik mijn duim op de zwarte knop liet rusten.

Het is vaak best interessant om Odd Thomas te zijn, maar niet half zo leuk als Harry Potter. Als ik Harry was, zou ik nu met een snufje van dit en een vleugje van dat, gecombineerd met een gemompelde spreuk een niet-in-mijn-gezicht-ontploffen-toverformule hebben gemaakt en dan zou alles vanzelf weer goed komen. In plaats daarvan drukte ik op de zwarte knop en alles léék in orde te zijn.

'Wat is er gebeurd?' vroeg Danny.

'Heb je de klap niet gehoord? Luister dan maar goed... het kan nog steeds gebeuren.'

Ik haakte mijn vingers achter de draden, vouwde mijn hand dicht en rukte het hele kleurige wespennest uit het projectiel. De miniwaterpas viel op zijn kant en het belletje zakte in de ontploffingszone.

'Ik ben niet dood,' zei Danny.

'Ik ook niet.'

Ik liep naar de meubels die door de aardbeving op een hoop waren geworpen en trok mijn rugzak uit de opening waarin ik de tas nog geen uur geleden had verstopt. Ik pakte het vissersmes uit de tas en sneed het laatste stuk tape door waarmee Danny aan de stoel vastzat. Het kilo explosieven viel met een bons op de grond, maar maakte niet meer lawaai dan een stuk boetseerklei. Plastic springstof kan alleen met behulp van een elektrische ontsteking tot ontploffing worden gebracht.

Terwijl Danny opstond, stopte ik het mes weer terug in de rugzak. Daarna deed ik de zaklantaarn uit en hing die opnieuw aan mijn riem.

Nu het niet langer hoefde te piekeren over de bedrading van de bom begon mijn onderbewustzijn de seconden af te tellen die waren verlopen sinds ik uit het casino was weggevlucht en begon me verschrikkelijk aan mijn kop te zeuren: *schiet op, schiet op, schiet op.*

41

Alsof er een oorlog was uitgebroken tussen hemel en aarde werd de woestijn opnieuw geteisterd door een serie bliksemschichten, die ergens in het zand glazen vijvers veroorzaakten. De donderslag die erop volgde, was zo hard dat mijn tanden vibreerden alsof ik belaagd werd door akkoorden uit gigantische luidsprekers tijdens een deathmetalconcert, en de regen blies opnieuw jachtige rattenbataljons door het gebroken raam naar binnen.

'Godallemachtig,' ontsnapte Danny willekeurig toen hij naar het slechte weer keek.

'Een of andere klungel zonder verantwoordelijkheidsgevoel heeft een rattenslang gedood en in een boom gehangen,' zei ik.

'Een rattenslang?'

Nadat ik hem mijn rugzak had gegeven en zelf het geweer had gepakt, ging ik op de drempel van de openstaande deur staan en keek de gang in. De furie was nog niet gearriveerd.

Vlak achter me zei Danny: 'Mijn benen branden na die lange wandeling vanaf Pico Mundi en ik voel messteken in mijn heup. Ik weet niet hoe lang ik het uithoud.'

'Zo ver is het niet. Zodra we over de touwbrug en door de kamer met duizend speren zijn, wordt het een makkie. Probeer maar zo snel mogelijk te lopen.'

Maar dat lukte hem niet. Normaal hinkte hij al en dat was nu nog erger omdat hij voortdurend door zijn rechterbeen zakte. Hij was nooit een zeurpiet geweest, maar nu hield hij van pijn bij vrijwel iedere stap de adem in. Als ik van plan was geweest om hem rechtstreeks weg te brengen uit het Panamint zouden we niet ver zijn gekomen voordat de harpij en de boemannen ons hadden ingehaald en weer terug sleepten. Nu liep ik voor hem uit door de gang naar de liftruimte en voelde me opgelucht toen we daar stonden en uit het zicht waren.

Ik vond het vervelend dat ik het geweer neer moest zetten. Eigenlijk wenste ik dat ik genoeg tijd zou hebben om het operatief aan mijn rechterarm vast te laten zetten en rechtstreeks op mijn centrale zenuwstelsel aan te laten sluiten. Desondanks zette ik het tegen de muur.

Terwijl ik begon met het openwrikken van de liftdeuren die ik eerder had uitgezocht, fluisterde Danny: 'Wat nou? Ga je me in die schacht gooien, zodat het op een ongeluk lijkt en jij voorgoed mijn Martiaanse hersen etende duizendpoot mag houden?'

Toen de deuren openstonden, nam ik heel even het risico om de zaklantaarn aan te knippen en hem de lege cabine te laten zien. 'Geen licht, geen verwarming en geen stromend water, maar ook geen Datura.'

'Gaan we ons hier verstoppen?'

'Jíj gaat je hier verstoppen,' zei ik. 'Ik ga ze afleiden en op een verkeerd spoor zetten.'

'Dan hebben ze me binnen twaalf seconden weer te pakken.'

'Nee, ze zullen niet op het idee komen dat de deuren opengewrikt zijn. En ze verwachten ook niet dat we ons zo dicht bij de plek waar zij je gevangenhielden verstoppen.'

'Want dat zou stom zijn.'

'Precies.'

'En ze verwachten niet dat we stom zijn.'

'Bingo.'

'Waarom verstoppen we ons dan niet allebei hier?'

'Dat zou pas écht stom zijn.'

'Want dan zouden we alles op één kaart zetten.'

'Je begint dit spelletje door te krijgen, makker,' zei ik.

In mijn rugzak zaten nog drie halveliterflesjes water. Ik hield er een en gaf hem de andere twee.

Hij tuurde ernaar in het schaarse licht en zei: 'Evian.'

'Als je dat graag wilt.'

Daarna overhandigde ik hem de twee maaltijdrepen met kokosnoot en rozijnen. 'Als het nodig is, kun je het hier een dag of drie, vier uithouden.'

'Maar voor die tijd ben jij allang terug.'

'Als ik erin slaag om een paar uur lang uit hun handen te blijven, zullen ze denken dat het de bedoeling is dat jij genoeg tijd krijgt in je eigen tempo weg te komen. Dan zullen ze bang worden dat je terugkomt met de politie en zich rap uit de voeten maken.'

Hij pakte ook nog een paar geplastificeerde pakjes aan. 'Wat zijn dat?'

'Vochtige doekjes. Als ik niet terugkom, ben ik dood. Wacht dan nog twee dagen, om er zeker van te zijn dat alles veilig is. Daarna moet je de deuren openwrikken en op eigen houtje de snelweg zien te bereiken.'

Hij liep de lift in en probeerde voorzichtig uit of de cabine wel stabiel was. 'En hoe zit het met... Waar moet ik piesen?'

'In de lege waterflesjes.'

'Je denkt echt aan alles.'

'Ja, maar ik ben niet van plan ze opnieuw te gebruiken. Je moet doodstil zijn, Danny. Want als je niet stil bent, zal het je dood zijn.'

'Je hebt mijn leven gered, Odd.'

'Nog niet.'

Ik gaf hem een van mijn beide zaklantaarns en raadde hem aan die niet in de lift te gebruiken. Licht kon naar buiten lekken. Hij moest hem bewaren voor in het trappenhuis, in het geval hij in zijn eentje zou moeten vertrekken.

Terwijl ik de deuren dichtduwde en hem binnensloot, zei Danny: 'Ik heb besloten dat ik bij nader inzien toch niet met jou wil ruilen.'

'Ik wist niet dat je een identiteitsruil in gedachten had.'

'Het spijt me,' fluisterde hij door de nauwer wordende spleet. 'Het spijt me echt ontzettend.'

'Voor eeuwig vrienden,' zei ik tegen hem. Dat was een uitspraak die we een tijdje hadden gebruikt toen we een jaar of elf waren. 'Voor eeuwig vrienden.'

42

Terwijl ik met mijn rugzak om en het geweer in mijn handen langs kamer 1242 met de onontplofte bom liep, was overleven het enige dat me door het hoofd speelde. De wens ervoor te zorgen dat Datura in de gevangenis zou creperen, had me een sterkere wil om te leven bezorgd dan ik in zes maanden had gehad.

Ik ging ervan uit dat ze zich zouden splitsen en terug zouden gaan naar de twaalfde etage via zowel het noordelijke als het zuidelijke trappenhuis, om me te onderscheppen voordat ik Danny naar buiten kon smokkelen. Als ik maar twee of drie etages lager zou kunnen komen, naar de tiende of de negende, en ze daar langs me heen kon laten lopen, dan zou ik misschien de kans krijgen om achter hun rug om terug te keren naar het trappenhuis en dan met een noodgang naar beneden te rennen, naar buiten en weg. Om vervolgens over hooguit een uur of twee met de politie terug te keren.

Toen ik de eerste keer kamer 1203 was binnengelopen en met Datura had gepraat terwijl ze bij het raam stond, had ze zonder ernaar te vragen geweten dat ik de trappen had gemeden door in een van de liftschachten naar boven te klimmen. Het was de enige manier waarop ik op de twaalfde had kunnen komen. Met als gevolg dat ze nu van tijd tot tijd bij de schachten zouden luisteren of ze iets hoorden bewegen, ook al wisten ze best dat ik Danny niet via die weg beneden zou kunnen krijgen. Die truc kon ik niet opnieuw uithalen.

Toen ik bij de ingang van het zuidelijke trappenhuis kwam, zag ik dat de deur halfopen stond. Ik glipte erdoor en bleef op de overloop staan. Er kwam geen enkel geluid van de lager gelegen trappen. Tree voor tree sloop ik omlaag – vier, vijf – en bleef staan om te luisteren. Alles bleef stil.

De vreemde lucht, muskus-paddenstoelen-vlees, was hier niet indringender dan de eerste keer. Misschien zelfs wel iets lichter, maar nog even verontrustend en ik voelde hoe mijn nekharen overeind gingen staan. Sommige mensen beweren dat God je op die manier waarschuwt dat de duivel in de buurt is, maar het is mij opgevallen dat ik daar ook last van heb als iemand me spruitjes voorzet. Wat de stank ook precies veroorzaakte, het moest afkomstig zijn van het giftige mengelmoesje dat de brand had nagelaten en dat was de reden waarom ik die lucht voor het Panamint nooit in de neus had gekregen. Het was het resultaat van een eenmalige gebeurtenis, maar het was niet bovennatuurlijk. Iedere wetenschapper was in staat het te analyseren, na te gaan waar het vandaan kwam en me het moleculaire recept op een briefje te presenteren. Ik was nog nooit een bovennatuurlijk wezen tegengekomen dat zijn aanwezigheid verraadde door middel van zijn geur. Mensen stinken, geesten niet. En toch bleven mijn nekharen overeind staan, al was er geen spruitje te bekennen.

Ik prentte mezelf ongeduldig in dat er niets dreigends in het trappenhuis op me zat te wachten en stapte haastig nog een tree naar beneden, en nog een. Ik had geen zin om mijn zaklantaarn te gebruiken en op die manier mijn aanwezigheid te verraden, voor het geval Datura of een van haar paarden zich ergens onder me bevond.

Ik kwam bij de overloop halverwege de trap, liep nog twee treden af en zag een zwak schijnsel op de muur van de elfde etage. Er kwam iemand naar boven. Hij kon hooguit maar een etage of twee beneden me zijn, want licht heeft moeite met bochten van honderdtachtig graden. Ik overwoog snel verder te lopen in de hoop dat ik de elfde verdieping zou kunnen bereiken, waar ik dan als een haas het trappenhuis uit zou moeten rennen voordat degene die naar boven kwam de bocht naar de volgende trap nam en me zou zien. Maar de kans bestond dat die deur was dichtgeroest en niet meer open wilde. Of dat de verroeste scharnieren een gekrijs zouden produceren dat door merg en been ging.

De lichtvlek op de muur werd helderder en groter. Hij kwam snel naar boven. Ik hoorde voetstappen.

Ik had het geweer. In een besloten ruimte als het trappenhuis, zou zelfs ik niet kunnen missen.

Ik was genoodzaakt geweest het wapen mee te nemen, maar ik stond niet echt te trappelen van verlangen om het te gebruiken. Het geweer moest mijn laatste redmiddel zijn, niet mijn eerste optie. En trouwens, op het moment dat ik de trekker overhaalde, zouden ze weten dat ik nog steeds in het hotel was. Dan zouden ze nog veel fanatieker naar me op jacht gaan.

Zo geruisloos mogelijk liep ik weer achteruit. Op de overloop van de twaalfde etage bleef ik in het donker naar boven lopen met de bedoeling naar de dertiende etage te gaan, maar de vierde tree bleek vol rommel te liggen. Omdat ik niet zeker wist wat me hoger te wachten stond en uit angst dat ik zou struikelen als er nog meer rotzooi op de grond lag en een hoop herrie zou maken, plus het feit dat de trap misschien helemaal geblokkeerd was, liep ik weer terug naar de twaalfde.

Het licht op de muur bij de overloop werd feller toen de straal er recht op scheen. Hij was waarschijnlijk nog maar anderhalve trap beneden me en als hij de hoek om kwam, zou hij me zien.

Ik snoekte door de half geopende deur en was weer terug op de twaalfde verdieping. In het grauwe licht zag ik dat de eerste twee deuren, links en rechts van me, dicht zaten. Ik durfde geen tijd te verspillen om ze te proberen, voor het geval ze op slot zouden zitten. De tweede kamer aan mijn rechterhand stond open. Ik glipte vanuit de gang naar binnen en verborg me achter de deur.

Ik scheen in een suite te staan. Door openstaande verbindingsdeuren viel aan weerszijden verwaterd daglicht naar binnen. Recht tegenover de deur waardoor ik naar binnen was gekomen schenen twee schuifdeuren toegang te geven tot een balkon. Zilveren regenslierten striemden om de torenflat en door de wind rammelden de deuren in hun sponningen.

Buiten in de gang smeet degene die naar boven was gekomen – Andre of Robert – de deur naar het trappenhuis met zoveel geweld open toen hij binnenkwam dat die tegen de deurstopper knalde. Ik stond met mijn rug tegen de muur en hield mijn adem in terwijl ik hem voorbij mijn kamer hoorde lopen. Een tel later viel de deur naar het trappenhuis dicht.

Hij zou wel op weg zijn naar de hoofdgang en kamer 1242, in de hoop dat hij me daar in mijn kraag zou kunnen vatten voordat ik de witte knop indrukte om Danny te bevrijden en in plaats daarvan ons allebei zou opblazen.

Nu hij langs me heen was, hoefde ik niet bang meer te zijn dat er nog iemand naar boven kwam. Ik kon met behulp van mijn zaklantaarn met twee treden tegelijk naar beneden rennen, dan zou ik al op de begane grond zijn voordat hij terug zou komen naar het trappenhuis en me kon horen.

Twee seconden later begon Datura in de hoofdgang krijsend te vloeken en van de taal die ze uitsloeg zou de hoer van Babylon nog blozen. Ze was kennelijk met haar andere kameraad via het trappenhuis aan de noordkant naar boven gekomen. En toen ze bij kamer 1242 arriveerde, was ze tot de ontdekking gekomen dat Danny Jessup niet meer aan de bom vastgesnoerd zat en ook niet van de muren gekrabd moest worden.

43

In het casino had Datura met haar gemene uitval tegen Mary-ann Morris al bewezen dat haar zijdezachte stem kon veranderen in iets dat even wreed was als een wurgkoord. Achter de deur, vlak bij de ingang van de driekamersuite, luisterde ik toe hoe ze me met een schrikbarend volume stond uit te vloeken, af en toe met woorden waarvan ik nooit had geweten dat je ze ook voor een vent kon gebruiken en met iedere seconde die verstreek, voelde ik het vertrouwen dat ik wel zou kunnen ontsnappen slinken.

Ze mocht dan zo geschift zijn als een gekke koe en ze kon best besmet zijn met syfilis, maar Datura was meer dan een leuk verpakte gek, meer en erger dan een moordlustige pornohandelaar met een ziekelijke eigenwaan waar Narcissus nog een puntje aan kon zuigen. Ze leek een elementaire kracht, die niet onder hoefde te doen voor aarde, water, lucht en vuur. De naam *Kali* schoot me door mijn hoofd, de hindoeïstische godin van de dood, de duistere kant van de moedergodin, de enige van de vele goden van dat geloof die de tijd overwonnen had. De vierarmige, gewelddadige en onverzadigbare Kali verorbert alles wat leeft en in de tempels die aan haar zijn gewijd wordt ze meestal afgebeeld met een halsketting van menselijke schedels dansend op een lijk.

Het metaforische beeld dat door mijn hoofd speelde, de donkere magere gestalte van de woeste Kali verborgen onder de weelderige vormen van de blonde Datura, voelde meteen zo goed en zo echt aan, dat mijn gevoel voor realiteit scheen te veranderen en intenser werd. Ieder detail van de in schaduwen gehulde hotelkamer, van de puinhopen om me heen en van het onweer dat achter de balkondeuren tekeerging, werd scherper en ik had het gevoel dat ik gedurende een ogenblik zelfs voorbij de moleculaire structuur van al die dingen kon kijken.

Maar tegelijk met dat nieuwe inzicht in alles om me heen ontdekte ik een bovenzinnelijk mysterie dat me nooit eerder was opgevallen, een openbaring die alles zou veranderen als ze aanvaard werd. Ik voelde een koude rilling door me heen gaan die ik nauwelijks kan omschrijven, een ontzag dat meer weghad van verering dan van angst, hoewel angst er ook deel van uitmaakte.

Misschien denkt u nu dat ik met veel moeite probeer de verhoogde alertheid te beschrijven waarmee doodsgevaar vaak gepaard gaat. Maar ik heb vaak genoeg in doodsgevaar verkeerd om te weten hoe dát aanvoelt, en dit bovennatuurlijk voorval was heel anders.

Ik denk dat het bij alle mystieke ervaringen van hetzelfde laken een pak is. Op het moment dat het onverklaarbare voor de hand lijkt te liggen, is het alweer voorbij, even ongrijpbaar als een droom. Maar nadat deze ervaring voorbij was, had ik een zinderend gevoel, alsof ik de volle lading had gekregen uit een ander soort Taser, een apparaat dat was ontworpen om het brein te activeren en te dwingen een vervelende waarheid onder ogen te zien.

De akelige waarheid waarmee ik geconfronteerd werd, was dat Datura, ondanks al haar gekte, haar onwetendheid en haar belachelijke excentriciteiten, een veel gevaarlijker tegenstander was dan ik had onderkend. Als het ging om extreem geweld had zij evenveel gretige handen als Kali, terwijl mijn twee handen zich daar alleen met tegenzin voor lieten gebruiken.

Ik was oorspronkelijk van plan geweest als een haas uit het hotel weg te vluchten en hulp te gaan halen of, als dat zou mislukken, zo lang uit de buurt te blijven van die vrouw en haar twee handlangers dat ze ervan overtuigd zouden raken dat ik inderdaad ontsnapt was en dat ze zich zelf ook uit de voeten moesten maken voordat ik de politie op hen afstuurde. Niet zozeer een actieplan als wel een plan om me gedeisd te houden.

Terwijl ik hoorde hoe Datura tekeerging, kennelijk in de buurt van het punt waar de beide gangen elkaar kruisten – veel te dichtbij naar mijn zin – drong het tot me door dat de meeste mensen weliswaar door woede belemmerd worden om helder na te denken, maar dat het haar zintuigen aanscherpte en haar nog geslepener maakte. Hetzelfde gold voor haat. Haar aanleg om kwaad te doen, met name het speciale soort kwaad dat vroeger 'slechtheid' werd genoemd, was zo groot dat het leek alsof ze over angstwekkende gaven leek te beschikken die even sterk waren als de mijne. Ik was best bereid om te geloven dat Datura het bloed van haar vijand kon ruiken terwijl het nog door zijn aderen vloeide en dat die geur haar aanlokte zodat ze het kon verspillen. Nadat ze weer was opgedoken had ik mijn plan om ervandoor te gaan via het trappenhuis aan de noordkant op de lange baan geschoven. Om zelfs maar een vinger te bewegen terwijl zij in de buurt was, leek pure zelfmoord. En het zat er dik in dat ik haar niet zou kunnen vermijden. Toch was ik er niet echt op gebrand om meteen een confrontatie aan te gaan. Gezien mijn nieuwe en heel wat angstaanjagender inschatting van deze gestoorde vrouw, begon ik me maar vast te vermannen voor wat er allemaal zou moeten gebeuren als ik wilde overleven.

Ik herinnerde me nog iets akeligs over de vierarmige hindoegodin dat me eveneens aanspoorde Datura niet te onderschatten. Kali had zo'n onverzadigbare behoefte aan afschuwelijke dingen, dat ze zichzelf eens onthoofd had om haar eigen bloed te kunnen drinken dat uit haar hals spoot.

Aangezien ze alleen zelf dacht dat ze een godin was, zou Datura zo'n onthoofding niet overleven. Maar als ik terugdacht aan haar akelige verhalen over het gehuil van vermoorde kinderen in een kelder in Savannah en het offer van dat naaistertje in Port-au-Prince die ze met zoveel kennelijk genoegen had verteld, dan kon ik niet ontkennen dat ze minstens zo bloeddorstig was als Kali.

Vandaar dat ik achter die deur bleef staan, in schaduwen die met de regelmaat van een klok werden doorboord door het licht van de bliksem, en luisterde naar haar gevloek en getier. Maar haar stem daalde al snel tot een niveau waarop ik niet meer kon verstaan wat ze zei, al waren de dringende toon en de aanhoudende klanken van woede, haat en duister verlangen onmiskenbaar.

Als Andre of Robert iets zeiden – of zelfs maar een poging

in die richting deden – dan hoorde ik hun diepere stemmen niet. Alleen die van haar. Gezien het feit dat ze zo ongelooflijk gehoorzaam waren en zichzelf volkomen wegcijferden, maakte ik op dat ze ware gelovigen waren, net zo bereid om de vergiftigde limonade te drinken als alle sekteleden die hen voorgingen. En toen ze haar mond hield, had ik eigenlijk opgelucht moeten zijn, maar in plaats daarvan kreeg ik dat spruitjesgevoel weer. Heel sterk.

Ik had vermoeid tegen de muur geleund. Maar nu ging ik rechtop staan.

In de twee handen waarmee ik het vasthield, voelde het geweer, dat bijna op een stuk gereedschap was gaan lijken, ineens aan als een levend wezen. Het sluimerde weliswaar nog, maar het leefde en was alert. Dat gevoel hadden vuurwapens me altijd gegeven. En net als in het verleden was ik bang dat ik het wapen niet in bedwang zou kunnen houden als het kritieke moment was aangebroken.

Hartelijk bedankt, mam.

Toen Datura ophield met praten, verwachtte ik dat ik beweging zou horen, deuren die open en dicht werden gedaan, aanwijzingen dat ze aan een zoektocht waren begonnen. Maar het bleef stil.

Het gedempte geluid van de regen die op het balkon neerstriemde en het incidentele gerommel van de donder waren niet meer dan achtergrondgeluid geweest. Maar terwijl ik gespannen stond te luisteren of ik iets in de gang hoorde, ergerde ik me aan het onweer, dat bijna op een gewillige handlanger van Datura leek.

Ik probeerde me voor te stellen wat ik in haar geval zou doen, maar het enige verstandige antwoord leek 'maak dat je wegkomt' te zijn. Nu Danny bevrijd was en wij allebei verdwenen waren, zou ze zich eigenlijk moeten haasten om haar bankrekeningen leeg te halen en met bekwame spoed richting grens te gaan. Een normale psychopaat gaat ervandoor als de grond hem te heet onder de voeten werd, maar dat gold niet voor Kali, de dodenverslindster.

Ze moesten een of twee auto's bij het hotel hebben staan. Nadat ze Danny hadden ontvoerd, waren ze hier via een omweg te voet teruggekeerd om mijn PMS op de proef te stellen, maar er was geen enkele reden waarom ze lopend zouden vertrekken in plaats van rijdend als het feest voorbij was.

Misschien maakte ze zich zorgen dat Danny en ik hun auto zouden vinden als we de begane grond bereikten en het Pana-mint konden verlaten. Dan zouden we het voertuig met behulp van de elektrische bedrading kunnen starten, zodat zij hier zon-der vervoer achterbleven. Als dat waar was, zou Andre of Robert – of Datura zelf – misschien naar beneden zijn gegaan om het voertuig buiten bedrijf te stellen of er de wacht bij te houden.

Regen. Het eindeloze gespetter van regen.

Een vaag gejammer van de wind, smekend bij de balkondeu-ren.

Het was geen geluid dat me waarschuwde. In plaats daarvan verraadde het gevaar zich door die muskusachtige, naar pad-denstoelen ruikende lucht van koud vlees.

44

Ik trok een gezicht bij die unieke, subtiele geur die niet bepaald een gezonde eetlust opwekte. Vervolgens moest hij een stap hebben genomen of zijn gewicht hebben verplaatst, want ik hoorde het zwakke maar scherpe geluid van een stukje puin dat vertrapt werd. De deur, die voor twee derde openstond, gunde mij net genoeg ruimte om mezelf in de tussenruimte met de muur erachter te verbergen. Als mijn achtervolger de deur verder openduwde, zou die van mij afkaatsen en mijn aanwezigheid onthullen.

In een heleboel andere gebouwen zou er een spleet zijn geweest tussen de openstaande deur en de deurpost die het mogelijk maakte om iemand te zien die op de drempel stond. Maar het beleg van deze deur was dikker dan noodzakelijk en de sierlijst bedekte de spleet. Maar als je het van de zonzijde bekeek, en dat was voor mij op dat moment absoluut noodzakelijk, dan kon hij mij evenmin zien als ik hem.

Omdat ik die verontrustende lucht alleen op verschillende momenten in de trappenhuizen en bij mijn tweede bezoek aan het casino had geroken, had ik de geur niet geassocieerd met Andre en Robert. Nu drong het tot me door dat ik er niets van had kunnen merken binnen de met kaarsen verlichte muren van kamer 1203 waar ik ook van hun aangename gezelschap had kunnen genieten, omdat het opdringerige parfum van Cleo-May de lucht effectief had gemaskeerd.

Omlijst door de grote schuifdeuren aan de noordkant vloog een ondersteboven gekeerde boom van bliksem in brand, met de wortels in de hemel en de trillende takken aan de grond. Een twee boom overlapte de eerste en een derde overlapte de tweede: een kortstondig vurig bos dat alweer afbrandde terwijl het nog groeide.

Hij bleef zo lang in de deuropening staan dat ik begon te vermoeden dat hij zich niet alleen bewust was van mijn aanwezigheid, maar ook precies wist waar ik stond en gewoon met me speelde. Seconde na seconde raakten mijn zenuwen meer gespannen zodat ze begonnen te lijken op het elastiekje aan de propellor van een houten speelgoedvliegtuigje. Ik prentte mezelf in dat ik niet te haastig moest reageren. Per slot van rekening kon hij ook gewoon doorlopen. Het noodlot is je niet altijd ongunstig gezind. Soms raast een wervelstorm linea recta op een kwetsbaar kustgebied af en draait dan weg van het land.

Ik had nog geen moed geput uit die hoopvolle gedachte of hij stapte over de drempel de kamer in, een beweging die ik eerder voelde dan hoorde.

Een geweer met een pistoolgreep is per definitie geen wapen dat je afvuurt met de kolf tegen je schouder gedrukt. Je houdt het voor je en naast je.

Aanvankelijk belette de deur nog dat de zoekende man me zag. Als hij verder naar voren liep, zou ik een mantel van onzichtbaarheid nodig hebben en die had ik niet bij me, want ik was helaas nog steeds Harry Potter niet.

Toen Chief Porter een geweer met een pistoolgreep had gebruikt om te voorkomen dat ik een been kwijt zou raken of door een krokodil ontmand zou worden leek het wapen een gemene terugslag te hebben. De commissaris had met zijn voeten uit elkaar gestaan, de linker iets voor de rechter, en de knieën licht gebogen om de klap op te vangen, maar hij had toch een duidelijke dreun gekregen.

Hij liep ver genoeg de kamer in om zijn identiteit prijs te geven, maar Robert had mij nog steeds niet gezien. Tegen de tijd dat hij binnen mijn gezichtsveld kwam, was ik al ruim uit het zijne. Zelfs als hij zijn hoofd draaide om opzij te kijken, zou hij me waarschijnlijk ook niet in zijn ooghoeken zien. Maar als zijn instinct hem waarschuwde, waren de schaduwen die mij omhulden niet donker genoeg om te voorkomen dat hij me zag als hij zich omdraaide.

In het duister kon ik zijn gezicht niet goed genoeg zien om hem daaraan te herkennen. Hij was eerder groot dan enorm, dus dat sloot Andre uit.

In de lawaaierige tuin van onweer schoten meer bliksem-schichten op en de denderende klap van de donder was het geluid van een heel bos dat omgehakt werd.

Hij liep verder de kamer in, zonder links of rechts te kijken. Ik begon het idee te krijgen dat hij helemaal niet binnen was gekomen om mij te zoeken, maar om een heel andere reden. Uit zijn gedrag, dat nog meer op dat van een slaapwandelaar leek dan anders, maakte ik op dat hij door het onweer werd aangetrokken. Hij bleef voor de balkondeuren staan.

Heel even koesterde ik de hoop dat, als de lichtshow van de onweersbui nog een minuut langer doorging en Roberts aandacht zou opeisen en elk geluid dat ik maakte zou verhullen, ik in staat zou zijn om vanuit mijn schuilplaats snel de gang in te glippen zonder dat hij het merkte. Dan zou ik deze confrontatie kunnen vermijden en toch via het trappenhuis de benen kunnen nemen.

Terwijl ik voorzichtig naar voren sloop met de bedoeling om de deur te gluren en me ervan te verzekeren dat Datura en Andre op een andere plek aan het zoeken waren en dat de gang veilig was, werd ik verrast en overdonderd door het volgende salvo bliksemschichten. Iedere flits weerkaatste van Robert zodat zijn spookachtige beeltenis in het glas van de balkondeuren afgetekend stond. Zijn gezicht was glanzend en even wit als een Kabukimasker en zijn ogen waren zelfs nog witter, helderwit van de bliksem die erin weerkaatst werd.

Ik moest meteen aan de slangenman denken, die ik uit het afwateringskanaal had gevist met zijn ogen weggedraaid in zijn hoofd.

De drie volgende schichten toonden steeds opnieuw een spiegelbeeld met witte ogen en ik bleef als aan de grond genageld staan terwijl de ijskoude rillingen over mijn rug liepen. Zelfs toen Robert zich naar me omdraaide.

45

Weloverwogen, zonder de snelle reflexen van iemand die kwaad in de zin heeft, draaide Robert zich naar me om. De ondergrondelijke lichtseinen van de storm verlichtten zijn gezicht niet meer, maar toonden zijn silhouet. De lucht, één groot galjoen met duizend zwarte zeilen, bleef maar flitsen alsof er werd geprobeerd zijn aandacht te trekken, en een donderslag dreunde.

Nu zijn ogen niet meer op de bliksem waren gericht was die maanwitte glans ook verdwenen. Maar toch... hoewel zijn gezicht in schaduwen was gehuld, leken zijn ogen toch nog een beetje lichtgevend en even troebel als die van een man die blind is geworden van staar. Hoewel ik hem niet goed genoeg kon zien om er zeker van te zijn, had ik het gevoel dat zijn ogen weggedraaid waren in zijn gezicht en dat er geen kleur meer te zien was. Maar dat kan ook best pure verbeelding zijn geweest, veroorzaakt door de rillingen die me over de rug liepen.

In de houding die ik me van Chief Porter herinnerde, richtte ik het geweer op hem. Ik mikte vrij laag, omdat de terugslag de loop misschien omhoog zou rukken.

Hoe Roberts ogen er ook aan toe waren, of ze nu zo wit waren als hardgekookte eieren of de sombere bloeddoorlopen groenblauwe kleur hadden die ik me ervan herinnerde, ik wist zeker dat hij zich niet alleen van mijn aanwezigheid bewust was, maar me ook kon zien. En toch wekten zijn gedrag en zijn lamlendige houding de indruk dat die aanblik hem niet meteen in een psychopathische moordenaar veranderde. Ik kreeg niet direct het idee dat hij verrast was, maar in ieder geval wel afwezig en moe. De gedachte begon zich op te dringen dat hij helemaal niet op zoek naar mij was geweest, maar hier alleen met een andere bedoeling naar binnen was gelopen, of misschien wel zonder bedoeling. Nu hij me per ongeluk had gevonden zag hij eruit alsof hij helemaal geen zin had om de noodzakelijke confrontatie aan te gaan. En het werd nog gekker: hij slaakte een diepe, vermoeide zucht die een tikje klagend klonk alsof hij het gevoel had dat hij werd lastiggevallen.

Voor zover ik me kon herinneren, waren het de eerste geluiden die ik over zijn lippen hoorde komen. Een zucht en een klacht. Zijn onverklaarbare malaise en mijn tegenzin om gebruik te maken van het geweer als mijn leven niet direct in gevaar was, had een bizarre impasse veroorzaakt die ik me nog maar twee minuten geleden niet had kunnen voorstellen. Ik voelde het zweet op mijn voorhoofd parelen. Dit was een onhoudbare toestand. Er moest iets gebeuren.

Zijn armen bungelden naast zijn lichaam. Het licht van de bliksemschichten lekte speels langs de omtrek van een pistool of een revolver in zijn rechterhand. Toen hij zich bij het raam omdraaide, had Robert mij meteen op de korrel kunnen nemen en een paar schoten kunnen lossen terwijl hij zich liet vallen en wegrolde om uit de baan van het geweer te komen. Ik twijfelde er geen moment aan dat hij een ervaren moordenaar was, die precies wist wat hem te doen stond. De kans dat hij mij zou doden, was veel groter dan de kans dat ik hem zou verwonden.

Het pistool hing als een anker onder aan zijn arm terwijl hij twee stappen in mijn richting deed, niet op een dreigende manier, maar bijna alsof hij me iets dringend wilde vragen. Het waren de zware stappen van een trekpaard, die perfect pasten bij de titel van *cheval* die Datura hem had gegeven.

Ik was bang dat Andre zo meteen binnen zou komen, met de onverzettelijkheid van de locomotief waaraan hij me in eerste instantie had doen denken. Dan zou Robert misschien die besluiteloosheid van zich afzetten. Of een andere stemming die hem zo deed aarzelen. Dan konden ze me van twee kanten bestoken.

Maar ik was niet in staat een man vol lood te pompen die op dit moment helemaal geen zin leek te hebben om op mij te schieten.

Hoewel hij dichterbij was gekomen, kon ik zijn verlopen gezicht nog steeds niet duidelijker zien dan daarvoor. Desondanks had ik nog steeds de griezelige indruk dat zijn ogen bevroren ruiten waren.

Hij produceerde opnieuw een geluid, dat ik aanvankelijk voor een gemompelde vraag hield. Maar toen ik het opnieuw hoorde, leek het meer op een ingehouden kuchje.

Ten slotte kwam de hand met het pistool toch omhoog.

Ik kreeg het gevoel dat hij het wapen niet met dodelijke bedoelingen ophief, maar onbewust, bijna alsof hij was vergeten dat hij het in zijn hand had. Rekening houdend met wat ik van hem wist – zijn toewijding aan Datura, zijn bloeddorstigheid, het feit dat hij zonder twijfel medeplichtig was aan de wrede moord op dr. Jessup – kon ik niet wachten tot hij zijn bedoelingen nog duidelijker kenbaar zou maken.

De terugslag deed me wankelen op mijn benen. Hij ving het schot hagel op alsof hij van gewapend beton was en liet zijn pistool niet vallen, dus schoof ik een nieuwe patroon in de kamer en schoot opnieuw, waarna de glazen deuren achter hem aan diggelen gingen. Ik had kennelijk te hoog of naast hem gericht, dus vuurde ik nog een derde keer en hij strompelde achteruit door het gat waarin de schuifdeuren hadden gezeten. Hoewel hij nog steeds zijn wapen niet had laten vallen, had hij het ook niet gebruikt en ik betwijfelde of een vierde schot nodig was. Minstens twee van de drie patronen hadden hem vol geraakt.

Maar ik rende toch naar hem toe om er een eind aan te maken. Het leek bijna alsof het geweer mij onder druk zette omdat het helemaal leeggeschoten wilde worden. De vierde patroon blies hem van het balkon af.

Pas toen ik naar de kapotte deuren liep, zag ik wat me door de regen en het perspectief tot dan ontgaan was. De buitenste rand van het balkon was kennelijk tijdens de aardbeving van vijf jaar geleden afgebroken en had de balustrade meegenomen.

Als er nog leven in hem had gezeten na drie rake patronen zou dat na een val van twaalf verdiepingen wel uitgeblust zijn.

46

Nadat ik Robert had gedood stond ik te trillen op mijn benen en ik werd een beetje licht in mijn hoofd, maar niet zo misselijk als ik eigenlijk had verwacht. Hij was per slot van rekening Cheval Robert, geen brave huisvader of een van de steunpilaren van zijn gemeenschap.

Bovendien had ik het gevoel dat hij wilde dat ik het zou doen. Hij scheen de dood begroet te hebben als een zegen.

Terwijl ik wegliep bij de balkondeuren en de plotselinge vlaag regen die erdoor naar binnen sloeg, hoorde ik Datura ergens ver weg op de twaalfde verdieping schreeuwen. Haar stem zwol aan tot een sirene, toen ze in mijn richting rende.

Als ik nu een spurt nam in de richting van het trappenhuis zou ik zeker in de gang onderschept worden voordat ik de deur had bereikt. Zij en Andre zouden gewapend zijn en het druiste tegen alle logica in om te verwachten dat ze net zo aarzelend zouden reageren als Robert.

Ik ruilde de woonkamer van de suite om voor de slaapkamer rechts van de hoofdingang. Daar was het donkerder dan in de vorige kamer omdat de ramen kleiner waren en omdat de vergane gordijnen nog aan hun rails hingen. Ik had niet verwacht een plek te vinden waar ik me kon verstoppen. Ik had alleen wat tijd nodig om bij te laden.

Ze zouden op hun hoede zijn door de geweerschoten die hun aandacht hadden getrokken en voorzichtig de woonkamer binnengaan. Het zat er dik in dat ze eerst een waarschuwingssalvo af zouden vuren. En tegen de tijd dat een van hen zich in deze aangrenzende kamer waagde, zou ik klaar voor hen zijn. In zekere zin tenminste. Ik had nog maar vier patronen, geen arsenaal.

Als ik geluk had, wisten ze niet waar Robert bij zijn zoektocht naar mij beland was... als hij me al had gezocht. Aan de hand van het geluid alleen konden ze niet nagaan waar de schoten vandaan waren gekomen. Misschien besloten ze wel om alle kamers aan de zijgang te doorzoeken, dan zou ik wellicht de kans krijgen om weg te komen van de twaalfde verdieping.

Van veel dichterbij, nog niet vanuit de suite maar mogelijk vanaf de plek waar de hoofdgang op de zijgang uitkwam, schreeuwde Datura mijn naam. Ze klonk niet alsof ze me uitnodigde om gezellig samen een ijsje te gaan eten, maar ze leek eerder opgewonden dan pissig.

De loop van het geweer, de kulas en de afsluiter waren nog steeds warm van de schoten die ik had gelost. Terwijl ik het tegen een muur zette en huiverde toen ik terugdacht aan de manier waarop Robert achterover van het balkon was gedoken plukte ik een van de reservepatronen uit de zak van mijn spijkerbroek. Het was zo donker dat ik onhandig stond te prutsen omdat ik niet precies wist hoe ik de patroon in de kulas moest duwen.

'Hoor je me, Odd Thomas?' schreeuwde Datura. 'Kun je me horen, vriendje?'

Om de een of andere reden kreeg ik de patroon niet op de plaats en mijn handen begonnen te trillen, wat de klus nog moeilijker maakte.

'Was al dat gelazer waar het op leek?' riep ze. 'Was dat echt een poltergeist, vriendje?'

Na de confrontatie met Robert had ik het zweet op mijn gezicht staan. Het geluid van Datura's stem veranderde het in een ijslaagje.

'Dat was echt waanzínnig, gewoon helemaal te gek!' verklaarde ze, nog steeds vanuit de gang.

Ik besloot om de kulas tot het laatst te bewaren en probeerde de patroon door wat volgens mij het laadgat was van het voor drie kogels geschikte magazijn te duwen. Mijn vingers waren nat van het zweet en trilden. De patroon viel uit mijn hand en ik voelde hem van mijn rechterschoen wegkaatsen.

'Heb je me bij de neus genomen, Odd Thomas?' vroeg ze.

'Heb je me expres zo tekeer laten gaan tegen onze Maryann tot ze plofte?'

Het bestaan van Borstelkop was haar onbekend. Er was een zekere gerechtigheid in het feit dat ze dacht dat een serveerster die knap-maar-niet-knap-genoeg was geweest haar de loef had afgestoken.

Ik ging in het donker op mijn hurken zitten en liet mijn hand over de vloer om me heen glijden. Ik was bang dat de patroon zo ver weg was gerold dat ik hem niet terug zou kunnen vinden en dat ik de zaklantaarn moest gebruiken om hem te vinden. Ik had alle vier patronen nodig. Toen ik het ding binnen een paar seconden te pakken had, kreunde ik bijna van opluchting.

'Ik wil het nog een keer meemaken!' schreeuwde ze.

Ik bleef op mijn hurken zitten met het geweer rechtop tegen mijn dijbeen en probeerde opnieuw om het magazijn te laden door de patroon er eerst van de ene kant en toen van de andere kant erin te stoppen. Maar de patroon paste niet in het laadgat, als het dat tenminste was. En toch leek het zo'n simpel werkje, veel eenvoudiger dan een gebakken eitje om te draaien zonder de dooier te breken. Maar in het donker gold dat kennelijk niet voor iemand die niet vertrouwd was met het geweer. Ik had licht nodig.

'Laten we die domme dooie griet nog een keer gaan opnaaien!'

Bij het raam schoof ik voorzichtig het vergane gordijn opzij.

'Maar dit keer hou ik je wel aan de lijn, vriendje.'

Het zou nog een uur of twee licht blijven, maar door de onweerswolken lag er een onnatuurlijke mantel van schemer over de doorweekte woestijn. Maar ik kon nog genoeg zien om het geweer te bestuderen en viste een van de andere patronen uit mijn zak om het daarmee te proberen. Het lukte niet. Ik legde het ding op de vensterbank en probeerde de derde. En omdat ik de waarheid absoluut niet onder ogen wilde zien ook de vierde.

'Jij en Danny de Griezel komen hier echt niet weg, hoor. Heb je me gehoord? *Jullie kunnen geen kant op.*'

De munitie die ik in de badkamer had gevonden, op de kast naast de wastafel, was kennelijk bedoeld voor een ander wapen.

En daarmee hield het geweer in feite op een vuurwapen te zijn. Het was hooguit nog een eigenaardig gevormde knuppel.

De boot was aan, maar ik had niet eens een peddel, laat staan een buitenboordmotor.

47

Ik heb altijd gedacht dat ik het op een dag leuk zou vinden om autobanden te gaan verkopen. Ik had wel eens een tijdje rondgehangen bij Tire World, bij het Green Moon Winkelcentrum op de Green Moon Road en iedereen daar maakte een ontspannen en blije indruk. Als je banden verkoopt, hoef je je aan het eind van een werkdag niet af te vragen of je iets zinnigs hebt gedaan. Je hebt mensen langs zien komen op slechte banden en ze weer op pad gestuurd met mooi nieuw rubber.

Amerikanen moeten mobiel zijn en ze komen geestelijk in de knel als dat niet het geval is. Het verkopen van banden is niet alleen goede handel, het stelt ook bezorgde zielen gerust. Maar hoewel bij de verkoop van banden geen sprake is van harde onderhandelingen, zoals bijvoorbeeld wel bij onroerend goed of in de internationale wapenhandel het geval is, ben ik toch bang dat ik dat verkoopaspect van zo'n baan in emotioneel opzicht te inspannend zou vinden. Als het paranormale aspect van mijn leven grotere zorgen meebracht dan de dagelijkse omgang met Elvis, zou het misschien logisch zijn om banden te gaan verkopen, maar inmiddels is het wel tot u doorgedrongen dat er veel meer bij komt kijken dan de favoriete schoonzoon uit Memphis.

Voordat ik naar het Panamint vertrok, ging ik ervan uit dat ik uiteindelijk wel weer voor Terri Stambaugh zou gaan werken. Als de snackbar een te grote belasting zou blijken omdat er al zoveel in mijn binnenste borrelde, dan zou ik misschien verleid worden om het in de bandenwereld te proberen, niet in de verkoop maar als monteur.

Maar op die onweersdag in de woestijn veranderde er een heleboel voor me. We moeten allemaal onze doelstellingen hebben, onze dromen, en die moeten we na blijven streven. We zijn echter geen goden, we hebben niet de macht om de toekomst volledig naar onze hand te zetten. En de weg die voor ons wordt gebaand is er een die ons nederigheid leert, als we ons daarvoor openstellen.

Terwijl ik in een beschimmelde kamer in een verwoest hotel stond te kijken naar een nutteloos geweer en hoorde hoe een moordlustige vrouwelijke gek me verzekerde dat mijn lot in haar handen lag, voelde ik me in ieder geval nederig genoeg. Vooral als je naging dat ik mijn beide energierepen had weggegeven. Misschien voelt Wile E. Coyote zich nog net iets lulliger als hij tot de ontdekking komt dat hij zelf onder het rotsblok ligt waarmee hij Road Runner had willen verpletteren, maar veel kan dat niet geweest zijn.

'En weet je waarom je geen kant op kunt, vriendje?' schreeuwde ze.

Ik hield mijn mond omdat ik zeker wist dat ze me dat wel zou vertellen.

'Omdat ik alles van je afweet. Ik weet alles van je. En ik weet ook dat het wederzijds is.'

Ik snapte niet meteen wat ze daarmee bedoelde, maar het was geen groter raadsel dan een stuk of honderd andere dingen die ze had gezegd, dus deed ik geen moeite die uitspraak te doorgronden.

Ik vroeg me af wanneer ze op zou houden met dat gegil en echt op zoek zou gaan. Misschien was Andre op zoek naar mij de suite al binnen geslopen en diende dat geschreeuw in de gang alleen maar om me het idee te geven dat ik niet ieder moment voor de bijl kon gaan.

Alsof ze wist wat ik dacht, zei ze: 'Ik hoef toch niet naar je op zoek te gaan, Odd Thomas?'

Nadat ik het geweer op de grond had gelegd veegde ik met mijn handen over mijn gezicht en droogde ze vervolgens af aan mijn spijkerbroek. Ik had het gevoel alsof ik me zes dagen lang niet had gewassen en ook geen schijn van kans had op het zondagse bad.

Ik had altijd verwacht dat ik schoon zou sterven. Als ik in mijn droom die witte deur met panelen opendoe en die staaf door mijn keel krijg, draag ik een schoon T-shirt, een gestreken spijkerbroek en schoon ondergoed.

'Ik hoef echt niet te riskeren dat ik een kogel door mijn kop krijg terwijl ik jou loop te zoeken,' riep ze.

Ik weet eigenlijk niet waarom ik altijd had verwacht om schoon te sterven, zeker niet als je naging hoe vaak ik in de nesten zat. Nu ik erover nadacht, kreeg ik het idee dat ik mezelf voor de gek had gehouden. Freud zou zich met genoegen aan een analyse hebben gewaagd die mijn ik-moet-schoon-zijn-als-ik-sterf-complex zou verklaren. Maar Freud was dan ook geschift.

'Paranormaal magnetisme,' riep ze, waardoor ik mijn aandacht, die een beetje afgedwaald was, weer op haar richtte. 'Paranormaal magnetisme werkt naar twee kanten, vriendje.'

Ik had me niet echt lekker gevoeld, hoe je het ook bekeek, maar toen ze dat zei, zonk de moed me in de schoenen.

Als ik een bepaald doelwit in gedachten heb, kan ik op goed geluk gaan ronddwalen en dan zal mijn PMS me vaak bij zo'n persoon brengen. En af en toe, als ik vaak aan iemand zit te denken maar nog niet echt naar hem of haar op zoek ben, treedt hetzelfde mechanisme in werking en komt de persoon in kwestie automatisch en zonder het zelf te beseffen naar me toe. Maar als dat paranormale magnetisme in tegengestelde richting werkt, zonder dat ik me daar echt bewust van ben, heb ik het niet in de hand en dan kan ik voor akelige verrassingen komen te staan. Van alle dingen die Danny Datura over mij had verteld, zou dit wel eens de meest gevaarlijke wetenschap kunnen zijn.

Vroeger, als een of andere booswicht ineens zonder dat hij dat van plan was geweest voor mijn neus stond dankzij dat omgekeerde PMS, was hij daardoor net zo verrast geweest als ik. En daardoor werd het in ieder geval een kwestie van gelijke monniken.

In plaats van nerveus iedere kamer op iedere verdieping af te zoeken, was Datura van plan om kalm maar alert te blijven en zich open te stellen voor de kracht van mijn aura, of wat het voor de duivel ook mag zijn dat die paranormale aantrekking veroorzaakt. Ze kon samen met Andre de beide trappenhuizen bewaken, waarbij ze af en toe in de liftruimte gingen luisteren of ze iets hoorden, en wachten tot ze automatisch aan mijn zijde – of achter mijn rug – zou opduiken, alleen maar vanwege het feit dat ze, zoals in dat liedje van Willie Nelson, 'altijd in mijn gedachten' was.

Ik kon nog zo'n slimme manier bedenken om het hotel uit te komen, het zat er toch dik in dat ik weer met haar geconfronteerd zou worden voordat ik de benen kon nemen. Noem het maar noodlot.

Mocht u nu een biertje te veel op hebben en zin hebben om dwars te liggen, dan zou u kunnen zeggen: *Doe niet zo stom, Odd. Dan hoef je alleen maar niet aan haar te denken.*

Stelt u zich dan maar eens voor dat u op een zomerse dag als een zorgeloos kind op blote voeten rondrent, op een oude plank trapt en een vijftien centimeter lange spijker zich in uw voetholte boort tot hij er weer aan de andere kant uit komt. Dan is er natuurlijk geen enkele reden om uw plannen op de lange baan te schuiven en op zoek te gaan naar een dokter. U zult zich prima voelen als u gewoon niet aan die scherpe roestige spijker denkt die dwars door uw voet steekt.

Of je bent bezig met een spelletje golf en je bal komt in de bosjes terecht. Als je hem oppakt, word je in je hand gebeten door een ratelslang. Maar doe geen moeite om via je mobiele telefoon het alarmnummer te bellen. Je kunt je rondje gewoon met succes ten einde brengen als je je maar op het spel concentreert en die vervelende ratelslang uit je hoofd zet.

Hoeveel biertjes u ook achter de kraag hebt, ik ga ervan uit dat u nu wel begrijpt wat ik bedoel. Datura was de spijker in mijn voet, die slang die haar giftanden in mijn hand had gezet. Om onder deze omstandigheden te proberen die vrouw uit mijn hoofd te zetten, was net zoiets als samen met een boze blote sumoworstelaar in één kamer te zitten en net te doen alsof je hem niet zag.

In ieder geval had ze verraden wat ze van plan was. Nu wist ík dat zíj wist dat paranormaal magnetisme ook omgekeerd kon werken. Ze kon opduiken op een moment dat ik er het minst op verdacht was, maar dan was ik tenminste niet meer zo verrast als ze me onthoofdde en mijn bloed dronk.

Ze was opgehouden met dat geschreeuw.

Ik wachtte gespannen, terwijl de stilte op mijn zenuwen werkte. Het was gemakkelijker geweest om niet aan haar te denken toen ze liep te blèren dan nu ze haar mond dichthield.

De regen striemde tegen het raam dat besloeg. De donder rommelde. De wind zong een lijkzang.

Dat woord zou Ozzie Boone, leraar en man der letteren, wel bevallen. Een lijkzang, een treurdicht, een lied voor een dode.

Terwijl ik verstoppertje speelde met een knettergekke vrouw in een uitgebrand hotel zat Ozzie waarschijnlijk in zijn gezellige studeerkamer aan een mok warme chocola te nippen en aan pecankoekjes te knabbelen, terwijl hij al begonnen was aan het eerste deel van een nieuwe serie over een detective die met dieren kan praten. Misschien zou hij het wel *Lijkzang voor een hamster* noemen.

Deze lijkzang was uiteraard voor Robert, die met een lijf vol hagel en gebroken botten beneden lag.

Na een poosje wierp ik een blik op de verlichte wijzerplaat van mijn horloge. Daarna keek ik er om de paar minuten op tot er een kwartier voorbij was.

Ik had niet veel zin om terug te gaan naar de gang. Aan de andere kant had ik ook geen zin om te blijven zitten waar ik zat.

Behalve de papieren zakdoekjes, een fles water en een paar andere dingen waar een man in mijn toestand niets mee opschoot, had ik ook nog het vissersmes in mijn rugzak. Het scherpste mes was niet opgewassen tegen een geweer, aangenomen dat ze daarmee bewapend was, maar het was beter dan haar te moeten aanvallen met een pakje tissues.

Ik zou niemand aan een mes kunnen rijgen, zelfs Datura niet. Het gebruik van een vuurwapen is angstaanjagend, maar op die manier kun je in ieder geval iemand op een afstandje doden. Vuurwapens zijn lang niet zo intimiderend als messen. Om haar op zo'n intieme manier te doden, van dichtbij terwijl haar bloed over het heft van het mes stroomde, moest een andere Odd Thomas opstaan, uit een andere dimensie. Een die veel wreder was dan ik en die zich niet zo druk maakte over schone handen.

Alleen gewapend met mijn blote handen en een vertoon van bluf liep ik eindelijk terug naar de zitkamer van de suite.

Geen Datura.

De gang – waar ze nog maar zo kort geleden schreeuwend had rondgeslopen – was leeg.

Toen ze de schoten uit het jachtgeweer hoorde, was ze vanaf de noordkant van het gebouw hierheen gerend. Het zat er dik in dat ze daar het trappenhuis had bewaakt en nu weer terug was gegaan.

Ik wierp een blik op het trappenhuis aan de zuidkant, maar als Andre daar ergens zat te wachten, bleef hij daar zitten. Ik mocht dan een blufgozer zijn, Andre was een serieuze vogel. En na een knokpartij zou ik er net zo uitzien als een pakje zoute crackers dat hij net verkruimeld had om door zijn soep te doen.

Ze had niet geweten waar ik zat toen ze daar had staan schreeuwen, ze had niet zeker geweten of ik haar wel hoorde. Maar ze had me precies verteld wat ze van plan was: ze ging niet zoeken, ze zou alleen geduldig afwachten, rekenend op een angstaanjagend soort kismet.

48

Omdat ik me niet in de buurt van de trappenhuizen of de lift-schachten kon vertonen, was ik aangewezen op de hulpmidde-len die de twaalfde verdieping me te bieden had. Ik dacht aan het kilo geligniet, of hoe ze dat tegenwoordig ook noemden. Een hoeveelheid springstof die een groot huis met de grond ge-lijk kon maken zou toch van nut moeten zijn voor een jonge vent die zo wanhopig was als ik.

Hoewel ik geen opleiding had gehad in het omgaan met ex-plosieven, had ik het voordeel van mijn paranormale gave. Ja, daardoor was ik weliswaar in deze puinhoop terechtgekomen, maar als die gave me niet nog meer problemen bezorgde, zou ik er ook gebruik van kunnen maken om me eruit te redden. Bo-vendien had ik ook die typisch Amerikaanse overtuiging dat ik alles aan kon, en die mag nooit onderschat worden.

Volgens de geschiedkundige gegevens die ik uit films had op-gedaan vond Alexander Graham Bell na wat gerommel met een paar blikjes en een draadje de telefoon uit, geholpen door zijn assistent Watson, die ook iets met Sherlock Holmes van doen had, en werd bijzonder succesvol nadat hij negentig minuten lang door mindere mensen was bestookt met hoon en tegen-werking. En Thomas Edison, ook zo'n grote Amerikaan, had zich de hoon en de tegenwerking van een opvallend soortgelijk stel mindere mensen moeten laten welgevallen, voordat hij de gloeilamp, de fonograaf, de eerste camera voor geluidsfilm en de alkalinebatterij plus nog een heel stel andere dingen uitvond, eveneens in negentig minuten waarin hij een treffende gelijke-nis vertoonde met Spencer Tracy.

Toen hij net zo oud was als ik, had Tom Edison op Mickey Rooney geleken, een aantal slimme toestelletjes uitgevonden en al genoeg zelfvertrouwen gehad om het negativisme van zijn tegenstanders te trotseren. Edison, Mickey Rooney en ik waren allemaal Amerikaans, dus ik had reden aan te nemen dat ik door de componenten van de inmiddels ontmantelde bom te bestuderen een nuttig wapen kon maken.

Bovendien zag ik geen andere mogelijkheden.

Nadat ik door de hoofdgang was geslopen en kamer 1242, waar Danny gevangen was gehouden, was binnengeglipt knipte ik mijn zaklantaarn aan en kwam tot de ontdekking dat Datura het pakket met explosieven had weggehaald. Misschien wilde ze niet dat ik het in handen zou krijgen, of misschien had ze er een bestemming voor, maar het was ook best mogelijk dat ze er om sentimentele redenen geen afstand van wilde doen.

Ik vond dat het geen enkele zin had om na te denken over de mogelijke bestemming die ze voor een bom had, dus ik deed mijn lantaarn uit en liep naar het raam. In het bleke licht van de naderende schemering bekeek ik Terri's telefoon die Datura tegen het blad van de badkamerkast had geramd. Toen ik de telefoon openklapte, lichtte het schermpje op. Het zou me een hart onder de riem hebben gestoken als ik een logo had gezien, een herkenbaar beeld of bepaalde gegevens. In plaats daarvan zag ik alleen blauw-met-gele vlekken. Ik toetste de zeven cijfers van het mobiele nummer van Chief Porter in, maar die verschenen niet op het scherm. Ik drukte het knopje in dat me verbinding moest geven en luisterde. Niets. Als ik een eeuw eerder had geleefd had ik misschien met wat spulletjes kunnen gaan knoeien tot ik onder het motto van 'alles kan' een handig communicatietoestel in elkaar had gesleuteld, maar tegenwoordig lagen die dingen een tikje gecompliceerder. Zelfs Edison was er niet in geslaagd om hier ter plekke een nieuw printplaatje te fabriceren.

Kamer 1242 had me niet opgeleverd wat ik ervan had verwacht, dus ik keerde terug naar de gang. Er viel nu veel minder daglicht door de diverse openstaande kamerdeuren naar binnen dan nog maar een halfuurtje geleden. Ruim voordat de echte schemering inviel, zou het al donker zijn in de gangen.

Omdat ik het griezelige gevoel had dat er iemand naar me keek en het zicht zo slecht was dat ik die rare kriebels niet zonder meer als onzin af kon doen, durfde ik de zaklantaarn in de gang niet aan te doen. Andre en Datura hadden vuurwapens en het licht zou een gemakkelijk doelwit van me maken.

Maar in iedere kamer die ik doorzocht, voelde ik me veilig genoeg om gebruik te maken van de lantaarn zodra ik de deur achter me dicht had getrokken. Ik was in een paar van die vertrekken al eerder geweest, toen ik op zoek was naar een schuilplaats voor Danny. Toen hadden ze me niet opgeleverd wat ik zocht en dat was ook nu niet het geval.

Diep vanbinnen, in dat kleine hoekje van het hart waar een geloof in wonderen zelfs in de donkerste tijden bewaard blijft, verwachtte ik dat ik op de koffer van een inmiddels al lang overleden hotelgast zou stuiten waarin een geladen pistool zat. Hoewel ik best tevreden zou zijn geweest met een vuurwapen gaf ik toch de voorkeur aan de ontdekking van een goederenlift die ver verwijderd was van de andere liftschachten of een ruime paternoster die in de keuken op de begane grond uit zou komen.

Uiteindelijk vond ik een bezemkast die ongeveer drie meter diep en viereneenhalve meter breed was. Schoonmaakspullen, zeeptabletten en reserveglgoeilampen op de planken. Steelstofzuigers, emmers en dweilen lagen op de vloer. Het sprinklersysteem dat overal elders in gebreke was gebleven scheen hier overdreven goed gefunctioneerd te hebben, of misschien was er een waterleiding gesprongen. Een gedeelte van het plafond was ingestort en stukken gipsplaat, die aanvankelijk kennelijk doorweekt waren geweest, hingen omlaag langs de rand van het gat.

Ik ging snel na wat er precies op de planken stond. Bleekwater, ammonia en andere gewone huishoudproducten kunnen gecombineerd worden om explosieven, verdovende middelen, blaren veroorzakende stoffen, rookbommen en gifgassen te maken. Helaas waren dat soort formules mij volkomen onbekend.

Gezien het feit dat ik regelmatig in problemen kom en dat ik niet van nature een wandelende moordmachine ben, had ik mezelf wel wat ijveriger kunnen bekwamen in de kunst van dood en vernieling. Op het internet kan de serieuze autodidact op dat gebied meer dan genoeg lesmateriaal vinden. En tegenwoordig kun je zelfs aan serieuze universiteiten een opleiding anarchie en de praktische toepassing daarvan volgen. Maar ik moet bekennen dat ik eigenlijk een luilak ben als het op dit soort zelfeducatie aankomt. Ik zou liever mijn pannenkoekenbeslag willen perfectioneren dan de formules voor zestien soorten zenuwgas uit mijn hoofd leren. Ik lees liever een boek van Ozzie Boone dan dat ik urenlang op een pop oefen hoe je iemand met één steek in het hart om zeep kunt helpen. Ik heb nooit beweerd dat ik volmaakt ben.

Ineens werd mijn aandacht getrokken door een luik in dat deel van het plafond in de bezemkast dat niet ingestort was. Toen ik aan het touw trok dat eraan bungelde, piepte en kraakte het zware veermechanisme, maar het ging wel open en bleek een vlizotrap te herbergen.

Ik klom naar boven en ontdekte met behulp van de zaklantaarn een kruipruimte tussen de twaalfde en dertiende etage die tussen de een meter twintig en de een meter vijftig hoog was. De ruimte herbergde een doolhof van koperen en pvc-pijpen, elektrische bedrading, afvoerbuizen en apparaten die iets met verwarming, ventilatie en airconditioning te maken hadden. Ik kon de ruimte aan een nader onderzoek onderwerpen of de trap weer aflopen om een cocktail van bleekwater en ammonia te gaan drinken. Maar ik had geen verse schijfjes citroen, dus klom ik maar in de kruipruimte, trok de trap weer omhoog en sloot het luik achter me.

49

Volgens de legende vertrekken alle Afrikaanse olifanten als ze beseffen dat ze gaan sterven naar dezelfde begraafplaats, ergens diep in het oerwoud. En daar ligt, nog steeds onontdekt door de mens, een berg van beenderen en ivoor.

Tussen de twaalfde en de dertiende verdieping van het Panamint Hotel en Casino ontdekte ik een begraafplaats die te vergelijken was met dat olifantenkerkhof. Maar dan een voor ratten. Ik zag niet één levend exemplaar, maar ik vond zeker honderd exemplaren die het ondermaanse voor de eeuwige kaas verwisseld hadden. Ze waren voornamelijk in groepjes van drie of vier gestorven, hoewel ik ook een stapel van zeker twintig stuks vond. Ik vermoedde dat ze waren gestikt in de rook die deze ruimte op de avond van de ramp had gevuld. Na vijf jaar was er niets anders van hen over dan schedels, botten, een paar stukjes vacht en hier en daar een versteend staartje. Tot die ontdekking had ik me nooit kunnen voorstellen dat ik zo gevoelig was dat ik zelfs van een hoopje rattenbotten al melancholiek kon worden. De gedachten aan het abrupte einde van hun ijverige scharrelende leventjes, het instorten van al die dromen over restanten van op de kamers genuttigde maaltijden die hun snorharen deden trillen en het voortijdige einde van de gezellige bijeenkomsten waarop ze elkaars vacht verzorgden en de warme nachten vol zenuwachtige paringsdrang maakten me treurig. Deze rattenbegraafplaats was net zo goed als het olifantenkerkhof een voorbeeld van de vergankelijkheid der dingen.

Ik bedoel, ik verspilde geen traan over hun lot. Ik kreeg zelfs geen brok in mijn keel. Maar omdat ik bijna mijn hele leven lang een fan van Mr. Mickey Mouse was geweest, vond ik deze rattenapocalyps toch wel aandoenlijk.

De meeste oppervlakten waren bedekt met een laagje rook-aanslag, hoewel ik weinig directe brandschade zag. De vlammen hadden bepaalde etages overgeslagen, omdat ze zich verspreid hadden via ondeugdelijk aangebrachte mechanische kanalen en deze kruipruimte hadden gespaard zoals ze de hele twaalfde verdieping hadden gespaard.

Gezien de hoogte van ongeveer een meter vijfendertig hoefde ik niet echt door deze tussenvloerse ruimte te kruipen. Ik kon gebukt rondlopen, aanvankelijk zonder te weten wat ik zocht. Maar na een poosje begon het tot me door te dringen dat verticale kanalen die de brand de kans hadden gegeven om zich door het gebouw te verspreiden mij misschien de gelegenheid zouden bieden om naar beneden te komen.

De hoeveelheid apparatuur verbaasde me. Omdat de thermostaat in iedere hotelkamer apart kan worden ingesteld, heeft iedere kamer een eigen verwarmings- en afkoelingselement. En dat is weer verbonden met zijleidingen van het vierpijpssysteem waardoor extreem koud en extreem warm water door het hele gebouw wordt geleid. En al die elementen, bediend door pompen en voorzien van bevochtingsinstallaties en overloopbassins, vormden een geometrisch labyrint dat me deed denken aan die van machines vergeven oppervlakte van zo'n enorm ruimteschip in *Star Wars*, met die brede geulen waarin de gevechtsvliegtuigen elkaar achtervolgen en bestrijden.

In plaats van gevechtsvliegtuigen zag ik spinnen en enorme webben, zo ingewikkeld als de spiraalpatronen van zonnestelsels, een incidenteel frisdrankblikje dat door monteurs was achtergelaten, hier en daar een doosje waarin een hamburger had gezeten en dat al lang geleden schoon was gelikt en nog meer ratten, voordat ik eindelijk een van de kanalen ontdekte die me wellicht een uitweg uit het Panamint zouden bieden.

De vierkante schacht met een doorsnede van anderhalve meter en bekleed met vuurvaste platen overtrokken met een laagje metaal liep boven mijn hoofd nog vier verdiepingen verder. Naar beneden verdween het gat in een duisternis die mijn zaklantaarn niet kon doorboren.

Zo'n brede schoorsteen zou een verticale snelweg zijn geweest waardoor ik mij gemakkelijk had kunnen verplaatsen, ware het niet dat drie van de vier wanden volgebouwd waren met leidingen en pijpen. Tegen de wand die daarvan gevrijwaard was, zat een ladder, niet met sporten maar met tien centimeter brede treden die meer steun boden. En de liftschachten lagen niet in de buurt. Als Datura of Andre op die plek luisterde, zou men mij niet horen als ik door deze verticale koker naar beneden klom.

Extra handgrepen plus stalen ringen waarin de haken van de veiligheidsharnassen vastgezet konden worden waren aangebracht tussen de wirwar van pijpen en leidingen op de andere drie wanden. Een nylon lijn van een centimeter dik zoals die door bergbeklimmers wordt gebruikt was ergens boven in het gebouw vastgemaakt en hing los in het midden van de schacht. Met een tussenruimte van dertig centimeter waren er dikke knopen in gelegd om houvast te bieden. Het leek erop dat het na de brand opnieuw was aangebracht, misschien door reddingswerkers.

Ik kwam, misschien ten onrechte, tot de conclusie dat als je ondanks de brede voetsteunen van de ladder en de overal aanwezige bevestigingspunten voor veiligheidslijnen toch omlaag zou storten, dat touw met al die knopen een levenslijn was waaraan je je tijdens een vrije val misschien vast zou kunnen klampen.

Hoewel ik niet echt tot de klimgeiten kan worden gerekend, iets wat toch noodzakelijk leek om gebruik te maken van deze onderhoudskoker, had ik geen andere keus. Als ik dat niet deed, kon ik gaan zitten wachten tot het moederschip me weer naar boven zou stralen, maar dan zou ik op een dag hier ontdekt worden, niets anders dan botten in een spijkerbroek midden in het rattenkerkhof.

De straal van mijn zaklantaarn begon flauwer te worden. Ik verving de batterijen door reserve-exemplaren uit mijn rugzak en bevestigde de lamp weer met de speleologenband op mijn linkeronderarm. Het dichtgeklapte vissersmes verdween in een van mijn zakken en daarna dronk ik de helft van de fles water op die ik niet aan Danny had gegeven en vroeg me af hoe het met hem ging. Hij zou wel geschrokken zijn van de geweerschoten. Waarschijnlijk dacht hij dat ik dood was.

Misschien was dat ook wel zo en wist ik het alleen nog niet.

Ik vroeg me af of ik moest plassen. Dat was niet zo.

En aangezien ik geen andere redenen voor uitstel kon bedenken liet ik mijn rugzak achter en stapte in de verticale koker.

50

Op een kanaal met een hoog nummer dat volgens mij Rotzooi Die Niemand Anders Op TV Wil Laten Zien heet, heb ik een keer een paar ouderwetse films gezien over een stel avonturiers die afdalen naar het middelpunt van de aarde en een ondergrondse beschaving ontdekken. Uiteraard is het een kwaadaardig keizerrijk. De keizer lijkt op Ming de Genadeloze uit die oude van onzin aan elkaar hangende Flash Gordon-afleveringen en hij is van plan om de bovengrondse wereld de oorlog te verklaren en de macht over te nemen zodra hij kan beschikken over de juiste dodelijke straal. Of wanneer zijn enorme vingernagels lang genoeg zijn geworden voor de heerser over een hele planeet. Wat het eerst komt.

Deze onderwereld wordt bevolkt door de gebruikelijke boeven en schurken, maar ook door twee of drie soorten mutanten, vrouwen met gehoornde hoeden en uiteraard dinosauriërs. Dit filmmeesterwerk dateert van tientallen jaren voor de uitvinding van computeranimatie en de dinosauriërs waren niet eens kleimodellen, maar leguanen waar stukjes rubber op geplakt waren om ze er enger uit te laten zien en meer als dinosauriërs. Maar ze leken alleen op leguanen die zich opgelaten voelden.

Terwijl ik omlaag klom door de koker, heel voorzichtig, stapje voor stapje, liet ik de hele plot van die oude films door mijn hoofd spelen en probeerde me te concentreren op de belachelijke snor van de keizer, op dat ene ras van mutanten dat verdacht veel leek op dwergen uitgerust met mutsen vol rubber slangen en leren broeken, op stukken tekst van de held die me te binnen schoten en die gekenmerkt werd door een humor die even spits was als een tennisbal en op die leguanen die op een flauwe manier nog best grappig waren geweest.

Maar mijn gedachten bleven afdwalen naar Datura, die irritante spijker in mijn voet, en van Datura naar omgekeerd paranormaal magnetisme en hoe onplezierig het zou zijn als ze mijn buik openreet om haar amulet uit mijn maag te vissen. Niet bepaald leuk.

De lucht in de onderhoudskoker bleek niet zo pikant te zijn als de naar roet stinkende en met gifstoffen gelardeerde geur lucht die in de rest van het hotel hing. Het was een muffe, vochtige, afwisselend zwavelachtige en schimmelige geur die sterker werd naarmate ik in het hotel afdaalde, tot ik het gevoel kreeg dat ik ervan kon drinken.

Van tijd tot tijd kwamen horizontale gangen uit op de koker die in sommige gevallen voor tocht zorgden. Die koele vlagen lucht roken anders maar niet beter dan die in de koker.

Twee keer begon ik te kokhalzen. Beide keren moest ik stoppen om de neiging tot braken te onderdrukken. De stank, de claustrofobische afmetingen van deze schoorsteen, de minieme hoeveelheden chemicaliën en de schimmelsporen in de lucht vormden een combinatie waarvan ik al zweverig begon te worden voordat ik vier verdiepingen naar beneden was geklommen.

Hoewel ik wist dat mijn verbeelding met me op de loop ging, vroeg ik me toch af of er misschien een paar lijken – van mensen, niet van ratten – op de bodem van de koker lagen, die gemist waren door de reddingsploegen en de brandweermensen die na de ramp het hotel doorzocht hadden en die daar nu glibberig lagen te ontbinden.

Naarmate ik dieper kwam, werd mijn voornemen om het licht van mijn zaklantaarn niet omlaag te laten schijnen steeds vaster. Puur uit angst voor wat ik daar op de bodem zou aantreffen: niet alleen de gevallen doden, maar een grijnzende figuur die boven op hen stond.

Afbeeldingen van Kali tonen haar altijd naakt en brutaal. Er bestaat een afgodsbeeldje dat een *jagrata* wordt genoemd en daarin is ze mager en heel lang. Uit haar open mond steekt een lange tong en haar beide slagtanden zijn ontbloot. Ze straalt een afschuwelijke schoonheid uit, die pervers aantrekkelijk is.

Om de twee etages kwam ik langs een kruipruimte. Bij die onderbrekingen had ik van de ladder af en er weer op kunnen stappen, maar in plaats daarvan pakte ik onwillekeurig steeds het touw, waarbij ik de knopen als handgrepen gebruikte, en zwaaide weer terug als de ladder weer verderging. Aangezien ik zo licht in mijn hoofd was en me nog niet zo lang geleden misselijk had gevoeld leek het pure roekeloosheid om het touw te gebruiken. Maar ik deed het toch.

In de afbeeldingen in haar tempels houdt Kali een strop in de ene en een staf met daarbovenop een schedel in de andere hand. In de derde heeft ze een zwaard vast en in de vierde een afgehakt hoofd.

Ik dacht dat ik onder me iets hoorde en stopte even. Maar toen maakte ik mezelf wijs dat het geluid alleen de echo van mijn eigen ademhaling was geweest en ik daalde weer verder af.

Aan de op de muur geschilderde cijfers kon ik zien welke etages ik passeerde, zelfs als er op die verdiepingen geen ingangen waren. Toen ik op de eerste etage was aanbeland kwam mijn voet in iets nats en kouds terecht. Toen ik eindelijk het licht van mijn lantaarn naar beneden durfde te richten kwam ik tot de ontdekking dat de schacht gevuld was met stilstaand zwart water en puin. Langs deze weg kon ik niet verder.

Ik klom terug naar de kruipruimte tussen de eerste en tweede verdieping en verliet de koker.

Als er op dit niveau ook ratten omgekomen waren, waren die niet door verstikking omgekomen maar het slachtoffer geworden van de hongerige vlammen die niet eens verschroeide botten hadden uitgespuugd. De vlammen waren zo intens geweest dat ze alleen een dikke laag puur zwarte roet hadden achtergelaten die het licht van de lantaarn opslorpte en totaal niet reflecteerde.

Verdraaide, verwrongen, gesmolten, grillige metalen vormen die ooit voor verwarming en verkoeling hadden gezorgd vormden een onthutsend landschap, een nachtmerrie die niet het gevolg was van een gewone zuippartij of een veel te scherp gekruide pizza. De roet waarmee alles was bedekt – variërend van een dun laagje tot zeker tweeëneenhalve centimeter diep – was niet poederig, niet droog, maar vettig.

Om tussen die vormloze en glibberige obstakels door te laveren en er overheen te klimmen bleek een moeizaam karwei. Op bepaalde plekken voelde de vloer aan alsof hij was doorgebogen, waardoor ik het idee kreeg dat de hitte op het hoogtepunt van de brand zo intens was geweest dat de stalen matten in het gewapende beton begonnen te smelten en bijna kapot waren gegaan.

De lucht hier was smeriger dan in de koker, bitter, bijna ranzig, en desondanks ijl, alsof ik me op grote hoogte bevond. De roet voelde zo vreemd aan dat ik allerlei onverteerbare ideeën kreeg over de oorsprong ervan, dus deed ik mijn best om in plaats daarvan aan leguanen te denken. Maar in gedachten zag ik Datura voor me, Datura met een halsketting van mensenschedels.

Ik kroop op handen en knieën verder, kronkelde op mijn buik en wurmde mezelf door een in de hitte glad geworden kringspier van metaal in een door schokgolven opgeworpen scheidingswand van puin en dacht aan Orpheus in de onderwereld.

In de Griekse mythe gaat Orpheus naar de onderwereld om Eurydice te zoeken, zijn overleden vrouw. Hij slaagt erin Hades om te praten en toestemming te krijgen haar weer mee terug te nemen naar de werkelijke wereld.

Maar ik kon Orpheus niet zijn, want Stormy Llewellyn, mijn Eurydice, was niet in de onderwereld terechtgekomen, maar op een veel betere plek die ze ook echt had verdiend. Als dit de onderwereld was waar ik een reddingsmissie moest volbrengen, dan was de ziel die ik met zoveel moeite in veiligheid probeerde te brengen waarschijnlijk de mijne.

Net toen ik tot de conclusie begon te komen dat het luik tussen deze kruipruimte en de begane grond van het hotel verstopt lag onder een stapel verwrongen en gesmolten metaal viel ik bijna door een gat in de vloer. Onder dat gat gleed de straal van mijn zaklantaarn over het geraamte van de wanden van iets dat op een voorraadkamer leek.

Het luik en de trap waren verdwenen, in de as gelegd. Opgelucht liet ik mezelf in de ruimte eronder zakken. Ik landde op mijn voeten, maar struikelde meteen, zonder te vallen.

Ik liep door de verbogen stalen steunberen van een ontbrekende muur naar de hoofdgang. Omdat ik me maar één verdieping boven de begane grond bevond, zou het me geen moeite moeten kosten om weg te vluchten uit het hotel zonder gebruik te maken van het bewaakte trappenhuis.

Het eerste waar het licht van mijn lantaarn op viel, waren de sporen die sprekend leken op de afdrukken die ik had gezien toen ik het Panamint binnen was gekomen. De sporen die me aan een sabeltandtijger hadden doen denken.

Het tweede wat onthuld werd, waren menselijke voetafdrukken die al binnen een paar stappen naar Datura leidden, die haar zaklantaarn aanknipte op het moment dat ze in het licht van de mijne opdook.

51

Wat een kreng. En dat meen ik in elk opzicht.

'Hallo, vriendje,' zei Datura.

Behalve een zaklantaarn had ze ook een pistool in haar hand.

'Ik stond onder aan de trap aan de noordkant met een glaasje wijn, lekker ontspannen te wachten tot ik dat gevoel zou krijgen, weet je wel, dat gevoel dat me naar jou toe zou brengen, precies zoals dat volgens Danny de Griezel zou gebeuren.'

'Hou je mond maar en schiet me dood,' zei ik.

Zonder zich iets aan te trekken van wat ik zei, vervolgde ze: 'Ik begon me te vervelen. Ik verveel me vrij snel. Al eerder had ik de afdrukken van die grote kat in de as onder aan de trap gezien. En ook op de trap. Dus besloot ik die te volgen.'

De brand was in dit deel van het hotel verzengend geweest. De meeste binnenmuren waren weggebrand, waardoor er een grote en sombere ruimte was overgebleven, met een plafond dat werd ondersteund door pilaren van rood staal die in beton waren gevat. In de loop der jaren waren de as en het stof neergedaald en had een glad dik tapijt gevormd waarover mijn sabeltandtijger nog niet zo lang geleden heen en weer had gedrenteld.

'Het beest heeft hier overal rondgelopen,' zei ze. 'Ik raakte zo geboeid door de manier waarop het kringetjes draaide en achter zichzelf aan liep, dat ik jou helemaal vergeten was. Echt helemaal. En precies op dat moment hoorde ik je aankomen en knipte mijn zaklantaarn uit. Ontzettend gaaf, hoor vriendje. Ik dacht dat ik achter die kat aan liep, maar in werkelijkheid werd ik naar jou toegetrokken op een moment dat ik daar het minst op rekende. Je bent echt een rare vogel, weet je dat wel?'

'Ja, dat weet ik,' zei ik.

'Is er echt een kat of is dat spoor gemaakt door een geest die jij hebt opgeroepen om mij hierheen te lokken?'

'Er is echt een kat,' verzekerde ik haar.

Ik was ontzettend moe. En vies. Ik wilde hier een eind aan maken, zodat ik naar huis kon om in bad te gaan. We stonden ongeveer drieëneenhalve meter van elkaar af. Als dat een metertje minder was geweest had ik misschien geprobeerd om me op haar te storten, onder haar arm door te duiken en haar dat pistool af te pakken.

Maar als ik haar aan de praat kon houden, zou zich misschien een kans voordoen om de bordjes te verhangen. Gelukkig zou het me geen enkele moeite kosten om haar te laten praten.

'Ik heb een prins uit Nigeria gekend,' zei Datura, 'en die beweerde dat hij een *isangoma* was. Hij zei dat hij na middernacht in een panter kon veranderen.'

'Waarom niet om tien uur 's avonds?'

'Ik denk niet dat hij dat echt kon. Volgens mij loog hij, omdat hij me wilde neuken.'

'Daar hoef je je met mij geen zorgen over te maken,' zei ik.

'Dit moet een spookkat zijn, een soort ideaalbeeld. Waarom zou een echte kat ronddwalen in dit stinkende gebouw?'

'Vlak bij de westelijke top van de Kilimanjaro,' zei ik, 'op ongeveer 5700 meter hoogte, ligt het verdroogde, bevroren karkas van een luipaard.'

'Bedoel je die berg in Afrika?'

'"Niemand heeft ooit kunnen verklaren wat die luipaard op die hoogte te zoeken had",' citeerde ik.

Ze fronste. 'Ik snap het niet. Wat is daar zo mysterieus aan? Hij is verdomme een valse luipaard, dus hij kan gaan en staan waar hij wil.'

'Het is een regel uit "De sneeuw van de Kilimanjaro".'

Ze zwaaide ongeduldig met haar pistool.

'Dat is een kort verhaal van Ernest Hemingway,' legde ik uit.

'De vent van die meubels? Wat heeft Hemingway hiermee te maken?'

Ik haalde mijn schouders op. 'Ik heb een vriend die het altijd ontzettend leuk vindt als ik een literaire verwijzing maak. Volgens hem zou ik best schrijver kunnen worden.'

'Zijn jullie een stel homo's of zo?' vroeg ze.

'Nee. Hij is ontzettend dik en ik ben paranormaal begaafd, dat is alles.'

'Af en toe snap ik niets van je, vriendje. Heb jij Robert gedood?'

Behalve onze beide lichtsabels die langs elkaar heen vielen, was de tweede etage in dichte duisternis gehuld. Terwijl ik me in de kruipruimtes en de verticale koker bevond, was de winterse dag overgegaan in de avond. Ik vond het niet erg om dood te gaan, maar deze grote, zwartgeblakerde ruimte was daar wel een akelige plek voor.

'Heb jij Robert gedood?' vroeg ze opnieuw.

'Hij viel van een balkon.'

'Ja, nadat jij hem neergeschoten had.' Ze klonk niet echt overstuur. In plaats daarvan stond ze me te bekijken met de berekenende blik van een zwarte weduwe die overwoog of ze een partner zou accepteren. 'Je kunt je knap stom voordoen, maar je bent absoluut een mundunugu.'

'Er was iets mis met Robert.'

Ze fronste. 'Wat dat is, weet ik niet. Mijn behoeftige jongens blijven niet altijd zo lang bij me als ik wel zou willen.'

'O nee?'

'Behalve Andre. Andre is een echte stier.'

'Ik dacht dat hij een paard was. Cheval Andre.'

'Een pure hengst,' zei ze. 'Waar is Danny de Griezel? Ik wil hem terug. Hij is zo'n lollig aapje.'

'Ik heb hem zijn keel afgesneden en in een van de schachten gedumpt.'

Ze leefde helemaal op van mijn bewering. Haar neusvleugels sperden wijd open en in haar slanke keel begon een ader te kloppen.

'Als hij door de val niet afgepeigerd is,' zei ik tegen haar, 'dan is hij inmiddels wel doodgebloed. Of verzopen. Er stond drie of vier meter water onder in die schacht.'

'Waarom zou je dat hebben gedaan?'

'Hij had me verraden. Hij heeft jou al mijn geheimen verteld.'

Datura likte haar lippen af alsof ze net een lekker toetje op had. 'Je bent een ondoorgrondelijk type, vriendje.'

Ik had besloten om een spelletje we-zijn-van-hetzelfde-laken-een-pak-dus-waarom-zouden-we-het-niet-op-een-akkoordje-gooien te wagen, maar toen deed zich een andere mogelijkheid voor.

'Die Nigeriaanse prins was een vuile leugenaar,' zei ze, 'maar ik zou best kunnen geloven dat jíj jezelf na middernacht in een panter kunt veranderen.'

'Het is geen panter,' zei ik.

'O nee? Wat word je dan?'

'En ook geen sabeltandtijger.'

'Word je dan een luipaard, net als op de Kilimanjaro?' vroeg ze.

'Het is een poema.'

De Californische poema, een van de meest ontzagwekkende roofdieren ter wereld, leeft het liefst in een ruig berggebied vol bossen, maar voelt zich ook prima thuis in een glooiend heuvellandschap met lage begroeiing. Poema's gedijen goed in het dichte, bijna weelderige struikgewas in de heuvels en de valleien rond Pico Mundo en ze wagen zich vaak in het aangrenzende gebied dat als echte woestijn te boek staat. Een mannetjespoema houdt er een jachtgebied van honderdvijftig vierkante kilometer op na en hij zwerft graag rond. In de bergen voedt hij zich met herten en wilde schapen. In een gebied dat zo onvruchtbaar is als de Mojave zal hij jagen op prairiewolven, vossen, wasberen, konijnen en knaagdieren en die variatie zal hem goed bevallen.

'Een volwassen mannetje weegt tussen de zestig en zeventig kilo,' zei ik tegen haar. 'En ze jagen het liefst 's nachts.'

Die blik van een verwonderd klein meisje – de grote ogen die ik eerder had gezien toen we samen met Depri en Droef op weg waren naar het casino, de enige aantrekkelijke en onschuldige uitdrukking die ze meester was – nam weer bezit van haar gezicht. 'Ga je me dat laten zien?'

'En zelfs als een poema overdag niet ligt te slapen maar aan het ronddwalen is, krijgen mensen hem bijna nooit te zien omdat hij geen geluid maakt. Hij loopt langs je heen zonder dat je iets in de gaten hebt.'

Even opgewonden alsof ze opnieuw een mensenoffer bij zou

wonen, vroeg ze: 'Die pootafdrukken... die zijn van jou, hè?'

'Poema's zijn heel eenkennig en schuw.'

'Eenkennig en schuw, maar je laat het míj wel zien.' Ze had wonderen geëist, fantastische onmogelijke dingen, kouwe rillingen over haar rug. Nu dacht ze dat ik haar eindelijk haar zin zou geven. 'Je hebt die pootafdrukken niet opgeroepen om me hierheen te lokken. Je bent van gedaante verwisseld en toen heb je dat spoor zelf gemaakt.'

Als Datura en ik andersom hadden gestaan, was mijn rug naar de poema toegekeerd geweest en zou ik niet hebben gemerkt dat hij me besloop. Af en toe klopt er helemaal niets van de natuur – met al die vergiftigde planten, de roofdieren, de aardbevingen en de overstromingen – maar soms klopt alles als een bus.

52

Enorm, die poten, met die duidelijk afgetekende tenen... En zo langzaam neergezet, zo voorzichtig, dat het tapijt van as dat even droog was als zwarte talkpoeder niet eens opwolkte...

En die prachtige kleuren. Goudbruin, uitlopend in donkerbruin aan het puntje van de lange staart. Hetzelfde donkerbruin op de achterkant van de oren en aan weerszijden van de neus.

Als we andersom hadden gestaan zou Datura met een kille en geamuseerde blik hebben toegekeken hoe de poema kwam aangeslopen en zich stiekem hebben verkneukeld dat ik niets in de gaten had.

Hoewel ik mijn best deed om me op de vrouw te blijven concentreren, dwaalde mijn aandacht toch steeds af naar de grote kat en ik was ook niet geamuseerd, maar op een grimmige manier gefascineerd terwijl ik langzaam maar zeker overmand werd door een gevoel van afgrijzen.

Ze kon naar believen beschikken over mijn leven en de enige toekomst waar ik vast op kon rekenen was hooguit een fractie van een seconde lang, de tijd die het zou duren voordat een kogel uit de loop van haar pistool zich in mij zou boren. Maar tegelijkertijd lag haar leven in mijn handen en dat ik mijn mond niet opendeed over de poema die kwam aansluipen was volgens mij niet uitsluitend het gevolg van het feit dat ik letterlijk onder schot werd gehouden. Als we ons verlaten op de tao waarmee we geboren worden, weten we altijd en onder alle omstandigheden wat we moeten doen, de aanpak die niet het meest gunstig is voor onze bankrekening of voor onszelf, maar voor onze ziel. Af en toe worden we door zelfbelang, door elementaire emoties en door hartstocht in de verleiding gebracht om die tao te negeren.

Ik geloof dat ik eerlijk kan zeggen dat ik Datura niet haatte, hoewel ik daar genoeg reden voor had, maar ik verafschuwde haar wel degelijk. De afkeer die ik voor haar voelde, kwam gedeeltelijk door het feit dat ze het symbool was van de opzettelijke domheid en de ziekelijke eigenliefde die zo karakteristiek zijn voor onze woelige tijd.

Ze verdiende het om de gevangenis in te draaien. Volgens mijn mening zou ze ook terechtgesteld moeten worden en in het uiterste geval, als ik alleen op die manier mijzelf of Danny zou kunnen redden, had ik ook het recht – of de plicht – om haar te doden.

Maar ik betwijfel of iemand het verdient om de dood te vinden door aangevallen en levend opgevreten te worden door een wild beest. Waarschijnlijk is het dan ook, ongeacht de omstandigheden, niet goed te praten dat iemand toestaat dat een dergelijk lot onvermijdelijk wordt als het potentiële slachtoffer zichzelf, mits gewaarschuwd, had kunnen redden omdat ze in het bezit was van een vuurwapen.

Iedere dag moeten we ons een weg banen door een moreel woud, over paden die voortdurend vertakken. En we verdwalen om de haverklap. Als de hoeveelheid wegen die we kunnen inslaan zo ingewikkeld wordt dat we geen keuze kunnen of willen maken, mogen we de hoop koesteren dat we een teken zullen krijgen dat ons toont hoe we verder moeten. Maar als we alleen maar op tekens wachten, bestaat de kans dat we elke morele verplichting ontwijken zodat ons een vreselijk oordeel wacht.

Als een luipaard in de hoogste sneeuw van de Kilimanjaro, waar de natuur het dier nooit naartoe gevoerd zou hebben, door iedereen als een teken wordt beschouwd, dan moet een hongerige poema die op het juiste moment verschijnt in een uitgebrand casinohotel net zo veelzeggend zijn als een heilige stem uit een brandende braamstruik.

De wereld hangt van mysteries aan elkaar. Soms ontwaren we zo'n mysterie en doen angstig en vertwijfeld een stapje achteruit. En soms accepteren we het.

Ik accepteerde het.

Terwijl ze stond te wachten tot ik van gedaante zou verwisselen drong het een flits van een seconde voordat ze tot de ontdekking kwam dat ze uiteindelijk toch niet ononverwinnelijk was ineens tot Datura door dat ik vol spanning stond te kijken naar iets dat zich achter haar bevond. Om te zien wat het was, draaide ze zich om. En door zich om te draaien lokte ze de sprong uit, de dichtklappende kaken en de graaiende klauwen.

Ze gilde en de woeste botsing met de poema sloeg het pistool uit haar hand voordat ze in staat was het te richten of de trekker over te halen. Geheel in de geest van het wonder dat zich op dat moment ontplooide, vloog het pistool in een boog naar mij toe en door alleen maar mijn hand op te steken kon ik het met een achteloos gebaar zo uit de lucht plukken.

Het was best mogelijk dat ze al dodelijk verwond en niet meer te redden was, maar de onvermijdelijke waarheid is dat ik een pistool in handen had, te vergelijken met het *vorpale* zwaard, en dat ik toch de Jabberwock niet om zeep hielp en me er dus ook niet op kan laten voorstaan dat ik een stralend joch ben. De as wolkte om mijn voeten omhoog toen ik naar de noordkant van het gebouw en het trappenhuis holde.

Hoewel ik geen druppel bloed heb zien vloeien en ook niet getuige ben geweest van het feestmaal van de poema, zal haar geschreeuw voor eeuwig in mijn herinnering gegrift staan. Misschien had het naaistertje onder het mes van de Grijze Zwijnen net zo geklonken, of de ingemetselde kinderen in de kelder van dat huis in Savannah.

Er klonk nog een gebrul – niet van de poema – half van verdriet, half van woede.

Achterom kijkend zag ik Datura's zaklantaarn die van de ene kant naar de andere zwiepte terwijl de grote kat zijn prooi heen en weer schudde. En verder weg, aan de zuidkant van het gebouw, achter zwarte pilaren die misschien wel de binnenplaats van de hel omlijstten, kwam een andere lantaarn dichterbij, vastgehouden door een omvangrijke, schaduwachtige gestalte. Andre.

Datura hield op met schreeuwen.

De straal uit Andres lantaarn gleed over haar heen en bleef rusten op de precies op tijd verschenen poema. Als hij een pistool had, maakte hij er geen gebruik van. Hij liep vol respect met een grote boog om de kat en zijn prooi heen en bleef doorlopen. Ik had het vermoeden dat hij niet tegen te houden was. Op hol geslagen locomotieven hebben het voordeel van de zwaartekracht aan hun kant. De trillende lichtstraal uit mijn lantaarn lokte de reus nog feillozer aan dan PMS zou hebben gedaan, maar als ik die uitdeed, zou ik praktisch blind zijn.

Hoewel hij nog steeds een eind weg was en ik niet bepaald de beste scherpschutter van mijn tijd was, loste ik toch een schot, gevolgd door een tweede en een derde.

Hij had een pistool. Hij schoot terug.

En het was bijna onvermijdelijk dat hij zuiverder richtte dan ik. Een van de kogels ketste af van een pilaar links van me en een andere vloog zo dicht langs mijn hoofd dat ik hem door de lucht hoorde klieven voordat het schot zelf en de echo ervan me bereikten.

Als ik het op een schietpartij liet aankomen, zou ik het loodje leggen. Dus ging ik ervandoor, gebukt en van links naar rechts zwenkend.

De deur van het trappenhuis was verdwenen. Ik rende naar binnen en holde naar beneden. Toen ik langs de overloop was, op de tweede trap, drong het ineens tot me door dat hij erop zou rekenen dat ik op de begane grond weer naar buiten zou rennen en dat hij me in die gangen en ruimtes die hij allemaal kende al gauw te pakken zou hebben, want hij was sterk en snel en lang niet zo dom als hij eruitzag.

Toen ik hem het trappenhuis hoorde binnenkomen en besefte dat hij me nog veel sneller inhaalde dan ik had verwacht, schopte ik de deur op de begane grond open, maar ging er niet door. In plaats daarvan liet ik het licht van mijn zaklantaarn over de trap die verder naar beneden liep schijnen om te zien of die geen obstakels bevatte, deed toen mijn lantaarn weer uit en liep in het donker verder.

De deur op de begane grond die ik open had geschopt viel weer met een klap dicht. Toen ik de volgende overloop bereikte, met mijn hand op de leuning om de juiste richting te vinden, en me zonder een hand voor ogen te zien op onbekend terrein waagde, hoorde ik Andre vanuit het trappenhuis de begane grond op stormen.

Ik bleef doorlopen. Ik had wat tijd gewonnen, maar hij zou zich niet lang voor de gek laten houden.

53

Toen ik in het souterrain was aangekomen, durfde ik even het licht aan te doen. Ik zag nog meer trappen, maar ik twijfelde of ik nog verder naar beneden zou gaan. In een echte kelder was de kans groot dat er geen directe uitgang naar buiten zou zijn.

Huiverend dacht ik terug aan haar verhaal over de geest van die Duitse Gestapobeul die nog steeds door dat sous-sol in Parijs rondwaarde. Datura's zijdezachte stem: *Ik kon Gessels handen over mijn hele lichaam voelen – gretig, brutaal, dwingend. Hij drong bij me binnen.*

Ik koos voor het souterrain waar ik verwachtte een parkeergarage te vinden of loshavens voor goederenafgifte. In beide gevallen zou er sprake zijn van uitgangen. En ik had genoeg van het Panamint. Ik wilde liever in de openlucht de kans grijpen, in het onweer.

Een lange gang met betonnen muren, vloertegels van vinyl en aan weerszijden deuren. Geen spoor van brand- en rookschade.

Het waren weliswaar witte deuren, maar zonder panelen en dus controleerde ik een paar van de kamers waar ik langskwam. Allemaal leeg. Het waren kantoren of voorraadkamers geweest, maar na de ramp was alles weggehaald omdat wat erin stond kennelijk geen brand- of waterschade had opgelopen.

De scherpe brandlucht was ook niet tot hier doorgedrongen. Ik had dat mengsel al zoveel uur ingeademd, dat de frisse lucht haast scherp aanvoelde in mijn neusgaten en mijn longen en zo schoon dat mijn keel begon te schuren.

Op een punt waar een paar gangen samenkwamen, had ik drie keuzemogelijkheden. Na een korte aarzeling liep ik haastig naar rechts, in de hoop dat de deur aan het eind van die gang toegang zou geven tot de onvindbare parkeergarage. Maar op het moment dat ik bij het eind van die gang was, hoorde ik Andre door de stalen deur van het trappenhuis aan de noordkant knallen, terug naar de overloop op de begane grond.

Ik deed onmiddellijk mijn zaklantaarn uit, trok de deur open, stapte over de drempel en sloot mezelf op in die onbekende ruimte. De straal van mijn zaklantaarn onthulde een metalen diensttrap waarvan de treden met rubber bekleed waren. De trap liep alleen naar beneden. En er zat geen slot op de deur.

Andre zou deze contreien misschien aan een grondig onderzoek onderwerpen. Maar in plaats daarvan kon zijn instinct hem ook naar een andere plek voeren. Nu kon ik afwachten om te zien wat hij zou doen in de hoop dat ik hem neer zou kunnen schieten voordat hij mij met kogels doorzeefde nadat hij de deur had opengetrokken. Maar ik kon ook via de trap verder naar beneden lopen.

Ik was blij dat ik het pistool uit de lucht had kunnen grissen, maar ik durfde dat nog niet als een voorteken te zien dat ik absoluut in leven zou blijven en holde snel naar de kelder die ik zo kort geleden nog had willen vermijden. Drie korte trappen, twee keer onderbroken door een overloop, brachten me bij een vestibule die precies de andere kant op liep en een ontzagwekkend uitziende deur, voorzien van een aantal waarschuwingsbordjes. Op het meest opvallende stond in grote rode letters: HOOG-SPANNINGSGEVAAR. Het ging onder andere gepaard met de strenge vermaning dat uitsluitend bevoegd personeel toegang had.

Ik gaf mezelf de bevoegdheid om naar binnen te gaan, deed de deur open en bekeek de ruimte erachter met behulp van mijn zaklantaarn. Acht betonnen treden voerden anderhalve meter omlaag naar een verzonken elektriciteitskluis, een betonnen bunker met dikke muren van ongeveer viereneenhalf bij zes meter. Op een verhoogd platform in het midden stond een toren van apparatuur als het ware op een eilandje. Het zou best kunnen dat daar transformatoren tussen zaten, maar wat mij betrof, had het net zo goed een tijdmachine kunnen zijn.

Helemaal achter in het vertrek, op vloerhoogte, verdween een tunnel met een doorsnede van ongeveer een meter in het duister. Kennelijk moest deze transformatorruimte een onderaardse bunker zijn voor het geval de zaak ontplofte, zoals wel eens wil voorkomen. Maar in het geval van een kapotte waterleiding of een onverwachte overstroming zou dat afvoerkanaal een heleboel water kunnen verwerken.

Ik had de keldertrap in het souterrain vermeden en was in plaats daarvan hier naar beneden gegaan en in de transformatorruimte terechtgekomen. Nu zat ik dus vast, precies zoals ik had gevreesd.

Vanaf het moment dat de poema aanviel, had ik bij iedere keuze die ik tijdens mijn vlucht had moeten maken de mogelijkheden tegen elkaar afgewogen. Maar in mijn paniek had ik niet naar dat geluidloze stemmetje geluisterd dat in feite mijn zesde zintuig is. Dat is het gevaarlijkste wat me kan overkomen, dat ik vergeet dat ik niet alleen een logisch denkend, maar ook een paranormaal begaafd mens ben. Als ik alleen rekening houd met het een en het ander vergeet dan ben ik maar een half mens en gebruik ik maar de helft van mijn mogelijkheden. In mindere mate geldt dit eigenlijk voor iedereen.

Op een dood spoor.

Desondanks liep ik de transformatorruimte in en trok de deur zacht achter me dicht. Ik controleerde of er een slot op zat, hoewel ik dat betwijfelde en zag dat ik gelijk had. Daarna liep ik snel de betonnen trap af en liep beneden aangekomen om de toren van apparatuur heen.

Toen ik de tunnel met behulp van mijn zaklantaarn bekeek, zag ik dat het afvoerkanaal iets omlaag liep en met een geleidelijke bocht naar links uit het zicht verdween. De muren waren droog en schoon genoeg. Ik zou geen sporen achterlaten.

Als Andre deze ruimte binnenkwam, zou hij zeker in de afvoertunnel kijken. Maar als ik erin zou slagen om dan uit het zicht te zijn, rond de bocht, dan zou hij vast niet verder zoeken in die richting. Dan zou hij denken dat ik hem al eerder was ontglipt.

De doorsnede van een meter stond niet toe dat ik gebukt door de tunnel liep. Ik moest kruipen. Ik stopte Datura's pistool op mijn rug tussen mijn riem en ging op weg. De bocht die me dekking zou geven lag ongeveer zes meter van de ingang. Omdat ik geen licht nodig zou hebben, had ik de zaklantaarn uit gedaan en het apparaat weer in de speleologenband gestopt. Op handen en knieën kroop ik de duisternis in.

Een halve minuut later, vlak bij de bocht in de tunnel, ging ik languit liggen en draaide op mijn zij. Ik richtte de zaklantaarn op de weg die ik had afgelegd en bestudeerde de vloer.

Aan een paar veegjes roet op het beton kon je zien dat ik hierlangs was gekomen, maar alleen aan de hand daarvan kon niemand concluderen dat ik in de tunnel zat. Die veegjes hadden daar al jarenlang kunnen zitten. Er zaten trouwens ook watervlekken in het beton, die hielpen om de roet te verbergen.

Weer in het donker kroop ik opnieuw op handen en knieën de flauwe bocht om. Toen ik al buiten het zicht van de transformatorruimte moest zijn kroop ik voor alle zekerheid nog een meter of drie, vier verder voordat ik stilhield. Daarna ging ik dwars in de tunnel zitten, met mijn rug tegen de holle wand, en wachtte.

Na een minuut moest ik ineens weer denken aan die oude films over de geheime beschaving onder het aardoppervlak. Misschien lag er ergens aan deze weg wel een onderaardse stad vol vrouwen met gehoornde hoeden, een kwaadaardige keizer en mutanten. Prima. Dat soort dingen zou vast niet zo erg zijn als wat ik in het Panamint had achtergelaten.

Maar mijn herinneringen aan die film werden plotseling verstoord door Kali, die helemaal niet in dat scenario thuishoorde. Kali met het bloed op de lippen en de tong uit de mond. Ze had de strop, de staf met de schedel, het zwaard en het afgehakte hoofd niet bij zich. Haar handen waren leeg, zodat ze me beter kon aanraken, kon strelen en mijn gezicht met geweld naar zich kon toetrekken om het te kussen.

Ik was alleen en zat mezelf, zonder kampvuur en marshmallows, spookverhalen te vertellen. Misschien denkt u wel dat mijn leven me immuun heeft gemaakt voor spookverhalen, maar dan zit u ernaast. Omdat ik iedere dag het bewijs zie dat er echt leven na de dood is, kan ik mijn toevlucht niet zoeken in kille logica en zeggen 'maar spoken bestaan eigenlijk niet'. Omdat ik niet weet wat ons na deze wereld precies te wachten staat, maar wel zeker weet dat er íets is, daalt mijn verbeelding soms af in duistere krochten waar die van u nog nooit is geweest.

Begrijp me niet verkeerd. Ik ben ervan overtuigd dat u een geweldige, duistere, verknipte en misschien zelfs wel ontzettend zieke fantasie hebt. Ik probeer niet het krankzinnigheidsgehalte van uw verbeeldingskracht te devalueren en het is ook helemaal niet mijn bedoeling om uw trots erin te kwetsen.

Terwijl ik daar in die tunnel mezelf de stuipen op het lijf zat te jagen zette ik Kali uit mijn hoofd, niet alleen haar rol die ze in die oude films had opgeëist, maar helemaal. Ik concentreerde me op de leguanen die waren opgetut om ze voor dinosauriërs door te laten gaan en op de dwergen in de Lederhosen of wat ze ook aan hadden gehad.

In plaats van Kali drong Datura mijn gedachten binnen, verscheurd door een poema maar nog steeds amoureus. Ze kwam zelfs op dit moment door de tunnel naar me toe kruipen. Natuurlijk kon ik haar ademhaling niet horen, want de doden ademen niet. Ze wilde op mijn schoot zitten, haar billen tegen me aanwrijven en haar bloed met me delen.

Doden praten niet. Maar het was niet moeilijk om te geloven dat Datura de enige uitzondering op die regel zou zijn. De dood zou vast niet in staat zijn om die kwebbelende godin de mond te snoeren. Ze zou zich op me storten, op mijn schoot gaan zitten, met haar kont wiebelen, haar bloedende hand tegen mijn lippen duwen en zeggen: *Wil je weten hoe ik smaak, vriendje?*

Een flits van die film was genoeg om ervoor te zorgen dat ik het liefst meteen de zaklantaarn aan wilde doen.

Als Andre van plan was geweest om de transformatorruimte te doorzoeken, had hij dat inmiddels vast al gedaan en was ergens anders heen gegaan. Nu zowel zijn meesteres als Robert dood was, zou de reus zich zo snel mogelijk uit de voeten maken in de auto die ze ergens in de buurt hadden gestald. Over een paar uur zou ik het erop wagen om terug te gaan naar het hotel en vandaar naar de snelweg.

Ik had net mijn duim op de knop van de zaklantaarn gelegd en stond op het punt die in te drukken toen ik licht zag achter de bocht die ik nog maar zo kort geleden achter me had gelaten en Andre hoorde bij de ingang van de tunnel.

54

Een van de voordelen van omgekeerd paranormaal magnetisme is dat ik nooit kan verdwalen. Zet me zonder kaart en kompas ergens midden in het oerwoud af en ik zal ervoor zorgen dat de deelnemers van de zoekactie naar mij toekomen. U zult mijn gezicht nooit op een pak melk aantreffen onder de vraag: *Hebt u deze jongen ergens gezien?* Als ik lang genoeg in leven blijf om alzheimer te krijgen en afdwaal van het verzorgingstehuis zal het niet lang duren tot alle verzorgsters plus mijn medebewoners achter me aankomen, omdat ze gedwongen worden me in mijn kielzog te volgen.

Terwijl ik toekeek hoe het licht door het eerste stuk van de tunnel speelde en zelfs om de bocht viel, prentte ik mezelf in dat ik een spookverhaal aan het verzinnen was en dat er geen enkele reden bestond mezelf de stuipen op het lijf te jagen. Ik mocht er niet van uitgaan dat Andre instinctief aanvoelde waar ik was gebleven.

Als ik maar bleef zitten waar ik zat, zou hij vanzelf besluiten dat er veel logischer plaatsen waren waar ik me had kunnen verbergen en hij zou weggaan om die te doorzoeken. Hij was niet in de tunnel. Hij was zo'n grote vent dat hij een boel lawaai zou maken als hij door die smalle tunnel kroop.

Hij verraste me door een schot af te vuren.

In die besloten ruimte leek de schokgolf erg genoeg om mijn trommelvliezen te laten springen. De echo – een harde knal die tegelijkertijd heel veel leek op het luiden van een enorme klok – dreunde zo hard na dat ik durfde te zweren dat mijn botten in hetzelfde ritme meetrilden. De knal en het klokgelui achtervolgden elkaar door de tunnel en de echo's die daar weer door veroorzaakt werden, klonken hoger van toon en leken op het angstaanjagende gejank van neerkomende raketten.

Ik raakte zo gedesoriënteerd van al die herrie dat ik aanvankelijk niet snapte waar de betonscherfjes die tegen mijn linkerwang en mijn hals spatten vandaan kwamen. Maar toen begreep ik het: *afketsende kogels*.

Ik ging plat op mijn buik liggen om het raakvlak zo klein mogelijk te maken en kronkelde zenuwachtig verder de tunnel in met benen die de schaarbeweging van een hagedis nabootsten. Ondertussen duwde ik mezelf vooruit met mijn armen, want als ik op handen en knieën zou gaan kruipen zou ik vast een kogel in mijn billen of in mijn achterhoofd krijgen.

Ik zou best met één bil door het leven kunnen. Dat ik dan de rest van mijn dagen scheef zou moeten zitten en in behoorlijk slobberende spijkerbroeken rond zou moeten lopen was tot daaraantoe, maar ik kon niet leven als een kogel mijn hersens alle kanten liet opspatten. Ozzie zou zeggen dat ik vaak zo weinig gebruik maakte van mijn hersens dat ik in het ergste geval misschien wel zonder zou kunnen leven, maar ik had geen zin om dat uit te proberen.

Andre vuurde opnieuw een schot af.

Mijn hoofd duizelde nog van de eerste knal, dus deze leek minder luid, hoewel ik er zo'n oorpijn van kreeg dat het net leek alsof het lawaai een vaste vorm had aangenomen en zich met veel geweld door mijn gehoorgangen probeerde te wringen. In het onderdeel van een seconde die tussen de knal van het schot en de gierende echo lag, moest de afgeketste kogel langs me heen gevlogen zijn. Het geluid mocht dan angstaanjagend zijn, het betekende wel dat ik het geluk nog steeds aan mijn kant had. Als ik getroffen werd door een kogel, zou de schok van de inslag me ongetwijfeld doof maken voor de knal van het schot.

Terwijl ik op mijn buik wegtijgerde voor het licht van zijn lantaarn wist ik dat de duisternis me geen soelaas bood. Trouwens, hij kon zijn doelwit toch niet zien en probeerde me gewoon op goed geluk te raken. En onder deze omstandigheden, met die gebogen betonnen wanden die ervoor zorgden dat één kogel meerdere keren af kon ketsen, was de kans dat hij me zou raken groter dan wanneer hij zijn geluk had beproefd bij een van de spelletjes in het casino.

Hij vuurde een derde kogel af. Als ik al medelijden met hem had gehad – en volgens mij was dat inderdaad wel een beetje het geval – dan was dat nu wel helemaal over.

Ik had geen flauw idee hoe vaak een kogel van een muur af moest ketsen voordat alle kracht ervan af was. Het tijgeren bleek uiterst vermoeiend en ik had weinig hoop dat ik een veilig heenkomen kon zoeken voordat mijn geluk zou keren.

Ineens voelde ik een vlaag tocht vanuit het duister aan mijn linkerkant en ik begon automatisch in die richting te kruipen. Weer een afwateringskanaal. Maar deze buis, een zijtak van de eerste en ook ongeveer een meter in doorsnede, liep licht omhoog.

Een vierde schot knalde door de tunnel die ik net had verlaten. Omdat ik vrijwel zeker buiten bereik van afketsende kogels was, ging ik weer op handen en knieën zitten en kroop verder.

Al gauw begon de tunnel steeds steiler omhoog te lopen en de klim werd met de minuut moeilijker. Het ergerde me dat ik maar zo langzaam vooruitkwam tegen de helling, maar uiteindelijk legde ik me neer bij de bittere wetenschap dat ik al behoorlijk begon af te takelen en waarschuwde mezelf dat ik rustig aan moest doen. Per slot van rekening was ik geen twintig meer.

Ik hoorde nog diverse andere schoten, maar toen mijn billen buiten gevaar waren hield ik de tel niet meer bij. Na een poosje drong het tot me door dat hij was opgehouden met schieten.

Boven aan de helling kwam de zijtak waardoor ik kroop uit in een ruimte van drieëneenhalve meter in het vierkant die ik met behulp van mijn zaklantaarn verkende. Het zag eruit als een waterreservoir. Vanuit drie buizen boven in de ruimte vloeide water naar binnen. Het drijfhout en de rommel in het water zou meteen naar de bodem van het reservoir zakken en op gezette tijden door de onderhoudsdienst opgeruimd worden.

Drie afvoerkanalen, waaronder de buis waardoor ik was gearriveerd, waren op verschillende hoogte in verschillende muren aangebracht, maar niet vlak boven de vloer waar het afval zich verzamelde. Het water vloeide al weg door de laagste van die buizen. Maar nu het zulk slecht weer was, zou het niveau van het water onverbiddelijk stijgen tot het punt waar ik nu zat, in de middelste van de drie afvoerbuizen. Ik moest naar de bovenste buis en langs die weg verder vluchten.

Via een aantal richels die rondom langs de wanden van het reservoir liepen, zou ik naar de overkant kunnen komen zonder door de rotzooi onderin te moeten waden. Ik moest alleen voorzichtig zijn en er de tijd voor nemen. De tunnels waar ik tot nu toe doorheen gekropen was, waren claustrofobisch geweest voor een man van mijn grootte. Gezien zijn omvang zou Andre het er niet in uithouden. Hij zou er wel op rekenen dat een afgeketste kogel me had verwond of gedood. Hij kwam vast niet achter me aan.

Ik wurmde me uit de pijp en stapte op een van de richels in het waterreservoir. Toen ik over de helling waarlangs ik net naar boven was gekropen naar beneden keek, zag ik in de verte een lichtschijnsel. Hij kreunde terwijl hij vastberaden omhoogschoof.

55

Ik had het liefst Datura's pistool getrokken om op Andre te vuren terwijl hij door de tunnel naar me toe kroop. Zijn verdiende loon. Alleen een geweer zou nog beter zijn geweest. Of misschien zo'n vlammenwerper waarmee Sigourney Weaver die insecten in *Aliens* in de hens stak. Een vat kokende olie zou ook wel gaaf zijn, maar dan nog groter dan het vat dat Charles Laughton als de gebochelde vanaf de hoogste verdieping van de Notre Dame over het Parijse gepeupel leeggoot. Datura en haar vazallen hadden ervoor gezorgd dat ik nog minder dan gewoonlijk bereid was iemand de andere wang toe te keren. Door hun schuld werd ik veel sneller kwaad en was ik ook veel eerder bereid om geweld te gebruiken. Het was een prachtig voorbeeld van waarom je altijd heel goed moet uitkijken met welke mensen je omgang hebt.

Terwijl ik hier op die richel stond met mijn rug naar de modderige poel en mezelf met één hand vast moest houden aan de rand van de afvoerpijp kon ik niet echt wraak nemen zonder mezelf in gevaar te brengen. Als ik probeerde Andre met Datura's pistool onder vuur te nemen, zou de terugslag me ongetwijfeld aan het wankelen brengen zodat ik achterover in het reservoir zou vallen. Ik wist niet hoe diep het water was, maar wat veel belangrijker was, ik wist ook niet wat voor rommel onder het wateroppervlak lag. Als mijn tanende geluk op dezelfde voet verder zou gaan, zou ik op de in tweeën gespleten houten steel van een schep vallen die scherp genoeg was om Dracula om zeep te helpen, of op de verroeste tanden van een hooivork, of op de puntige staven van een ijzeren hek, of misschien zelfs wel een verzameling Japanse samoeraizwaarden.

En daarna zou Andre, ongedeerd omdat ik maar één schot

had kunnen afvuren, bij de uitgang van het afvoerkanaal aankomen en zien dat ik doorboord in het waterreservoir lag. Dan zou ik tot de ontdekking komen dat hij er weliswaar als een bruut uitzag, maar toch over een schaterende lach beschikte. En terwijl ik lag dood te gaan, zou het eerste woord over zijn lippen komen als hij met de stem van Datura zei: *Sukkel.*

Daarom liet ik het pistool rustig op mijn rug zitten en scharrelde over de richel naar de overkant van het reservoir waar de hoogste van de afvoerpijpen ongeveer vijf centimeter boven mijn hoofd lag, een meter twintig hoger dan de buis waar ik net uitgekropen was. Het vuile water dat uit de hoger gelegen aanvoerpijpen omlaag stortte, viel met veel gespetter in de plas waardoor mijn spijkerbroek tot halverwege mijn dijen kletsnat werd. Maar ik was toch al vuil en veel ellendiger zou ik me ook niet kunnen voelen. Zodra dat idee door mijn hoofd speelde, probeerde ik het meteen weer van me af te zetten, want het leek bijna alsof ik het universum wilde uitdagen. Ongetwijfeld zou ik binnen de tien minuten nog ontzéttend veel smeriger zijn en me nog onéíndig veel ellendiger voelen dan op dat moment het geval was.

Ik stak mijn armen omhoog, pakte met twee handen de rand van de nieuwe afvoerpijp vast, duwde mijn tenen tegen de muur en hees mezelf op zodat ik erin kon kruipen. Nu ik veilig in dit nieuwe gangenstelsel zat, overwoog ik te wachten tot Andre zou opduiken bij de uitgang van de tunnel waaruit ik net tevoorschijn was gekomen en hem dan vanuit de hoogte neer te schieten. Voor iemand die eerder die dag nog zoveel bezwaar had gehad tegen het gebruik van vuurwapens had ik een betreurenswaardig verlangen ontwikkeld om mijn vijanden vol lood te pompen.

Maar ik zag meteen de zwakke plek van dat plan in. Andre had zelf ook een pistool. Hij zou goed uitkijken voor hij die lagere tunnel uit kwam, en als ik op hem schoot, zou hij meteen terugschieten.

Al die betonnen muren, weer afketsende kogels, weer die oorverdovende herrie…

Ik had niet voldoende munitie om hem zo lang op die plek vast te houden tot het water tot aan zijn afvoerbuis was gestegen en hij zich gedwongen zou zien om terug te gaan. Het verstandigste wat ik kon doen was in beweging blijven.

De tunnel waarin ik was geklommen zou de laatste zijn waardoor overtollig water weg zou vloeien. Bij een gewone regenbui zou hij wel droog blijven, maar niet bij deze zondvloed. Het niveau van het water onder me steeg met de minuut. Gelukkig had deze nieuwe tunnel een grotere diameter dan de vorige, ongeveer een meter twintig. Ik hoefde niet te kruipen, maar kon gebukt lopen en daardoor flink opschieten. Waar ik uiteindelijk zou belanden, wist ik niet, maar ik had wel zin in een verandering van omgeving. Terwijl ik van de grond opkrabbelde en de eerder genoemde gebukte houding aannam, klonk er een schril gekwetter achter me in het reservoir. Ik had niet de indruk dat Andre een type was om te kwetteren en ik wist dan ook meteen wie dat geluid wel produceerden: vleermuizen.

56

Hagel komt in de woestijn hoogst zelden voor, maar af en toe kan een onweersbui boven de Mojave het land met ijs bekogelen.

Als het buiten had gehageld en ik zou vervolgens rare bulten op mijn gezicht en mijn hals krijgen, dan kon ik er zeker van zijn dat God had besloten om Zichzelf te amuseren door de tien plagen van Egypte op mijn gekwelde persoontje los te laten. Ik geloof niet dat vleermuizen een van die bijbelse plagen waren, hoewel dat eigenlijk wel zo zou moeten zijn. Als mijn geheugen me niet in de steek laat, waren het kikkers in plaats van vleermuizen die Egypte teisterden. Grote aantallen boze kikkers werken niet half zo erg op je zenuwen als grote aantallen woedende vliegende knaagdieren. Waardoor je je trouwens meteen gaat afvragen of die godheid wel zo'n bekwaam dramaturg is.

Toen die kikkers doodgingen, brachten ze luizen voort en dat was de derde plaag. En dit kwam uit de koker van dezelfde Schepper die de lucht boven Sodom en Gomorra bloedrood schilderde, het hellevuur op de steden liet neerregenen, alle schuilplaatsen vernietigde waar de mensen naartoe probeerden te vluchten en geen steen op de andere liet staan.

Toen ik over die richel in het reservoir was geschuifeld en mezelf had opgehesen naar de hoogste tunnel, had ik mijn zaklantaarn niet recht naar boven laten schijnen. Maar kennelijk had een hele meute met leren vleugels uitgeruste slapers rustig dromend aan het plafond gebengeld.

Ik weet niet of ik hen gestoord heb en zo ja op welke manier. Het was nog niet zo lang geleden donker geworden. Misschien was dit het gewone tijdstip waarop ze wakker werden, hun vleugels uitsloegen en wegvlogen om verstrikt te raken in het haar van kleine meisjes. En tegelijkertijd begonnen ze te krijsen. Op hetzelfde moment liet ik me weer vallen en sloeg mijn armen om mijn hoofd, want ze verlieten hun door mensenhanden gemaakte grot via de hoogste afvoerbuis. Die zou nooit helemaal vol water komen te staan, dus op die manier konden ze altijd vrij ongehinderd naar buiten.

Als u me had gevraagd uit hoeveel exemplaren hun kolonie bestond toen ze over me heen vlogen, zou ik 'duizenden' hebben gezegd. Maar een uur later zou mijn antwoord op dezelfde vraag al 'honderden' zijn geweest. In werkelijkheid waren het er hooguit vijftig of zestig. Het geruis van hun vleugels dat door de gebogen betonnen wanden werd weerkaatst klonk als krakend cellofaan. Vroeger gebruikten de geluidsmensen bij films datzelfde geluid om het geknetter van een uitslaande brand te imiteren. Ze veroorzaakten vrijwel geen tocht, maar wel een vlaag van ammoniaklucht die samen met hen weer verdween.

Een paar fladderden tegen de armen waarmee ik mijn hoofd en gezicht beschermde, of streken als veertjes over de rug van mijn handen, wat me net zo goed aan een vlucht vogels had kunnen herinneren, maar in plaats daarvan zag ik in gedachten meteen wriemelende insecten voor me – kakkerlakken, duizendpoten, sprinkhanen – dus ik had in werkelijkheid te maken met vleermuizen terwijl ik aan insecten dacht. Sprinkhanen waren de achtste plaag geweest die Egypte had geteisterd.

Hondsdolheid.

Omdat ik ergens had gelezen dat een kwart van elke vleermuiskolonie besmet was met dat virus, verwachtte ik dat ik herhaaldelijk gemeen zou worden gebeten. Maar er was er niet één bij die zelfs maar naar me hapte. Desondanks waren er wel bij die in het voorbijvliegen op me scheten, als een soort achteloze belediging. Het universum had mijn uitdaging gehoord en aangenomen: ik was nu smeriger en nog ellendiger dan ik tien minuten geleden was geweest.

Ik krabbelde weer overeind en liep gebukt verder door de naar beneden lopende afvoerbuis, weg van het reservoir. Ergens verderop, niet te ver weg, zou ik wel een mangat vinden, of een andere manier om uit het afwateringssysteem te komen. Nog tweehonderd meter, maakte ik mezelf wijs, hooguit driehonderd.

Maar tussen hier en daar zou ik uiteraard op de Minotaurus stuiten. De Minotaurus die zich voedde met mensenvlees. 'Ja,' mompelde ik hardop, 'maar het moet wel maagdenvlees zijn.' Toen herinnerde ik me dat ik ook maagd was.

Het licht van de zaklantaarn toonde dat de tunnel zich vlak voor me splitste. Het linkerkanaal bleef naar beneden lopen. De buis naar rechts was het verlengde van de tunnel die ik al vanaf het waterreservoir volgde, en omdat die omhoogliep, ging ik ervan uit dat ik op die manier dichter bij het aardoppervlak en bij een uitweg zou komen.

Ik had nog maar twintig of dertig meter afgelegd toen ik, uiteraard, de vleermuizen terug hoorde komen. Ze waren naar buiten gevlogen, hadden ontdekt dat er een storm was opgestoken en waren meteen teruggevlucht naar hun behaaglijke onderaardse toevluchtsoord. En omdat ik betwijfelde of ik een tweede confrontatie ook zonder beet zou doorstaan, veranderde ik meteen van richting met een lenigheid die ik aan pure paniek dankte en ging er als een gebochelde trol vandoor. Terug bij de omlaaglopende tunnel ging ik naar rechts, weg van het reservoir in de hoop dat de vleermuizen zich herinnerden waar ze woonden.

Toen hun zenuwachtige gefladder achter me aanwakkerde en weer wegstierf, bleef ik staan en leunde naar adem happend tegen een van de wanden. Misschien had Andre op de richel gestaan om van de laagste buis naar de hoogste over te steken toen de vleermuizen terugkwamen. Misschien zouden ze hem aan het schrikken maken en viel hij in het water, waarbij hij zichzelf op die samoeraizwaarden vast zou spietsen.

Die gedachte deed de hoop in mijn hart oplaaien. Heel even maar, want ik geloofde eigenlijk niet dat Andre van vleermuizen zou schrikken. Hij was vast nergens bang voor.

Ineens klonk er een dreigend geluid dat ik nog niet eerder had gehoord, een zwaar gerommel alsof twee enorme platen graniet over elkaar werden geschoven. Het leek uit de richting van het reservoir te komen.

Meestal hield dat in dat er een geheime deur in een massief stenen wand openrolde, waardoor de kwaadaardige keizer met veel vertoon zijn entree maakte in kniehoge laarzen en een wapperende mantel.

Aarzelend scharrelde ik terug naar de splitsing en hield mijn hoofd scheef om eerst in de ene en vervolgens in de andere richting te luisteren in een poging het geluid thuis te brengen. Het gerommel werd luider. Nu klonk het me meer in de oren als het schuren van ijzer over steen in plaats van steen over steen. En toen ik een hand tegen de wand van de tunnel drukte, kon ik het beton voelen trillen.

Ik dacht niet dat het een aardbeving was, want dan voelde je eerder schokken dan dit langdurige schurende geluid en die constante trillingen.

Het gerommel hield op. Ik voelde geen trillingen meer in het beton onder mijn vingers.

Een ruisend geluid. Een plotselinge vlaag van tocht streek door mijn haar, alsof iets de lucht uit de omhooglopende tunnel vlak bij me duwde.

Ergens was een sluisdeur opengegaan.

De lucht had plaats moeten maken voor een golf water. Uit de naar boven lopende tunnel stortte een vloedgolf omlaag die me omver gooide en meesleepte naar de diepste krochten van het afwateringssysteem.

57

Draaiend, wentelend en tuimelend tolde ik door de tunnel als een kogel door de loop van een geweer. Aanvankelijk kon ik bij het licht van de lantaarn die om mijn linkerarm zat nog de golvende grauwe watermassa zien, glinsterend en met gore schuimkoppen. Maar toen raakte de band los, viel van mijn arm en nam het licht mee.

Terwijl ik in het donker naar beneden werd gesleurd, sloeg ik mijn armen om me heen en probeerde mijn benen tegen elkaar te houden. Met zwaaiende ledematen zou de kans veel groter zijn dat ik een pols, een enkel of een elleboog zou breken door een klap tegen de wand. Ik deed mijn best om op mijn rug te blijven liggen, met mijn gezicht omhoog en me mee te laten sleuren met het fatalisme van een olympische bobber die omlaag suist door een ijskanaal, maar de vloedgolf draaide me steeds opnieuw om en drukte mijn gezicht onder water. Ik snakte naar adem, vouwde mijn lichaam dubbel om weer te weten wat boven en onder was en hapte lucht als ik weer boven kwam.

Ik kreeg water naar binnen, kwam weer boven, kokhalsde, hoestte en zoog wanhopig de natte lucht naar binnen. Gezien het feit dat ik zo hulpeloos was in de greep van het water leek deze vrij bescheiden vloed bijna de Niagara die me meesleurde naar de dodelijke watervallen.

Hoe lang die waterkwelling duurde, zou ik niet kunnen zeggen, maar aangezien ik al zoveel inspanning te verduren had gehad voordat ik door het overtollige water meegesleept werd, begon ik moe te worden. Heel moe. Mijn ledematen werden zwaar en mijn nek werd stijf van de moeite die het me kostte om mijn hoofd boven water te houden. Ik had pijn in mijn rug, mijn linkerschouder voelde aan alsof ik die verdraaid had en bij elke nieuwe poging om lucht te happen namen mijn krachten af, tot ik bijna aan het eind van mijn Latijn was.

Licht.

De vloedgolf spuugde me uit in een van de immense afwateringstunnels waarvan ik eerder vermoed had dat ze, in de laatste wereldoorlog, als een ondergrondse snelweg zouden dienen voor het transport van intercontinentale raketten van Fort Kraken naar verderop gelegen punten in de Maravilla Valley.

Ik vroeg me af of het licht in de tunnel was aan gebleven sinds ik de schakelaar had omgezet nadat ik via de dienstingang bij het Blue Moon Café naar beneden was gekomen. Ik had het gevoel dat inmiddels al een paar weken voorbij waren gegaan in plaats van een paar uur.

Hier was de snelheid van de vloed niet zo adembenemend als in de kleinere en veel steiler omlaag lopende buis. Ik kon watertrappen en op die manier boven blijven terwijl ik meegevoerd werd naar het midden van de stroom en verder werd gesleurd.

Maar ik kreeg al gauw door dat ik niet in staat was dwars door de stroom te zwemmen. Ik zou niet in staat zijn om bij de loopbrug te komen die ik had gebruikt toen ik Danny en zijn bewakers had gevolgd in oostelijke richting. Ineens drong het tot me door dat de loopbrug onder water was komen te staan toen het milde stroompje was veranderd in deze machtige Mississippi. Zelfs als ik er met uiterste inspanning en met behulp van een wonder in zou slagen bij de rand van de tunnel te komen, zou ik nog niet aan de rivier kunnen ontsnappen.

Als dit afwateringssysteem uiteindelijk het overtollige water zou dumpen in een gigantisch onderaards meer zou ik daar aan land spoelen. Robinson Crusoe, maar dan zonder zonnetje en kokosnoten. En trouwens, misschien had zo'n meer niet eens oevers. Het zou ook best omringd kunnen worden door steile stenen wanden die door het condenswater dat er al tijden langs moest druppelen zo glad waren geworden dat ze niet te beklimmen waren.

En als er wel een oever was, zou die niet bepaald gezellig zijn. Zonder licht zou ik een blinde in een ondergrondse woestenij zijn, die alleen aan de hongerdood kon ontkomen als ik in plaats daarvan per ongeluk in een diepe kloof viel en mijn nek brak.

Op dat troosteloze moment was ik ervan overtuigd dat ik onder de grond zou sterven. En binnen een uur was het ook zover.

Het bleek een aanslag op mijn uithoudingsvermogen te zijn om watertrappelend mijn hoofd boven water te houden. Ik wist niet zeker of ik dit wel uit zou kunnen houden in de kilometers tot het meer. Als ik verdronk, hoefde ik niet van honger om te komen.

Een sprankje hoop flakkerde op bij de aanblik van een dieptemeter die midden in de stroom stond. Ik werd rechtstreeks meegesleurd naar de vierkante witte paal die bijna tot aan het drieëneenhalve meter hoge plafond reikte.

Op het moment dat de stroom me langs deze smalle toevluchtshaven voerde, haakte ik een arm om de paal. Daarna sloeg ik er ook een been omheen. Als ik aan de kant van de stroming bleef, met de paal tussen mijn benen, zou ik door de druk van het water in mijn rug op de plaats worden gehouden. Toen ik eerder die dag het lijk van de slangenman van deze paal of een soortgelijke meegesleept had naar de loopbrug was het water nog geen zestig centimeter diep geweest. Nu stond het al hoger dan anderhalve meter.

Veilig verankerd leunde ik met mijn voorhoofd tegen de paal en bleef zo een tijdje hangen om op adem te komen. Ik luisterde naar mijn hartslag en verbaasde me over het feit dat ik nog steeds in leven was. Maar na een paar minuten, toen ik mijn ogen dicht had laten vallen, werd ik overvallen door dat zweverige, draaierige gevoel dat je krijgt vlak voordat je in slaap valt. Ik schrok op en mijn ogen vlogen open. Als ik in slaap viel, zou ik mijn greep op de paal verliezen en weer meegesleurd worden.

Deze vervelende toestand zou nog wel even duren. Aangezien de loopbrug onder water stond, zou een onderhoudsploeg zich hier niet wagen. Niemand zou zien hoe ik daar aan die paal hing en een reddingsactie op touw zetten. Maar als ik me stevig vast bleef houden, zou het niveau van het water wel snel zakken als het slechte weer voorbij was. Uiteindelijk zou de loopbrug weer boven water komen en dan zou de stroom weer ondiep genoeg zijn om erdoorheen te lopen.

Volhouden.

Om iets te doen te hebben, maakte ik in gedachten een lijstje van de rommel die ik voorbij zag dobberen. Een palmblad. Een blauwe tennisbal. Een fietsband.

Ik bleef een tijdje nadenken over een baan bij Tire World, over het werken met banden omgeven door de lekkere geur van vers rubber en daar kikkerde ik van op.

Een geel tuinstoelkussen. Het groene deksel van een koelbox. Een balk met een venijnig uitstekende roestige spijker. Een dode ratelslang.

Bij de aanblik van de dode slang besefte ik ineens dat er ook een levende slang door het water meegevoerd zou kunnen worden. En trouwens, een flink stuk hout, zoals die balk van daarnet, die meegesleurd door de stroom met een vaartje tegen mijn ruggengraat zou slaan kon misschien ook wel letsel veroorzaken. Daarom begon ik af en toe over mijn schouder te kijken om te zien welk afval op me af kwam. Misschien was de slang wel een waarschuwingsteken geweest. Want daardoor zag ik Andre aankomen voordat hij bij me was.

58

Het kwaad sterft nooit. Het verandert alleen van gezicht. En van dat gezicht had ik meer dan genoeg gezien, dus toen ik de reus in het oog kreeg, dacht ik heel even – en ik hoopte het ook van harte – dat het een lijk was dat achter me aan kwam.

Maar hij leefde nog wel degelijk en hij was kwieker dan ik en te ongeduldig om gewoon te wachten tot hij door de stroming meegevoerd zou worden tot de meetplank, dus lag hij te spartelen en met zijn armen te zwaaien, vastbesloten om naar me toe te zwemmen.

Ik kon nergens heen, alleen naar boven.

Ik had overal spierpijn. Mijn rug deed zeer. En mijn natte handen op de natte paal leken me in de steek te laten. Maar gelukkig waren de lijnen waarmee de hoogte om de tien centimeter op de palen stond aangegeven niet alleen met zwarte verf aangegeven, maar ook iets uitgehold, waardoor ik met handen en voeten houvast kreeg op de paal. Niet veel, maar alle beetjes helpen. Ik klemde de paal tussen mijn knieën en duwde mezelf met de spieren in mijn bovenbenen omhoog terwijl ik hand over hand omhoogklauterde. Ik gleed terug, drukte mijn tenen tegen de plank, klemde mijn knieën eromheen en probeerde het opnieuw. Heel langzaam hees ik mezelf op, dankbaar voor iedere centimeter.

Toen Andre tegen de paal botste, voelde ik de klap en keek omlaag. Zijn gezicht was breed en afgestompt als een knuppel, waarin de ogen op steekwapens leken, scherp van moordlustige woede. Hij probeerde me met één hand vast te pakken. Hij had lange armen en zijn vingers raakten net de zool van mijn rechterschoen.

Ik trok mijn benen op. In doodsangst, bang dat ik terug zou

glijden en in zijn handen zou belanden, wurmde ik mezelf nog verder omhoog, waarbij ik aan de cijfers kon zien hoeveel ik opschoot. Uiteindelijk botste mijn hoofd tegen het plafond.

Toen ik opnieuw omlaag keek, zag ik dat ik zelfs met opgetrokken benen en mijn dijen stijf om de paal geklemd hooguit vijfentwintig centimeter buiten zijn bereik was. Hij probeerde moeizaam houvast te krijgen met zijn dikke vingers in de uitsparingen op de paal en zichzelf uit het water op te hijsen.

Boven op de meetpaal zat een knop, te vergelijken met de knop op een post boven aan een trapleuning. Ik stak mijn linkerhand uit en klemde me eraan vast als de arme King Kong aan de mast boven op het Empire State Building, die bedoeld was om zeppelins aan vast te leggen.

Die analogie klopte niet helemaal, want King Kong hing onder me aan de paal. Misschien moest ik daaruit opmaken dat ik Fay Wray was. De grote aap leek inderdaad een ongezonde hartstocht voor me te koesteren.

Mijn benen waren iets omlaag gezakt. Ik voelde Andres vingers langs mijn schoen strijken. Woedend schopte ik naar zijn hand. En nog een keer, voordat ik mijn benen weer optrok. Ineens herinnerde ik me Datura's pistool, dat ik op mijn rug tussen mijn broekriem had gestopt. Maar toen ik het met mijn rechterhand probeerde te pakken, bleek dat ik het onderweg was kwijtgeraakt. En terwijl ik me in bochten wrong om het vermiste pistool te pakken schoot de bruut langs de paal omhoog en pakte me bij mijn linkerenkel.

Ik schopte en kronkelde, maar hij hield vast. Hij nam zelfs het risico om de paal los te laten en mijn enkel met twee handen vast te grijpen. En hij was zo zwaar dat hij me zonder mededogen naar beneden trok, waarbij het nog een wonder was dat mijn heup niet uit de kom schoot. Ik hoorde een schreeuw van woede en pijn, gevolgd door een tweede. Toen drong het pas tot me door dat ik ze zelf geslaakt had.

De knop boven op de paal was er niet in uitgesneden, maar er los opgeschroefd. Hij brak prompt af in mijn handen. Samen met Andre stortte ik in het afwateringskanaal.

59

Tijdens de val glipte ik uit zijn handen.

Ik kwam met zo'n klap in het water terecht dat ik kopje-onder ging en de bodem raakte. De krachtige stroming maakte dat ik rondtolde en hoestend en proestend weer bovenkwam.

Cheval Andre, de stier, de hengst, dreef vlak voor me, op een meter of vijf afstand, met zijn gezicht naar me toe. Omdat hij het tegen de woeste stroming moest opnemen, was hij niet in staat om naar me toe te zwemmen voor die afspraak met de dood waar hij kennelijk zo naar hunkerde. Hij werd zo verteerd door razernij, ziedende haat en honger naar geweld, dat hij bereid was zichzelf volkomen uit te putten om wraak te nemen. En hij maalde er niet om dat hij dan zelf ook zou verdrinken nadat hij mij verdronken had.

Afgezien van Datura's goedkope fysieke aantrekkingskracht begreep ik absoluut niet wat ze nog meer te bieden had waardoor een man zich zo met hart en ziel aan haar zou overgeven. Laat staan een man die over geen enkele mate van gevoel leek te beschikken. Zou deze keiharde bruut echt zoveel van schoonheid houden dat hij bereid was ervoor te sterven, zelfs al zat die schoonheid alleen maar aan de buitenkant en was de vrouw in kwestie niet alleen verdorven maar ook stapelgek en narcistisch geweest en had ze hem naar haar pijpen laten dansen?

We waren volledig overgeleverd aan de stroming, die ons liet tollen, ons ophief, ons onder water trok en ons meesleurde met een snelheid van rond de vijftig kilometer per uur en misschien zelfs nog sneller. Af en toe waren we hooguit een meter tachtig van elkaar verwijderd, maar de afstand werd nooit groter dan zes meter.

We kwamen langs de plek waar ik eerder die dag dit afwateringssysteem binnen was gekomen en snelden verder. Ik begon me zorgen te maken dat we vanuit het verlichte deel van de tunnels de duisternis in gesleurd zouden worden en ik was nog banger om Andre uit het zicht te verliezen dan om in het donker in het ondergrondse meer gestort te worden. Als ik dan toch moest verdrinken, moest het water zelf mijn leven maar nemen. Ik wilde niet door zijn toedoen sterven.

Voor ons uit verscheen een stel stalen hekken dat tezamen een cirkel vormde die precies in de ronde afvoertunnel paste. Ze hadden wel iets weg van een valhek, in die zin dat ze zowel verticale als horizontale staven hadden. De openingen tussen dat hekwerk waren tien bij tien centimeter. Het hek was kennelijk het laatste filter voor al het afval dat door het water werd meegesleurd. En uit de toenemende snelheid van het water viel op te maken dat zich niet ver voor ons een waterval bevond en dat daarachter ongetwijfeld het meer lag te wachten. De ondoordringbare duisternis achter die hekken leek eveneens op een afgrond te wijzen.

Andre arriveerde het eerst bij het hek en ik knalde er een paar seconden later tegenaan, iets minder dan twee meter rechts van hem. Direct nadat hij het hek raakte, klauwde hij in de hoop rotzooi die zich ervoor had verzameld en klom erop.

Ik was zo versuft dat ik daar alleen maar wilde blijven hangen om uit te rusten, maar omdat ik wist dat hij naar me toe zou komen klauterde ik ook op de hoop puin en klom in het hek. Daar bleven we even roerloos hangen, als een spin en haar prooi in een web.

Hij begon zijdelings over het stalen rooster naar me toe te kruipen. Kennelijk was hij niet half zo buiten adem als ik.

Ik was er het liefst vandoor gegaan, maar ik kon maar een kleine meter verder opzij, dan was ik bij de muur. Ik zette mijn voeten op een van de horizontale staven, hield me met een hand vast aan het hek en trok het vissersmes uit de zak van mijn spijkerbroek. Pas bij de derde poging, toen hij nog maar een armlengte van me was verwijderd, slaagde ik erin om het lemmet uit het heft te trekken.

Het smartelijke moment was eindelijk aangebroken. Het was een kwestie van hij of ik. Vis of in stukken gesneden aas.

Zonder zich iets van het mes aan te trekken schuifelde hij verder en stak zijn arm naar me uit.

Ik haalde uit naar zijn hand.

In plaats van een kreet te slaken of achteruit te deinzen greep hij het mes vast met zijn bloedende hand. Het werd nog erger voor hem toen ik het mes met een ruk terugtrok.

Met zijn gewonde hand pakte hij mijn haar vast en probeerde me van het hek te rukken.

Hoe smerig het ook was, hoe intiem en vreselijk het ook was, ik kon niet anders. Ik ramde het mes diep in zijn maag en trok het zonder pardon met een ruk naar beneden. Hij liet mijn haar los en greep de pols van de hand die het mes vasthield voor hij van het hek viel en mij meesleurde.

We rolden over de rotzooi die zich voor het hek had opgehoopt, gingen kopje-onder in het water en kwamen neus aan neus weer boven, met mijn hand in de zijne, terwijl we vochten om het mes. Zijn rondzwaaiende vrije hand leek op een knuppel die eerst mijn schouder en toen de zijkant van mijn hoofd ramde voordat hij me mee omlaag trok, onder water. Even was alles modderig, verblindend en verstikkend, toen kwamen we weer boven om lucht te happen, kuchend, spugend en zonder veel te zien. Op de een of andere manier was hij erin geslaagd om het mes te pakken te krijgen en de punt ervan voelde niet scherp aan, maar gloeiend heet bij de diagonale haal over mijn borst.

Ik kan me niet herinneren wat er is gebeurd na die snee tot ik kort daarna, al heb ik geen flauw idee hoe lang het heeft geduurd, besefte dat ik languit op de rotzooi onder aan het hek lag en me met twee handen vastklemde aan een van de horizontale staven, bang dat ik weer in het water zou vallen en dan niet meer in staat zou zijn om weer boven te komen.

Doodmoe, volledig krachteloos en uitgeput, besefte ik dat ik het bewustzijn had verloren en dat ik binnen de kortste keren weer buiten westen zou zijn. Ik slaagde er nog net in om mezelf hoger op te hijsen aan het hek en mijn beide armen om een paar verticale staven te slaan, zodat als mijn handen loslieten ik nog aan mijn ellebogen in het hek zou blijven hangen, boven het wateroppervlak.

Hij dreef links van me, vastgehouden door de rommel, met zijn gezicht naar boven, dood. Zijn ogen waren weggedraaid in zijn hoofd, even glad en wit als gekookte eieren, wit en blind als botten, even blind en verschrikkelijk als Moeder Natuur in al haar onverschilligheid.

Ik vertrok.

60

Het getik van avondregen tegen de ramen... De heerlijke geur van stoofvlees dat rustig in de oven staat te garen die vanuit de keuken binnen komt drijven...

In zijn woonkamer zit Little Ozzie in de grote fauteuil waar hij aan alle kanten uitpuilt. Het warme licht van de Tiffany-lampen, de rijke tinten van het Perzische tapijt, de kunstvoorwerpen en de snuisterijen getuigen van zijn goede smaak.

Op het tafeltje naast zijn stoel staat een fles prima Cabernet, een blad met diverse soorten kaas en een kopje geroosterde walnoten als stille getuigen van zijn beschaafde pogingen zichzelf om het leven te brengen.

Ik zit op de bank en blijf een tijdje toekijken hoe hij geniet van zijn boek voordat ik zeg: *U leest altijd alleen maar Saul Bellow, Hemingway of Joseph Conrad.*

Hij weigert zich midden in een paragraaf te laten storen.

Ik durf te wedden dat u graag iets zou willen schrijven dat ambitieuzer is dan verhalen over een detective die aan boulimie lijdt.

Ozzie zucht en pakt een stukje kaas, de ogen vast op zijn boek gericht.

U hebt zoveel talent, ik weet zeker dat u kunt schrijven wat u wilt. Ik vraag me af of u dat weleens geprobeerd hebt.

Hij legt het boek opzij en pakt zijn wijn op.

O, zeg ik verrast. *Nu begrijp ik het ineens.*

Ozzie neemt een slokje wijn en staart, nog steeds met het glas in zijn handen, voor zich uit zonder naar iets in de kamer te kijken.

Ik wou dat u kon horen wat ik te zeggen heb, meneer. U bent altijd een lieve vriend voor me geweest. Ik ben ontzettend blij dat u me zover hebt gekregen dat ik het verhaal over Stormy en mij en over wat er met haar is gebeurd op papier heb gezet.

Nadat hij nog een slokje wijn heeft genomen, slaat hij zijn boek weer open en leest verder.

Als u me niet had gedwongen het op te schrijven was ik vast gek geworden. En als ik het niet had gedaan, zou ik vast ook nooit rust hebben gevonden.

Terrible Chester komt in al zijn glorie vanuit de keuken de kamer in en staat naar me te staren.

Als alles goed was afgelopen had ik al die toestanden met Danny ook op kunnen schrijven, dan had u een tweede manuscript gehad. U zou het misschien niet zo goed hebben gevonden als het eerste, maar misschien vindt u het toch wel leuk.

Chester komt dichter bij me zitten dan hij ooit heeft gedaan, aan mijn voeten.

Als ze u het nieuws over mij komen vertellen, meneer, eet dan alstublieft geen hele ham in één avond op en ga geen stuk kaas frituren.

Ik steek mijn hand uit om Terrible Chester te aaien en dat schijnt hij prettig te vinden.

U zou nog wel iets voor me kunnen doen, meneer. Schrijf een verhaal van het soort dat u het allerfijnst vindt om te schrijven. Als u dat voor me wilt doen, dan heb ik de gave die u me geschonken hebt weer teruggegeven en dat zou me heel blij maken.

Ik sta op van de bank.

U bent een lieve, dikke, wijze, dikke, gulle, eerbiedwaardige, bezorgde, fantastische dikke man en ik zou niet willen dat u anders was.

Terri Stambaugh zit in de keuken van haar appartement boven de Pico Mundo Grille met een kop sterke koffie en bladert langzaam door een fotoalbum.

Als ik over haar schouder kijk, zie ik kiekjes van haar met Kelsey, haar man die ze aan kanker verloren heeft.

Uit haar stereoinstallatie klinkt Elvis met 'I Forgot to Remember to Forget'.

Ik leg mijn handen op haar schouders. Uiteraard reageert ze niet.

Ik heb zoveel aan haar te danken. Ze heeft me aangemoedigd, me op mijn zestiende een baan aangeboden, een eersteklas snelbuffetkok van me gemaakt en me altijd goede raad gegeven. Als dank kon ik haar alleen vriendschap schenken en dat lijkt lang niet genoeg.

Ik wou dat ik haar een paranormale beleving kon geven. Bijvoorbeeld door de wijzers op de Elvisklok aan de muur snel rond te laten draaien. Of dat porseleinen Elvisbeeldje over het aanrecht te laten dansen.

Later, als ze het haar zouden komen vertellen, zou ze dan hebben geweten dat ik het was geweest die haar voor de gek had gehouden en afscheid van haar kwam nemen. Dan zou ze weten dat alles met mij in orde was en als ze daarvan overtuigd was, zou alles met haar ook in orde zijn.

Maar ik voel niet genoeg woede om de poltergeist uit te kunnen hangen. Nog niet eens genoeg om het gezicht van Elvis op haar beslagen keukenraam te laten verschijnen.

Chief Wyatt Porter en zijn vrouw Karla zaten in hun keuken aan het avondeten.

Zij kan lekker koken en hij houdt van eten. Volgens hem houdt dat hun huwelijk in stand. Volgens haar blijft het alleen in stand omdat zij geen scheiding wil aanvragen omdat ze te veel medelijden met hem heeft.

Wat hun huwelijk werkelijk in stand houdt zijn een onmetelijk wederzijds respect, een gedeeld gevoel voor humor, het geloof dat ze samengebracht zijn door een kracht die groter is dan zij en een liefde zo onwankelbaar en puur dat je die gerust heilig mag noemen.

Ik wil het liefst geloven dat Stormy en ik ook zo waren geworden als wij met elkaar hadden kunnen trouwen en de kans hadden gekregen om net zo lang bij elkaar te blijven als de commissaris en Karla. Zo perfect bij elkaar passend dat een avondmaal met spaghetti en salade in de keuken op een regenachtige avond nog bevredigender is dan een diner in het fijnste restaurant van Parijs en het hart nog meer vreugde schenkt.

Ik ga ongenood samen met hen aan tafel zitten. Ik schaam me een beetje dat ik hun gewone, maar toch boeiende gesprek afluister, maar dit zal de enige keer zijn dat dit gebeurt. Ik blijf niet rondwaren. Ik vertrek naar het hiernamaals.

Na een poosje begint zijn mobiele telefoon te rinkelen.

'Hopelijk is dat Odd,' zegt hij.

Zij legt haar vork neer en veegt haar handen af aan een servet, terwijl ze zegt: 'Als er iets mis is met Oddie ga ik mee.'

'Hallo,' zegt de commissaris. 'Met Bill Burton?'

Bill Burton is de eigenaar van het Blue Moon Café.

De commissaris fronst. 'Ja, Bill. Natuurlijk. Odd Thomas? Wat is er met hem?'

Alsof ze een voorgevoel heeft, duwt Karla haar stoel achteruit en staat op.

'We komen er meteen aan,' zegt de commissaris.

Terwijl ik net als hij van tafel opsta, zeg ik: *Bij nader inzien praten de doden wel degelijk, meneer. Maar de levenden luisteren nooit.*

61

Dit is het mysterie waar alles om draait: hoe ik vanaf dat valhek in het afwateringskanaal naar de keukendeur van het Blue Moon Café ben gekomen, een tocht waar ik me totaal niets van kan herinneren.

Ik ben ervan overtuigd dat ik dood was. De bezoeken die ik aan Ozzie, Terri en de Porters in hun keuken heb gebracht waren geen producten van mijn fantasie. Later, toen ik hen mijn verhaal vertelde, klopte mijn beschrijving van wat ze deden toen ik bij hen op bezoek was precies met wat zij zich van die avond herinnerden.

Volgens Bill Burton dook ik helemaal kapot en besmeurd op bij de achterdeur van zijn café en vroeg of hij Chief Porter voor me wilde bellen. Inmiddels regende het niet meer en ik was zo vies dat hij een stoel voor me buiten zette en een flesje bier voor me haalde. Want dat had ik volgens hem hard nodig. Daar herinner ik me trouwens niets van. Het eerste dat ik weet, is dat ik in die stoel zat en een Heineken achteroversloeg, terwijl Bill de wond in mijn borst onderzocht.

'Oppervlakkig,' zei hij. 'Het is nauwelijks meer dan een schram. Het bloeden is al vanzelf opgehouden.'

'Hij was al halfdood toen hij naar me uithaalde,' zei ik. 'Er zat helemaal geen kracht achter.'

Dat zou best waar kunnen zijn. Of misschien was het de verklaring waaraan ik zelf de voorkeur gaf.

Al gauw kwam er een patrouillewagen van de politie van Pico Mundo aanrijden, zonder sirene of zwaailichten. De auto stopte in het steegje achter het café. Chief Porter en Karla stapten uit en liepen naar me toe.

'Het spijt me dat jullie geen tijd hadden om die spaghetti op te eten,' zei ik.

Ze keken elkaar verbaasd aan.

'Oddie,' zei Karla, 'je oor is kapot. En hoe komt al dat bloed op je t-shirt? Wyatt, we moeten een ambulance voor hem laten komen.'

'Er is niets met me aan de hand,' verzekerde ik haar. 'Ik was dood, maar iemand was het daar niet mee eens, dus nu ben ik weer terug.'

'Hoeveel biertjes heeft hij op?' vroeg Wyatt aan Bill Burton.

'Dat is zijn eerste,' zei Bill.

'Wyatt,' zei Karla dringend, 'hij heeft beslist een ambulance nodig!'

'Niet echt,' zei ik. 'Maar Danny is er niet best aan toe en misschien zijn er een paar broeders nodig om hem al die trappen af te dragen.'

Terwijl Karla nog een stoel uit het café haalde, naast me neer zette, erop ging zitten en me begon te bemoederen, gebruikte Wyatt de politieradio om een ambulance op te roepen.

Toen hij terugkwam, zei ik: 'Weet u wat er mis is met de mensheid, meneer?'

'Meer dan genoeg,' zei hij.

'Het grootste geschenk dat we hebben gekregen is onze vrije wil en die blijven me maar misbruiken.'

'Daar zou ik me nu maar niet druk over maken,' raadde Karla me aan.

'Weet u wat er mis is met de natuur?' vroeg ik haar. 'Met al die giftige planten, die roofdieren, die aardbevingen en die overstromingen?'

'Je maakt jezelf overstuur, lieverd.'

'Toen we anderen begonnen te benijden en moorden gingen plegen om de dingen waarvoor we hen benijdden, zijn we gevallen. En door die val is de hele mikmak gebroken en heeft ook de natuur een klap gekregen.'

Manuel Nuñez, een keukenhulp die ik wel kende omdat hij ook parttime in de Grille had gewerkt, kwam me een vers biertje brengen.

'Volgens mij is dat niet goed voor hem,' zei Karla bezorgd.

Terwijl ik het biertje aanpakte, vroeg ik: 'Hoe gaat het met je, Manuel?'

'Beter dan met jou, volgens mij.'

'Ik ben alleen een tijdje dood geweest, anders niet. Weet jij wat er mis is met de kosmische tijd zoals wij die kennen en die alles van ons afpakt?'

'In de lente een uur vooruit, in de herfst een uur achteruit, bedoel je dat?' vroeg Manuel, die dacht dat ik het over de zomertijd had.

'Toen bij onze val alles kapotging,' zei ik, 'gold dat ook voor de natuur. En omdat we de natuur kapot hebben gemaakt, is ook de tijd van slag geraakt.'

'Komt dat uit *Star Trek?*' vroeg Manuel.

'Dat zou kunnen. Maar het is wel waar.'

'Dat vond ik een leuke serie. Die heeft me geholpen Engels te leren.'

'Dat spreek je nu goed,' zei ik tegen hem.

'Ik heb een tijdje met een Schots accent gesproken,' zei Manuel. 'Omdat ik me zo inleefde in de rol van Scotty.'

'Er is een tijd geweest dat er geen roofdieren en geen prooidieren waren. Ze leefden allemaal vreedzaam samen. En er waren geen aardbevingen en geen stormen, omdat alles in evenwicht was. In den beginne was tijd heden en eeuwigheid... geen verleden, geen heden en geen toekomst. Geen dood. En dat hebben wij allemaal kapotgemaakt.'

Chief Porter probeerde me mijn verse biertje af te pakken.

Maar ik hield het stevig vast. 'Weet u wat het allerergste is aan de toestand van het menselijk ras, meneer?'

'Belastingen,' zei Bill Burton.

'Nog erger dan dat,' zei ik tegen hem.

'Het feit dat benzine zo duur is en dat je nergens meer een goedkope hypotheek kunt krijgen,' zei Manuel.

'Het allerergste is... Deze wereld was een geschenk aan ons en door ons is alles kapotgegaan. Maar de afspraak was dat als we alles weer in orde willen krijgen, we daar zelf voor moeten zorgen. En dat kunnen we niet. We doen ons best, maar het lukt niet.'

Ik begon te huilen. De tranen overvielen zelfs mij. Ik had eigenlijk gedacht dat ik geen tranen meer overhad.

Manuel legde zijn hand op mijn schouder en zei: 'Misschien

krijgen we het toch wel voor elkaar, Odd. Wie weet? Dat kan best.'

Ik schudde mijn hoofd. 'Nee. We zijn zelf ook kapot. En iets wat kapot is, kan zichzelf niet repareren.'

'Misschien wel, hoor,' zei Karla, terwijl ze haar hand op mijn andere schouder legde.

Maar bij mij waren de sluizen echt opengegaan. Een en al snot en tranen. Ik schaamde me wel een beetje, maar niet genoeg om me te beheersen.

'Beste jongen,' zei Chief Porter. 'Dat is niet alleen jouw taak, hoor.'

'Dat weet ik wel.'

'Je hoeft die in puin gevallen wereld niet in je eentje op je schouders te dragen.'

'Daar vaart die wereld dan wel bij.'

De commissaris ging naast me op zijn hurken zitten. 'Dat zou ik niet durven zeggen. Helemaal niet, zelfs.'

'Ik ook niet,' beaamde Karla.

'Ik ben helemaal kapot,' bekende ik.

'Ik ook,' zei Karla.

'Ik zou wel een biertje lusten,' zei Manuel.

'Je bent wel aan het werk,' wees Bill Burton hem terecht. En toen: 'Pak er dan ook maar een voor mij.'

'Er liggen twee doden bij het Panamint en nog twee in de tunnels van het afwateringssysteem,' zei ik tegen de commissaris.

'Vertel me maar precies hoe of wat,' zei hij, 'dan zorgen wij wel voor de rest.'

'Wat me te doen stond... dat was heel erg. Echt heel erg. Maar het allerergste is...'

Karla gaf me een nieuw pakje tissues.

'Wat is het allerergste, jongen?' vroeg de commissaris.

'Het allerergste is dat ik ook dood was, maar iemand was het daar niet mee eens en nu ben ik weer hier.'

'Ja, dat zei je net ook al.'

Mijn borst kromp in elkaar. Mijn keel kneep samen. Ik kon nauwelijks ademhalen. 'Commissaris, nou was ik zó dicht bij Stormy, zó dicht bij de diensttijd...'

Hij legde zijn handen om mijn betraande gezicht en dwong me hem aan te kijken. 'Alles op zijn tijd, jongen. Alles op zijn eigen tijd, wanneer het gepland is.'

'Ja, dat zal wel.'

'Je weet best dat dat waar is.'

'Ik heb een heel moeilijke dag achter de rug, commissaris. Ik moest echt... afschuwelijke dingen doen. Dingen waarmee eigenlijk niemand zou moeten leven.'

'O, god, Oddie,' fluisterde Karla, 'zeg dat alsjeblieft niet, lieve schat van me.' Ze keek haar man smekend aan. 'Wyatt?'

'Luister eens jongen, je kunt iets dat in puin ligt niet repareren door een ander deel ervan kapot te maken. Begrijp je wat ik bedoel?'

Ik knikte. Ik begreep hem best. Maar begrip lost niet altijd alles op.

'Als je het nu zou opgeven, dan zou je een ander deel van jezelf kapot maken.'

'Dus moet ik volhouden,' zei ik.

'Dat klopt.'

Aan het eind van de steeg dook een ambulance op, met zwaailichten maar zonder sirene.

'Volgens mij heeft Danny een paar botten gebroken, maar wilde hij mij dat niet laten merken,' zei ik tegen de commissaris.

'We gaan hem wel halen. We zullen hem als een porseleinen poppetje behandelen, jongen.'

'Hij weet het nog niet van zijn vader.'

'Goed.'

'Dat wordt echt ontzettend moeilijk, meneer. Om hem dat te vertellen. Heel moeilijk.'

'Dat zal ik wel doen, jongen. Laat het maar aan mij over.'

'Nee, meneer. Ik zou het heel fijn vinden als u erbij zou willen blijven, maar ik moet het hem vertellen. Hij zal denken dat het allemaal zijn schuld is. Het zal een vreselijke klap voor hem zijn. Hij zal iemand nodig hebben die hem kan steunen.'

'Jij zult hem die steun kunnen geven.'

'Dat hoop ik van harte, meneer.'

'Hij kan op jouw steun rekenen, jongen. Wie zou hem beter kunnen steunen?'

Dus gingen we terug naar het Panamint waar de dood naartoe was gegaan om te gokken en zoals altijd had gewonnen.

62

Ik keerde terug naar het Panamint vergezeld van vier politie-patrouillewagens, een ziekenwagen, een lijkwagen, drie specialisten van de gerechtelijke medische dienst, twee ziekenbroeders, zes politieagenten, één commissaris en één Karla.

Ik was bekaf, maar niet meer zo volslagen uitgeput als ik me eerder had gevoeld. Ik was echt opgeknapt van het feit dat ik een tijdje dood was geweest.

Toen we de liftdeuren op de twaalfde etage open wrikten, was Danny blij ons te zien. Hij had de twee energierepen niet opgegeten en stond erop me die terug te geven. Hij had wel het water opgedronken dat ik bij hem had achtergelaten, maar niet omdat hij zo'n dorst had gehad. 'Er werd zoveel geschoten,' zei hij, 'dat ik die flesjes echt nodig had om in te piesen.'

Karla ging samen met Danny in de ambulance naar het ziekenhuis. Later was zij, en niet de commissaris, degene die erbij bleef toen ik Danny in een kamer in het County General vertelde wat er met zijn vader was gebeurd. De echtgenotes van de mannen van de hermandad zijn de geheime pijlers waarop onze wereld rust.

Op de donkere en met as bezaaide eerste etage vonden we de overblijfselen van Datura. De poema was verdwenen.

Zoals ik al had verwacht, dwaalde haar boze geest niet langer rond. De keus was niet langer aan haar en ze had haar vrijheid moeten inleveren bij een veeleisende inzamelaar.

In de woonkamer van de suite op de twaalfde etage bewezen bloedspetters en hagelkorrels dat ik Robert had verwond. Op het balkon lag een los dichtgeknoopte schoen, die kennelijk van zijn voet was geschoten toen hij achteruit was gestrompeld over de metalen glijers van de schuifdeuren.

Op de parkeerplaats direct onder het balkon vonden we zijn pistool en de andere schoen, alsof hij die nu ook niet meer nodig had en had uitgeschopt om gelijkmatig te kunnen lopen.

Na een val van die hoogte op een harde ondergrond hadden we hem daar eigenlijk in een plas bloed moeten aantreffen. Maar de regen had het plaveisel schoongespoeld.

Iedereen was het erover eens dat Datura en Andre het lichaam naar een droge plek gesleept hadden. Daar was ik het niet mee eens. Datura en Andre hadden de trappenhuizen bewaakt. Ze zouden tijd noch zin hebben gehad om hun dode die eer te bewijzen.

Ik keek op van de schoen en richtte mijn blik op de door de nacht verduisterde Mojave achter het grondgebied van het hotel en vroeg me af welke behoefte – of welk verlangen – en welke kracht hem gedreven hadden. Misschien vindt een wandelaar op een dag gemummificeerde overblijfselen, in zwarte kleren maar zonder schoenen, met opgetrokken knieën, weggekropen in een vossenhol waarvan de oorspronkelijke bewoners plaats hadden moeten maken voor een man die buiten bereik van zijn veeleisende godin in vrede wenste te rusten.

De verdwijning van Robert bereidde me voor op het feit dat de autoriteiten er evenmin in slaagden de lichamen van Andre en de slangachtige man te bergen. Aan het eind van het afwateringssysteem werd het rooster dat zoveel leek op een valhek verwrongen en openhangend aangetroffen. Erachter stortte het water omlaag in een grot, de eerste van een groot aantal van dat soort grotten die een soort archipel vormden in ondergrondse zeeën omringd door land. Een rijk dat eigenlijk nog nooit verkend was en zo gevaarlijk dat het niet verantwoord was daar op zoek te gaan naar een paar lijken.

Iedereen was het erover eens dat het water, dat over zo'n angstaanjagende kracht beschikte en dat door de berg afval die zich voor het rooster had opgehoopt verhinderd werd om vrij door het rooster te stromen, het staal had verwrongen, de grote scharnieren had verbogen en het slot kapot had geslagen.

Hoewel ik daar niets van geloofde, had ik geen enkele behoefte om in mijn eentje op onderzoek te gaan.

Maar omdat er een paar dingen waren die ik toch wel heel

graag wilde weten en Ozzie Boone het altijd zo op prijs stelt als ik zelf met mijn neus in de boeken duik, zocht ik wel de betekenis op van een paar van de termen die mij onbekend waren voorgekomen.

Mundunugu is een woord dat in verschillende vormen in diverse Oost-Afrikaanse talen voorkomt. Het betekent tovenaar of medicijnman.

Aanhangers van voodoo geloven dat de menselijke geest in tweeën is opgedeeld. Het eerste deel is de gros bon ange, de 'grote goede engel', de levenskracht die alle levende wezens bezitten en die hen voortdrijft. De gros bon ange vaart in het lichaam op het moment van de conceptie en keert ten tijde van de dood onmiddellijk terug naar God, die hem of haar heeft geschapen. Het tweede deel is de ti bon ange, de 'kleine goede engel', oftewel het wezen van de persoon in kwestie, het portret van het individu, de optelsom van de keuzes, de daden en de opvattingen die zijn of haar leven hebben gevormd.

Omdat de ti bon ange ten tijde van de dood af en toe gaat ronddwalen en de reis naar het hiernamaals opschort, is de kleine engel gevoelig voor een *bokor*, een voodoopriester die zich meer met zwarte dan met witte magie bezighoudt. Hij kan de ti bon ange in een flesje vangen en op heel veel manieren gebruiken. Er wordt ook gezegd dat een ervaren bokor met behulp van de juiste toverformules zelfs de ti bon ange van een levende persoon kan stelen. En als je erin zou slagen de ti bon ange van een andere bokor of mundunugu in te pikken, zou je in hoog aanzien komen te staan in de gekkekoeiengemeenschap.

Cheval is Frans voor 'paard'. Maar voor iemand die aan voodoo doet, is een 'cheval' een lijk – dat overigens wel vers moet zijn als het gestolen wordt uit het lijkenhuis of op een andere manier in zijn of haar bezit komt – waarin hij een ti bon ange installeert. Het voormalige lijk komt weer tot leven dankzij de ti bon ange die wellicht naar de hemel, of misschien zelfs wel de hel, verlangt maar volkomen afhankelijk is van de bokor.

Ik trek geen conclusies uit de betekenis van die vreemde woorden. Ik geef er hier alleen een verklaring van om u de kans te geven er weer iets bij te leren. Ik heb al eerder gezegd dat ik een logisch denkend mens ben, ook al kan ik paranormale verschijnselen waarnemen. Ik balanceer dagelijks op het slappe koord en kan mezelf alleen staande houden door de leemte te vullen tussen het logische en het onlogische, tussen het rationele en het irrationele. Het is letterlijk waanzin om zonder na te denken alles wat irrationeel is te omhelzen. Maar om uitsluitend rationele dingen te accepteren en het bestaan van elke vorm van mysterie omtrent dit leven en de betekenis ervan te ontkennen is net zo krankzinnig als het heilige geloof in onlogische zaken.

Een van de dingen die het leven van een snelbuffetkok en dat van een monteur van autobanden zo aantrekkelijk maakt, is dat je op drukke werkdagen geen tijd hebt om over dat soort dingen na te denken.

63

De oom van Stormy, Sean Llewellyn, is priester en pastoor van de St. Bartholomew in Pico Mundo.

Toen Stormy's vader en moeder allebei overleden toen ze zeveneneenhalf was, werd ze geadopteerd door een echtpaar uit Beverly Hills. Haar adoptievader had haar misbruikt. Eenzaam, verward en vol schaamte had ze uiteindelijk toch de moed kunnen opbrengen om het aan een maatschappelijk werker te vertellen. Daarna had ze waardigheid verkozen boven een bestaan als slachtoffer, moed boven wanhoop, en was in het weeshuis van St. Bart blijven wonen tot ze de middelbare school had doorlopen.

Vader Llewellyn is een vriendelijk man met een nors uiterlijk en streng in de leer. Hij lijkt op Thomas Edison in de vertolking van Spencer Tracy, maar dan met kortgeknipt borstelhaar. Zonder zijn witte boord zou hij gemakkelijk kunnen doorgaan voor een beroepsmarinier.

Twee maanden na de gebeurtenissen in het Panamint ging Chief Porter met mij mee om Vader Llewellyn om raad te vragen. We hadden met hem afgesproken in de studeerkamer in de pastorie van St. Bart.

Alsof we te biecht gingen, brachten we de priester om zijn vertrouwen te winnen op de hoogte van mijn gave. De commissaris bevestigde dat hij met mijn hulp een aantal misdaden had opgelost en hij stond in voor mijn geestelijke gezondheid en eerlijkheid.

Het belangrijkste wat ik Vader Llewellyn te vragen had, was of hij misschien een kloosterorde kende die bereid was onderdak en voedsel te verstrekken aan een jongeman die daarvoor hard wilde werken, zonder dat hij echt de wens koesterde om een monnik te worden.

'Wat jij wilt, is dus een positie als lekenbroeder in een religieuze gemeenschap,' zei Vader Llewellyn en uit de manier waarop hij dat zei, begreep ik dat dit weliswaar ongebruikelijk was maar dat het wel vaker voorkwam.

'Ja, meneer. Dat is precies wat ik bedoel.'

Met de ruige charme van een bezorgde sergeant van de mariniers die een soldaat in moeilijkheden raad probeert te geven, zei de priester: 'Je hebt het afgelopen jaar een paar harde klappen gekregen, Odd. Jouw verlies... en het mijne... was heel moeilijk te verwerken omdat ze... omdat ze zo'n lieve meid was.'

'Ja, meneer. Dat was ze. Dat is ze.'

'Verdriet is een gezonde emotie en het is heel verstandig om je eraan over te geven. Door ons verlies te accepteren staan de waarde en de betekenis van ons leven ons weer helderder voor ogen.'

'Ik loop echt niet weg voor mijn verdriet, meneer,' verzekerde ik hem.

'En je geeft jezelf er ook niet te veel aan over?'

'Nee, dat ook niet.'

'Dat is precies waar ik me zorgen over maak,' zei Chief Porter tegen Vader Llewellyn. 'Daarom ben ik het er ook niet mee eens.'

'Het gaat niet om de rest van mijn leven,' zei ik. 'Hooguit om een jaar en dan zien we wel weer verder. Ik wil alleen een tijdje geen heisa aan mijn hoofd.'

'Ben je alweer aan het werk in de Grille?' vroeg de priester.

'Nee. Het is altijd heel druk in de Grille, Vader, en bij Tire World is het al niet veel beter. Ik wil graag zinnig werk doen om mijn geest bezig te houden, maar ik zou graag ergens willen werken waar het... rustiger is.'

'Zelfs als lekenbroeder die geen gelofte aflegt, zul je je toch moeten aanpassen aan het geestelijke leven van de orde die bereid is je op te nemen.'

'Dat is geen probleem, meneer. Ik wil me graag aanpassen.'

'Aan wat voor soort werk denk je?'

'Tuinieren. Schilderen. Klusjes opknappen. Vloeren boenen, ramen lappen, de boel schoonhouden. Als ze dat willen, zou ik ook voor hen kunnen koken.'

'Hoe lang loop je daar al over na te denken, Odd?'

'Twee maanden.'

Vader Llewellyn keek Chief Porter aan en vroeg: 'Heeft hij er al die tijd ook met u over gesproken?'

'Ja, zo ongeveer,' bevestigde de commissaris.

'Dus het is geen besluit dat hij halsoverkop heeft genomen.'

De commissaris schudde zijn hoofd. 'Odd is niet impulsief.'

'Ik geloof ook niet dat hij wegloopt voor zijn verdriet,' zei Vader Llewellyn. 'Of dat hij zich er juist helemaal aan wil overgeven.'

'Ik wil gewoon een tijdje geen moeilijkheden,' zei ik. 'En rust om na te kunnen denken.'

'U bent niet alleen zijn vriend, waardoor u hem beter kent dan ik,' zei Vader Llewellyn, 'maar u bent ook iemand tegen wie hij schijnt op te kijken. Kunt u mij dan nog één reden geven waarom Odd dit volgens u niet moet doen?'

Chief Porter zweeg even. Daarna zei hij: 'Ik weet niet wat we zonder hem moeten beginnen.'

'Hoeveel hulp u ook van Odd krijgt, commissaris, er zullen toch steeds misdaden worden gepleegd.'

'Dat bedoelde ik ook niet,' zei Wyatt Porter. 'Ik bedoel... ik weet gewoon niet wat we zonder hem moeten beginnen.'

Sinds Stormy's dood had ik in haar appartement gewoond. De kamers betekenden minder voor me dan haar meubels, haar snuisterijtjes en haar persoonlijke bezittingen. En die wilde ik niet weg doen.

Samen met Terri en Karla pakte ik Stormy's spullen in en Ozzie bood aan alles zolang in een logeerkamer in zijn huis op te slaan.

Op mijn een na laatste avond in dat appartement zat ik samen met Elvis in het gezellige licht van een oude schemerlamp met een franje van kraaltjes te luisteren naar de muziek uit de beginjaren van zijn veelbesproken carrière.

Hij hield meer van zijn moeder dan van alle andere dingen in het leven. Nu hij dood is, wil hij niets liever dan haar weer te zien.

Al maanden voor haar dood maakte ze zich zorgen – zoals er

in allerlei biografieën over hem te lezen staat – dat de roem hem naar het hoofd steeg en dat hij begon te veranderen. Vervolgens stierf ze jong, voordat hij het toppunt van zijn succes bereikt had, en daarna sloeg hij helemaal om. Hoewel hij jarenlang verscheurd werd door verdriet vergat hij toch de goede raad van zijn moeder en jaar na jaar raakte zijn leven verder uit het spoor, zodat hij zijn talent hooguit voor vijftig procent heeft gebruikt.

Tegen de tijd dat hij veertig was – althans volgens zijn biografen – werd Elvis gekweld door de overtuiging dat hij de nu gedachtenis aan zijn moeder geen eer had aangedaan en dat zij zich zou hebben geschaamd voor zijn drugsgebruik en zijn egoïstische uitspattingen.

Nadat hij op zijn tweeënveertigste doodging, is hij hier blijven rondhangen omdat hij doodsbang is voor iets waar hij tegelijkertijd het meest naar verlangt: het weerzien met Gladys Presley. In tegenstelling tot wat ik aanvankelijk dacht, is het niet de liefde voor deze wereld die hem ervan weerhoudt naar het hiernamaals te vertrekken. Hij weet dat zijn moeder van hem houdt en dat ze hem meteen in haar armen zou sluiten zonder ook maar een woord van kritiek te uiten. Maar hij wordt nog steeds verteerd van schaamte omdat hij de grootste ster ter wereld is geworden, maar niet de man die ze hoopte dat hij zou worden.

In het hiernamaals zal ze hem met vreugde begroeten, maar hij vindt dat hij zich niet in haar gezelschap mag vertonen omdat ze volgens hem nu alleen maar met heiligen te maken heeft.

Op mijn een na laatste avond in Stormy's appartement schotelde ik hem die theorie voor. Toen ik uitgesproken was, stonden de tranen in zijn ogen en hij kneep ze een hele tijd dicht. Uiteindelijk keek hij me weer aan en pakte mijn hand die hij tussen zijn beide handen drukte.

Dat is dus inderdaad de reden waarom hij hier blijft rondwaren. Maar mijn analyse heeft hem er toch niet van kunnen overtuigen dat zijn vrees voor de hereniging van moeder en kind ongegrond is. Af en toe kan hij een echte koppige rockabilly zijn.

Mijn besluit uit Pico Mundo weg te gaan, althans voor een tijdje, heeft tot de oplossing van een ander raadsel met betrekking tot Elvis geleid. Hij spookt niet rond in deze stad omdat die een bepaalde betekenis voor hem heeft, maar omdat ik hier woon. Hij gelooft dat ik uiteindelijk de brug zal slaan waarover hij naar huis en naar zijn moeder kan gaan. Vandaar dat hij me ook wil vergezellen op de volgende etappe van mijn reis. Ik betwijfel of ik hem ervan zou kunnen weerhouden met me mee te gaan en ik zou niet weten waarom ik dat zou doen.

Ik vind het wel een grappig idee dat de koning van de rock-'n-roll zal gaan rondspoken door een klooster. De monniken zouden wel eens goed voor hem kunnen zijn en ik weet zeker dat hij goed voor mij zal zijn.

Deze avond, waarop ik dit zit te schrijven, zal mijn laatste in Pico Mundo zijn en ik zal omringd zijn door vrienden. Het zal me niet gemakkelijk vallen om deze stad, waarin ik iedere nacht van mijn leven heb geslapen, te verlaten. Ik zal de straten missen, net als de bijpassende geluiden en geuren. En ik zal me altijd het specifieke woestijnlicht herinneren en de schaduwen die het iets mysterieus geven. Maar het zal nog veel moeilijker zijn om mijn vrienden achter te laten. Zij zijn het enige dat mij in dit leven rest. Samen met hoop.

Ik weet niet wat me in deze wereld nog te wachten staat. Maar ik weet dat Stormy in het hiernamaals op me wacht en die wetenschap maakt deze wereld minder somber dan anders het geval zou zijn.

Ondanks alles heb ik voor het leven gekozen. Nu moet ik dat weer oppakken.

OVER DE AUTEUR

Dean Koontz is de auteur van een groot aantal bestsellers die bij de *New York Times* op de eerste plaats belandden. Hij woont samen met zijn vrouw Gerda en hun hond Trixie in Zuid-Californië.

Correspondentie aan de auteur dient gericht te worden aan:

Dean Koontz,
P.O. Box 9529
Newport Beach, California 92658